풍산자
반복수학

수학Ⅱ

쉽고 정확한 문제 학습은 자신감으로

체계적이고 반복적인 훈련은 점수로 보답하는

〈풍산자 반복수학〉입니다.

당신이 할 수 있는 일, 하고 싶은 일, 꿈꾸는 일을 바로 지금 시작해라.

- Johann Wolfgang von Goethe -

정확하고 빠른 풀이를 위한 연산 반복 훈련서

풍산자 반복수학

교재 활용 로드맵

주제별 짧은 흐름으로 바로 적용할 수 있는
간결한 개념 설명과 풀이 팁

빈틈없는 개념과 연산 학습을 위한
체계적 연산 유형 분류

실력 점검, 취약한 개념과 연산을 확인할 수 있는
중단원 점검문제

개념과 연산 학습에 꼭맞는 문제 해결 과정이 보이는
자세하고 쉬운 풀이

한 권으로 기본 개념과 연산 실력 완성	개념과 연산 학습에 적합한 개념 설명과 쉬운 해설
개념과 연산 학습에 최적인 주제별 구성	소단원 흐름에 따라 주제별 개념과 연산 유형을 체계적으로 제시
스스로 학습이 가능한 문제 연결 학습법	개념과 공식을 바로 적용할 수 있어 수학의 기본 실력을 스스로 완성

풍산자 반복수학

수학Ⅱ

풍산자 반복수학
이렇게 특별합니다.

1
한 권으로 기본 개념과 연산 실력 완성!

- 개념과 연산을 동시에 학습할 수 있도록 구성하여 기본 실력 완성
- 개념과 연산 유형의 집중학습으로 수학 실력을 쌓고 자신감을 기르며 실전에서는 킬러 문제에 시간을 할애

2
소단원별로 분석하여 체계적이고 최적인 주제별 구성!

- 소단원별로 학습 이해의 흐름에 맞춰 주제별 개념과 연산 유형을 체계적으로 학습
- 주제별 개념과 연산 학습으로 빈틈없는 기본 실력 향상

3
스스로 쉽게 학습할 수 있는 문제 연결 학습법!

- 개념과 공식 등을 이용하여 바로바로 적용하여 풀 수 있도록 구성하여 수학의 기본 개념과 연산을 스스로 완성
- 개념 정리부터 연산 유형까지 풀면서 저절로 원리를 터득

정확하고 빠른 풀이를 위한
반복 훈련서

풍산자 반복수학
이렇게 구성하였습니다.

❶ 주제별 개념 정리와 연산 유형

• 주제별로 중요한 개념 정리와 문제 풀이에 도움이 되는 참고, 보기, 보충 설명 제시
• 빈틈없는 개념과 연산학습이 이루어지도록 체계적으로 연산 유형 분류
• 풍쌤 POINT 에서 연산 학습의 비법, 공식 등을 다시 한번 체크

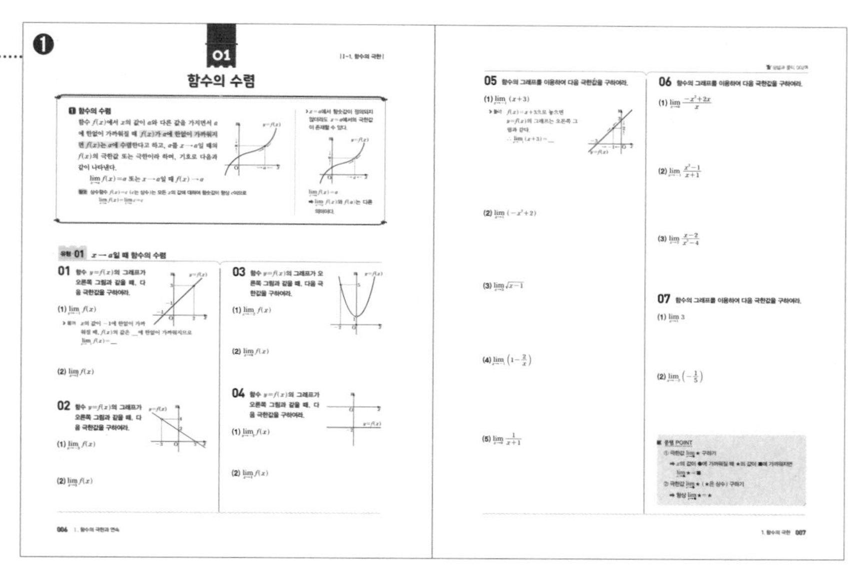

❷ 중단원 점검문제

• 실력을 점검하여 취약한 개념, 연산을 스스로 체크하고 보충 학습이 가능하도록 구성

❸ 정답과 풀이

• 문제 해결 과정이 보이는 자세하고 쉬운 풀이 제공

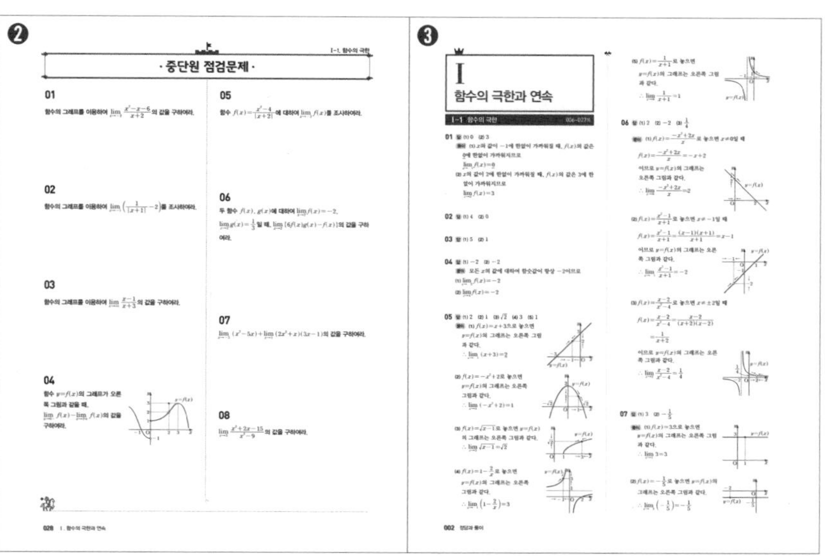

I

함수의 극한과 연속

II

미분

III

적분

I
함수의 극한과 연속

01 함수의 수렴

❶ 함수의 수렴

함수 $f(x)$에서 x의 값이 a와 다른 값을 가지면서 a에 한없이 가까워질 때 $f(x)$가 α에 한없이 가까워지면 $f(x)$는 α에 수렴한다고 하고, α를 $x \longrightarrow a$일 때의 $f(x)$의 극한값 또는 극한이라 하며, 기호로 다음과 같이 나타낸다.

$$\lim_{x \to a} f(x) = \alpha \text{ 또는 } x \longrightarrow a \text{일 때 } f(x) \longrightarrow \alpha$$

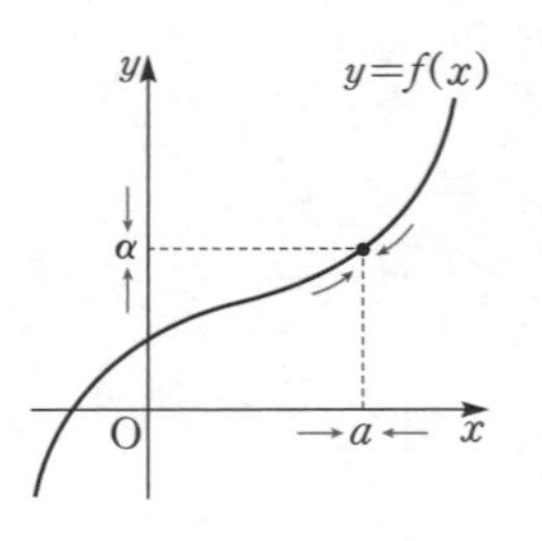

참고 상수함수 $f(x)=c$ (c는 상수)는 모든 x의 값에 대하여 함숫값이 항상 c이므로 $\lim_{x \to a} f(x) = \lim_{x \to a} c = c$

› $x=a$에서 함숫값이 정의되지 않더라도 $x=a$에서의 극한값이 존재할 수 있다.

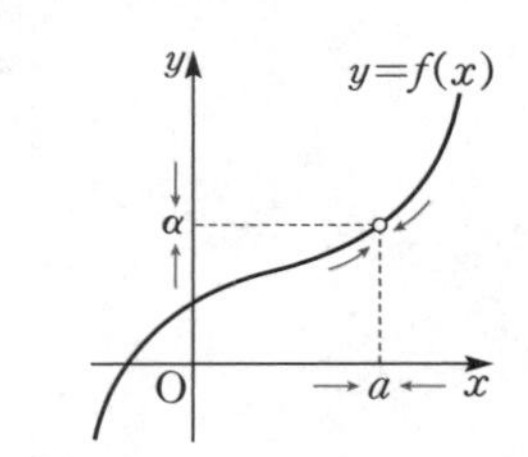

$\lim_{x \to a} f(x) = \alpha$
➡ $\lim_{x \to a} f(x)$와 $f(a)$는 다른 의미이다.

유형 01 $x \longrightarrow a$일 때 함수의 수렴

01 함수 $y=f(x)$의 그래프가 오른쪽 그림과 같을 때, 다음 극한값을 구하여라.

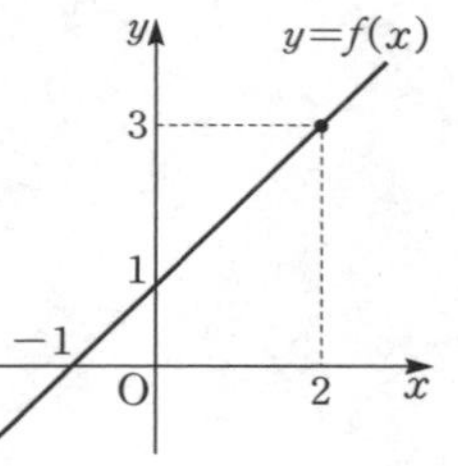

(1) $\lim_{x \to -1} f(x)$

› 풀이 x의 값이 -1에 한없이 가까워질 때, $f(x)$의 값은 ___에 한없이 가까워지므로 $\lim_{x \to -1} f(x) =$ ___

(2) $\lim_{x \to 2} f(x)$

02 함수 $y=f(x)$의 그래프가 오른쪽 그림과 같을 때, 다음 극한값을 구하여라.

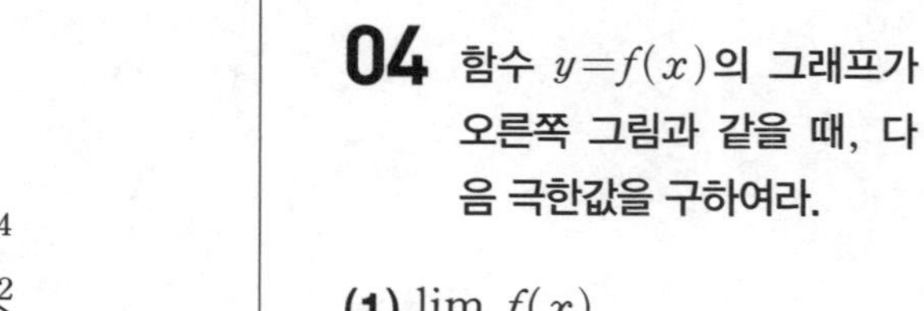

(1) $\lim_{x \to -3} f(x)$

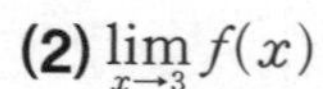

(2) $\lim_{x \to 3} f(x)$

03 함수 $y=f(x)$의 그래프가 오른쪽 그림과 같을 때, 다음 극한값을 구하여라.

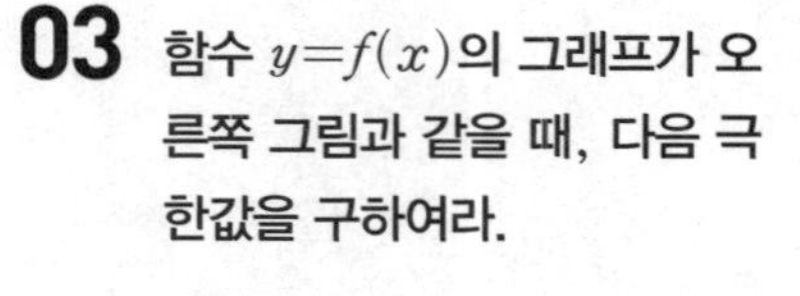

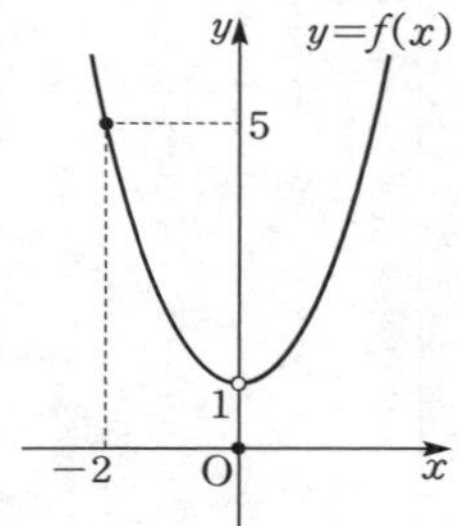

(1) $\lim_{x \to -2} f(x)$

(2) $\lim_{x \to 0} f(x)$

04 함수 $y=f(x)$의 그래프가 오른쪽 그림과 같을 때, 다음 극한값을 구하여라.

y, O, x, y=f(x), −2

(1) $\lim_{x \to -2} f(x)$

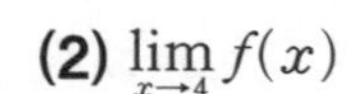

(2) $\lim_{x \to 4} f(x)$

05 함수의 그래프를 이용하여 다음 극한값을 구하여라.

(1) $\lim_{x\to -1}(x+3)$

> **풀이** $f(x)=x+3$으로 놓으면 $y=f(x)$의 그래프는 오른쪽 그림과 같다.
> $\therefore \lim_{x\to -1}(x+3)=$ ___

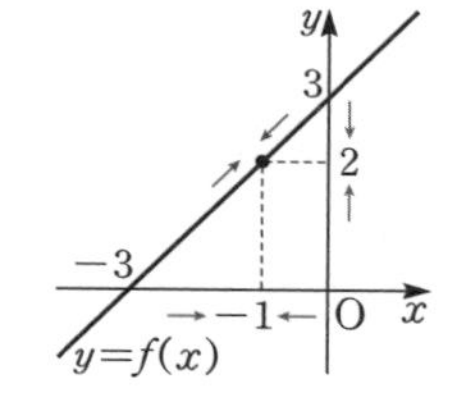

(2) $\lim_{x\to 1}(-x^2+2)$

(3) $\lim_{x\to 3}\sqrt{x-1}$

(4) $\lim_{x\to -1}\left(1-\frac{2}{x}\right)$

(5) $\lim_{x\to 0}\frac{1}{x+1}$

06 함수의 그래프를 이용하여 다음 극한값을 구하여라.

(1) $\lim_{x\to 0}\frac{-x^2+2x}{x}$

(2) $\lim_{x\to -1}\frac{x^2-1}{x+1}$

(3) $\lim_{x\to 2}\frac{x-2}{x^2-4}$

07 함수의 그래프를 이용하여 다음 극한값을 구하여라.

(1) $\lim_{x\to 1}3$

(2) $\lim_{x\to -2}\left(-\frac{1}{5}\right)$

풍쌤 POINT

① 극한값 $\lim_{x\to ●}★$ 구하기
➡ x의 값이 ●에 가까워질 때 ★의 값이 ■에 가까워지면
$\lim_{x\to ●}★=■$

② 극한값 $\lim_{x\to ●}★$ (★은 상수) 구하기
➡ 항상 $\lim_{x\to ●}★=★$

02

함수의 발산

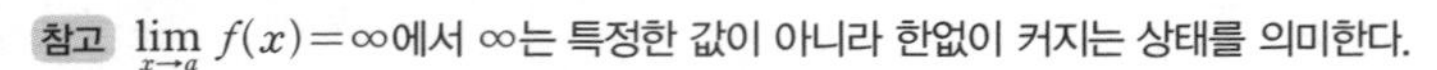

1 양의 무한대로 발산

함수 $f(x)$에서 x의 값이 a에 한없이 가까워질 때, $f(x)$의 값이 한없이 커지면 $f(x)$는 양의 무한대로 발산한다고 하며, 기호로 다음과 같이 나타낸다.

$$\lim_{x \to a} f(x)=\infty \text{ 또는 } x \to a\text{일 때 } f(x) \to \infty$$

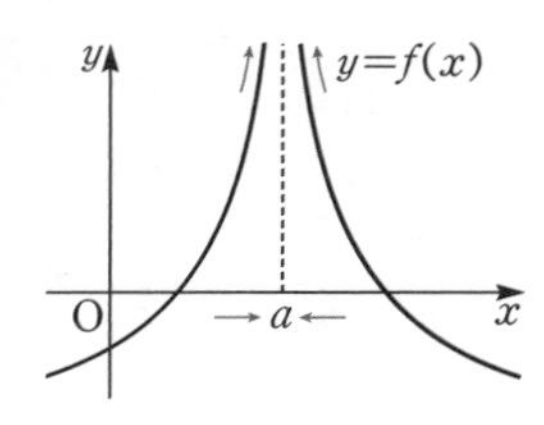

참고 $\lim_{x \to a} f(x)=\infty$에서 ∞는 특정한 값이 아니라 한없이 커지는 상태를 의미한다.

2 음의 무한대로 발산

함수 $f(x)$에서 x의 값이 a에 한없이 가까워질 때, $f(x)$의 값이 음수이면서 그 절댓값이 한없이 커지면 $f(x)$는 음의 무한대로 발산한다고 하며, 기호로 다음과 같이 나타낸다.

$$\lim_{x \to a} f(x)=-\infty \text{ 또는 } x \to a\text{일 때 } f(x) \to -\infty$$

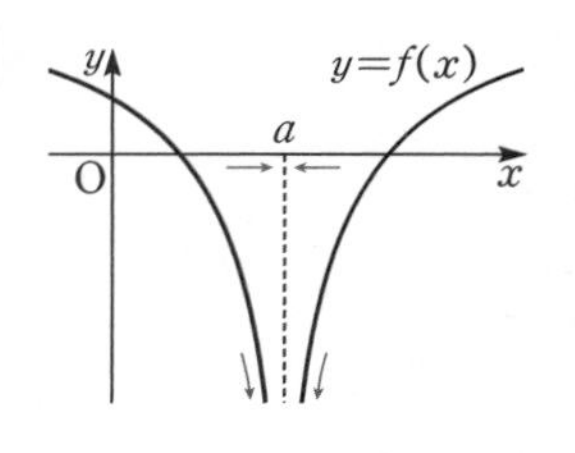

유형 02 $x \to a$일 때 함수의 발산

08 다음 함수 $y=f(x)$의 그래프에 대한 극한을 조사하여라.

(1) $\lim_{x \to 0} f(x)$

> 풀이 x의 값이 0에 한없이 가까워질 때, $f(x)$의 값이 한없이 커지므로
> $\lim_{x \to 0} f(x)=$____

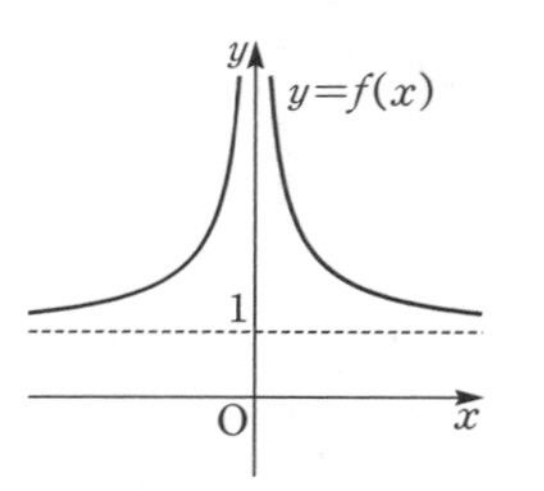

(2) $\lim_{x \to 0} f(x)$

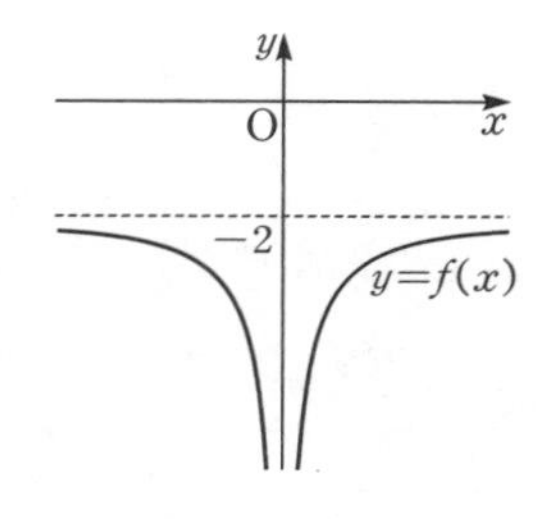

(3) $\lim_{x \to 2} f(x)$

(4) $\lim_{x \to -1} f(x)$

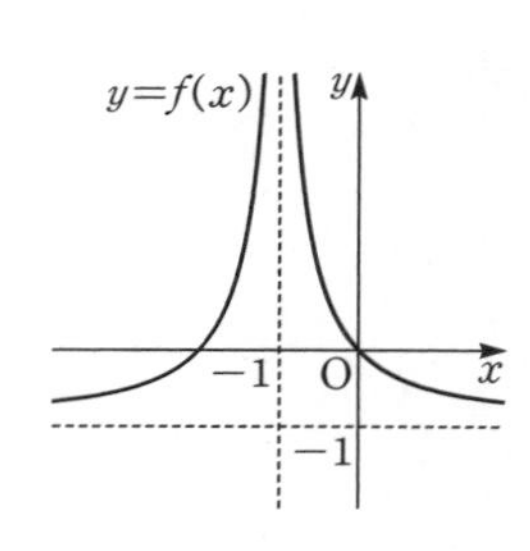

(5) $\lim_{x \to \frac{3}{2}} f(x)$

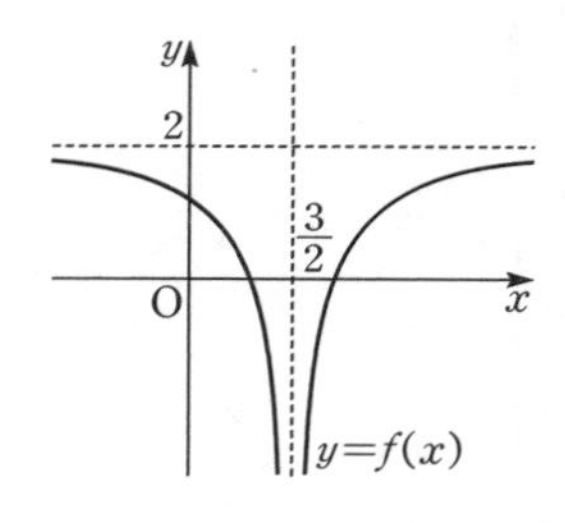

09 함수의 그래프를 이용하여 다음 극한을 조사하여라.

(1) $\lim_{x \to 0} \frac{1}{x^2}$

> **풀이** $f(x)=\frac{1}{x^2}$로 놓으면 $y=f(x)$의 그래프는 오른쪽 그림과 같다.
>
> $\therefore \lim_{x \to 0} \frac{1}{x^2}=$____

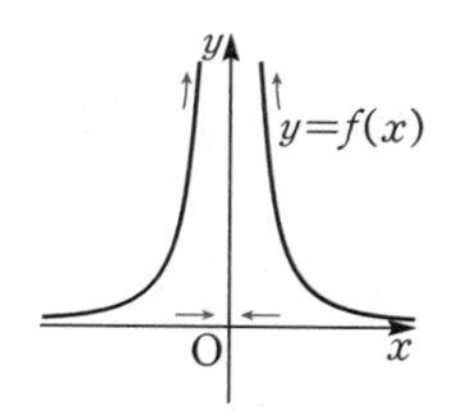

(2) $\lim_{x \to 0} \left(-\frac{1}{x^2}\right)$

(3) $\lim_{x \to 0} \frac{1}{|x|}$

(4) $\lim_{x \to 0} \left(\frac{3}{x^2}-1\right)$

(5) $\lim_{x \to 0} \left(1-\frac{2}{|x|}\right)$

(6) $\lim_{x \to 1} \frac{1}{|x-1|}$

(7) $\lim_{x \to -2} \frac{1}{(x+2)^2}$

(8) $\lim_{x \to 1} \frac{-1}{(x-1)^2}$

(9) $\lim_{x \to -3} \left(2-\frac{1}{|x+3|}\right)$

풍쌤 POINT

함수 $f(x)$에서 x의 값이 ●에 한없이 가까워질 때

① $f(x)$의 값이 한없이 커지면

➡ 양의 무한대로 발산

➡ $\lim_{x \to ●} f(x)=\infty$

② $f(x)$의 값이 음수이면서 그 절댓값이 한없이 커지면

➡ 음의 무한대로 발산

➡ $\lim_{x \to ●} f(x)=-\infty$

03

$x \to \infty$, $x \to -\infty$일 때의 극한

1 $x \to \infty$, $x \to -\infty$일 때 함수의 수렴

① 함수 $f(x)$에서 x의 값이 한없이 커질 때, $f(x)$가 α에 한없이 가까워지면 $f(x)$는 α에 수렴한다고 하고, 기호로 다음과 같이 나타낸다.

$\lim_{x \to \infty} f(x) = \alpha$ 또는 $x \to \infty$일 때 $f(x) \to \alpha$

② 함수 $f(x)$에서 x의 값이 음수이면서 그 절댓값이 한없이 커질 때, $f(x)$가 α에 한없이 가까워지면 $f(x)$는 α에 수렴한다고 하고, 기호로 다음과 같이 나타낸다.

$\lim_{x \to -\infty} f(x) = \alpha$ 또는 $x \to -\infty$일 때 $f(x) \to \alpha$

2 $x \to \infty$, $x \to -\infty$일 때 함수의 발산

함수 $f(x)$에서 $x \to \infty$ 또는 $x \to -\infty$일 때, $f(x)$의 값이 양의 무한대 또는 음의 무한대로 발산하면 이것을 기호로 다음과 같이 나타낸다.

$\lim_{x \to \infty} f(x) = \infty$, $\lim_{x \to \infty} f(x) = -\infty$, $\lim_{x \to -\infty} f(x) = \infty$, $\lim_{x \to -\infty} f(x) = -\infty$

유형 03 $x \to \infty$, $x \to -\infty$일 때 함수의 수렴

10 함수 $y=f(x)$의 그래프가 오른쪽 그림과 같을 때, 다음 극한값을 구하여라.

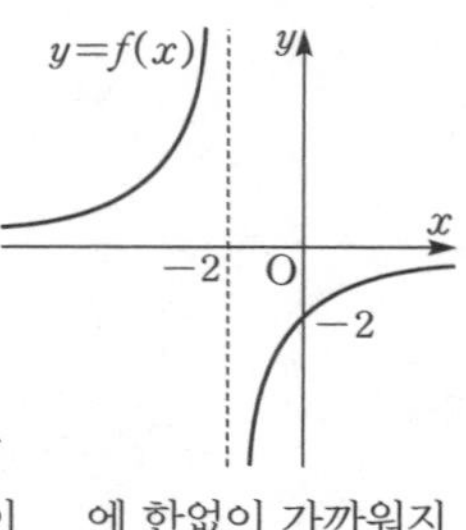

(1) $\lim_{x \to \infty} f(x)$

> 풀이 x의 값이 양수이면서 그 절댓값이 한없이 커질 때, $f(x)$의 값이 __에 한없이 가까워지므로 $\lim_{x \to \infty} f(x) =$ __

(2) $\lim_{x \to -\infty} f(x)$

11 함수 $y=f(x)$의 그래프가 오른쪽 그림과 같을 때, 다음 극한값을 구하여라.

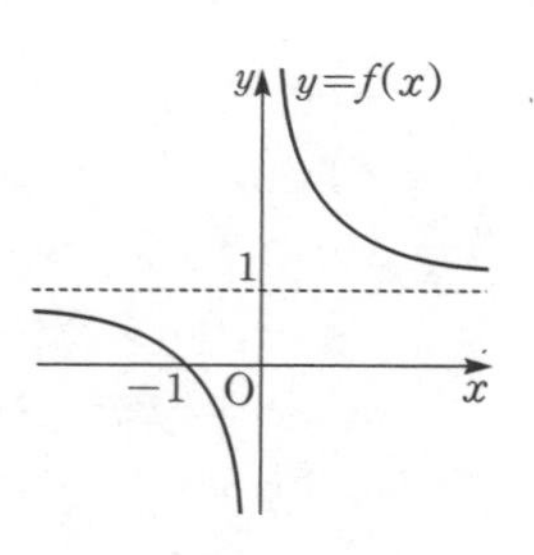

(1) $\lim_{x \to \infty} f(x)$

(2) $\lim_{x \to -\infty} f(x)$

12 함수의 그래프를 이용하여 다음 극한값을 구하여라.

(1) $\lim_{x \to \infty} \frac{1}{x}$

(2) $\lim_{x \to -\infty} \left(1 - \frac{1}{2x}\right)$

(3) $\lim_{x \to \infty} \frac{1}{3-x}$

(4) $\lim_{x \to -\infty} \left(\frac{1}{x+1} - 2\right)$

유형·04 $x \to \infty$, $x \to -\infty$일 때 함수의 발산

정답과 풀이 003쪽

13 함수 $y=f(x)$의 그래프가 오른쪽 그림과 같을 때, 다음 극한을 조사하여라.

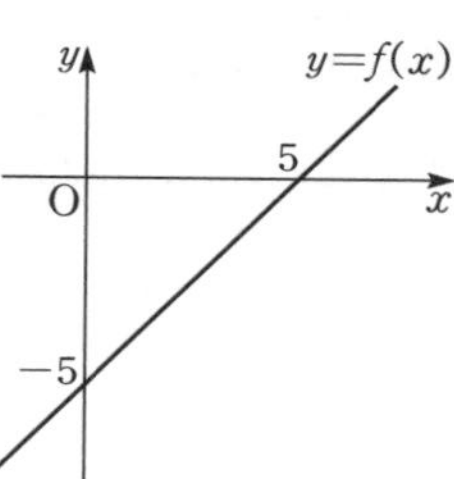

(1) $\lim_{x \to \infty} f(x)$

풀이 x의 값이 양수이면서 그 절댓값이 한없이 커질 때, $f(x)$의 값이 ____이면서 그 절댓값이 한없이 커지므로
$\lim_{x \to \infty} f(x) =$ ___

(2) $\lim_{x \to -\infty} f(x)$

14 함수 $y=f(x)$의 그래프가 오른쪽 그림과 같을 때, 다음 극한을 조사하여라.

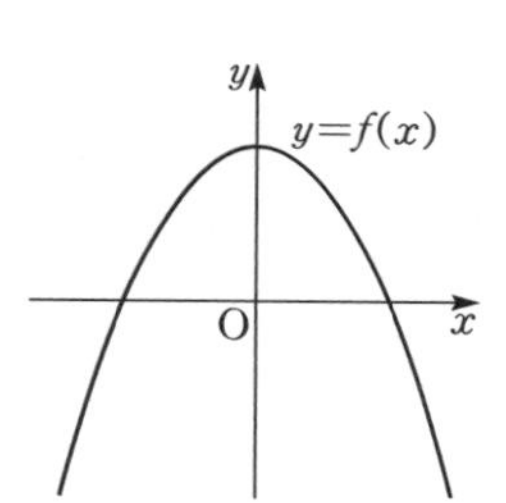

(1) $\lim_{x \to \infty} f(x)$

(2) $\lim_{x \to -\infty} f(x)$

15 함수 $y=f(x)$의 그래프가 오른쪽 그림과 같을 때, $\lim_{x \to -\infty} f(x)$를 조사하여라.

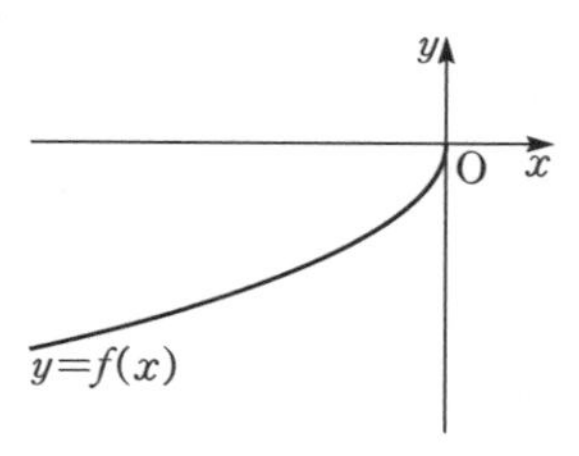

16 함수의 그래프를 이용하여 다음 극한을 조사하여라.

(1) $\lim_{x \to \infty} (3x-4)$

(2) $\lim_{x \to \infty} (-x+2)$

(3) $\lim_{x \to -\infty} x^2$

(4) $\lim_{x \to -\infty} (-2x^2+1)$

(5) $\lim_{x \to \infty} \sqrt{x-1}$

(6) $\lim_{x \to -\infty} \sqrt{3-2x}$

풍쌤 POINT

① x의 값이 한없이 커질 때,
$f(x)$의 값이 한없이 커지면 ➡ $\lim_{x \to \infty} f(x) = \infty$
$f(x)$의 값이 음수이면서 그 절댓값이 한없이 커지면
➡ $\lim_{x \to \infty} f(x) = -\infty$

② x의 값이 음수이면서 그 절댓값이 한없이 커질 때,
$f(x)$의 값이 한없이 커지면 ➡ $\lim_{x \to -\infty} f(x) = \infty$
$f(x)$의 값이 음수이면서 그 절댓값이 한없이 커지면
➡ $\lim_{x \to -\infty} f(x) = -\infty$

좌극한과 우극한

1 좌극한과 우극한

① 함수 $f(x)$에서 x가 a보다 작은 값을 가지면서 a에 한없이 가까워질 때, $f(x)$가 일정한 값 α에 한없이 가까워지면 $\lim_{x\to a-} f(x)=\alpha$로 나타내고, α를 $x=a$에서의 함수 $f(x)$의 좌극한이라고 한다.

② 함수 $f(x)$에서 x가 a보다 큰 값을 가지면서 a에 한없이 가까워질 때, $f(x)$가 일정한 값 α에 한없이 가까워지면 $\lim_{x\to a+} f(x)=\alpha$로 나타내고, α를 $x=a$에서의 함수 $f(x)$의 우극한이라고 한다.

2 극한값이 존재할 조건

$x=a$에서 함수 $f(x)$의 극한값이 존재하려면 $x=a$에서 함수 $f(x)$의 좌극한과 우극한이 모두 존재하고, 그 값이 서로 같아야 한다.

$$\lim_{x\to a-} f(x)=\lim_{x\to a+} f(x)=\alpha \iff \lim_{x\to a} f(x)=\alpha$$

› 함수 $y=f(x)$의 그래프가 다음 그림과 같을 때,

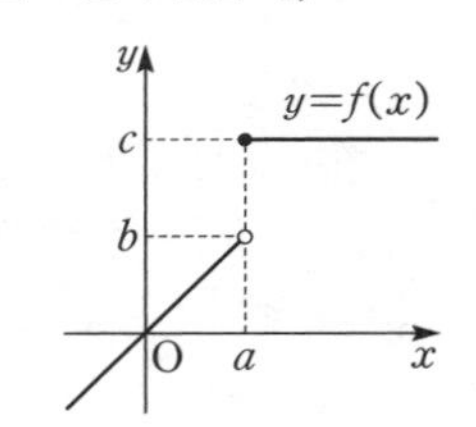

$\lim_{x\to a-} f(x)=b$, $\lim_{x\to a+} f(x)=c$

이므로

$\lim_{x\to a-} f(x)\neq\lim_{x\to a+} f(x)$

따라서 극한값 $\lim_{x\to a} f(x)$는 존재하지 않는다.

유형 05 그래프가 주어진 함수의 좌극한과 우극한

17 함수 $y=f(x)$의 그래프가 오른쪽 그림과 같을 때, 다음 극한을 조사하여라.

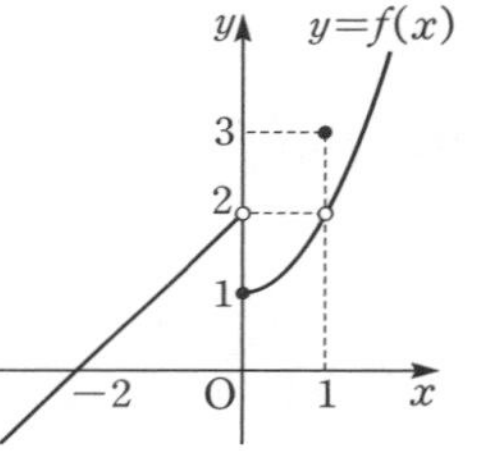

(1) $\lim_{x\to -2-} f(x)$

› 풀이 x가 -2보다 작은 값을 가지면서 -2에 한없이 가까워질 때, $f(x)$의 값이 __에 한없이 가까워지므로

$\lim_{x\to -2-} f(x)=$__

(2) $\lim_{x\to -2+} f(x)$

(3) $\lim_{x\to -2} f(x)$

(4) $\lim_{x\to 0-} f(x)$

(5) $\lim_{x\to 0+} f(x)$

(6) $\lim_{x\to 0} f(x)$

(7) $\lim_{x\to 1-} f(x)$

(8) $\lim_{x\to 1+} f(x)$

(9) $\lim_{x\to 1} f(x)$

유형 06 식이 주어진 함수의 좌극한과 우극한

18 함수 $y=f(x)$의 그래프가 오른쪽 그림과 같을 때, 다음 극한을 조사하여라.

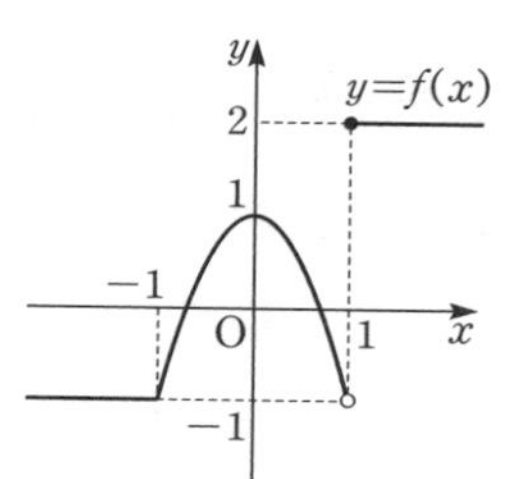

(1) $\lim_{x\to -1-} f(x)$

(2) $\lim_{x\to -1+} f(x)$

(3) $\lim_{x\to -1} f(x)$

(4) $\lim_{x\to 1-} f(x)$

(5) $\lim_{x\to 1+} f(x)$

(6) $\lim_{x\to 1} f(x)$

풍쌤 POINT

① 극한값이 존재한다.

➡ 좌극한과 우극한이 존재하고 그 값이 서로 같다.

② 극한값이 존재하지 않는다.

➡ 좌극한 또는 우극한이 존재하지 않거나 좌극한과 우극한이 존재하더라도 그 값이 서로 다르다.

19 함수 $f(x)=\begin{cases} -1 & (x\geq 1) \\ x & (x<1) \end{cases}$에 대하여 다음 극한을 조사하여라.

(1) $\lim_{x\to 1-} f(x)$

> 풀이 함수 $y=f(x)$의 그래프는 오른쪽 그림과 같다.
> x가 1보다 작은 값을 가지면서 1에 한없이 가까워질 때, $f(x)$의 값이 __에 한없이 가까워지므로
> $\lim_{x\to 1-} f(x)=$__

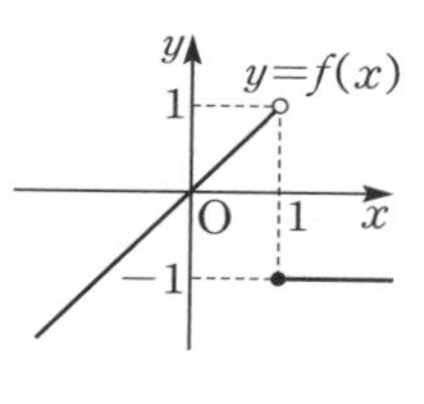

(2) $\lim_{x\to 1+} f(x)$

(3) $\lim_{x\to 1} f(x)$

20 함수 $f(x)=\begin{cases} x+2 & (x\geq -1) \\ -2x-1 & (x<-1) \end{cases}$에 대하여 다음 극한을 조사하여라.

(1) $\lim_{x\to -1-} f(x)$

(2) $\lim_{x\to -1+} f(x)$

(3) $\lim_{x\to -1} f(x)$

유형 07 절댓값 기호가 있는 함수의 좌극한과 우극한

21 함수 $f(x)=\begin{cases} x-4 & (x\geq 2) \\ -x^2+3 & (x<2) \end{cases}$에 대하여 다음 극한을 조사하여라.

(1) $\lim_{x\to 2-} f(x)$

(2) $\lim_{x\to 2+} f(x)$

(3) $\lim_{x\to 2} f(x)$

22 다음 극한을 조사하여라.

(1) $\lim_{x\to 1} \frac{1}{x-1}$

(2) $\lim_{x\to 0} \left(2-\frac{1}{x}\right)$

(3) $\lim_{x\to -2} \left(-\frac{x}{x+2}\right)$

풍쌤 POINT
주어진 함수의 그래프를 그려 좌극한과 우극한이 같은지 조사한다.

23 함수 $f(x)=\frac{|x|}{x}$에 대하여 다음 극한을 조사하여라.

(1) $\lim_{x\to 0-} f(x)$

> 풀이 함수 $y=f(x)$의 그래프는 오른쪽 그림과 같다.
> $x \to 0-$일 때,
> $|x|=$____
> $\therefore \lim_{x\to 0-} f(x)=\lim_{x\to 0-} \frac{|x|}{x}=\lim_{x\to 0-} \frac{-x}{x}=$____

(2) $\lim_{x\to 0+} f(x)$

(3) $\lim_{x\to 0} f(x)$

24 함수 $f(x)=\frac{x-3}{|x-3|}$에 대하여 다음 극한을 조사하여라.

(1) $\lim_{x\to 3-} f(x)$

(2) $\lim_{x\to 3+} f(x)$

(3) $\lim_{x\to 3} f(x)$

풍쌤 POINT
절댓값 기호 안의 식을 0이 되게 하는 x의 값을 기준으로 구간을 나누어 함수의 식을 구한다.

함수의 극한에 대한 성질

❶ 함수의 극한에 대한 성질

두 함수 $f(x)$, $g(x)$에 대하여 $\lim_{x\to a} f(x)=\alpha$, $\lim_{x\to a} g(x)=\beta$ (α, β는 실수) 일 때

① $\lim_{x\to a} cf(x)=c\lim_{x\to a} f(x)=c\alpha$ (단, c는 상수)

② $\lim_{x\to a} \{f(x)+g(x)\}=\lim_{x\to a} f(x)+\lim_{x\to a} g(x)=\alpha+\beta$

③ $\lim_{x\to a} \{f(x)-g(x)\}=\lim_{x\to a} f(x)-\lim_{x\to a} g(x)=\alpha-\beta$

④ $\lim_{x\to a} f(x)g(x)=\lim_{x\to a} f(x)\lim_{x\to a} g(x)=\alpha\beta$

⑤ $\lim_{x\to a} \dfrac{f(x)}{g(x)}=\dfrac{\lim_{x\to a} f(x)}{\lim_{x\to a} g(x)}=\dfrac{\alpha}{\beta}$ (단, $g(x)\neq 0$, $\beta\neq 0$)

참고 함수의 극한에 대한 성질은 $x\to a+$, $x\to a-$, $x\to\infty$, $x\to-\infty$일 때에도 성립한다.

› 실수 a에 대하여
$\lim_{x\to a} c=c$ (단, c는 상수)
예 $\lim_{x\to 2} 3=3$

› 실수 a에 대하여
$\lim_{x\to a} x=a$
예 $\lim_{x\to 2} x=2$
$\lim_{x\to 2} x^2=2^2=4$
↳ $\lim_{x\to 2} x^2=\lim_{x\to 2} x \lim_{x\to 2} x$
$=2\times 2=4$

유형·08 함수의 극한에 대한 성질 (1)

정답과 풀이 005쪽

25 두 함수 $f(x)$, $g(x)$에 대하여

$$\lim_{x\to 0} f(x)=2,\ \lim_{x\to 0} g(x)=-5$$

일 때, 다음 극한값을 구하여라.

(1) $\lim_{x\to 0} 3f(x)$

› 풀이 $\lim_{x\to 0} 3f(x)=3\lim_{x\to 0} f(x)=\_\_\times 2=\_\_$

(2) $\lim_{x\to 0} \{f(x)+g(x)\}$

(3) $\lim_{x\to 0} \{f(x)-g(x)\}$

(4) $\lim_{x\to 0} f(x)g(x)$

(5) $\lim_{x\to 0} \dfrac{f(x)}{g(x)}$

26 두 함수 $f(x)$, $g(x)$에 대하여

$$\lim_{x\to 1} f(x)=-6,\ \lim_{x\to 1} g(x)=4$$

일 때, 다음 극한값을 구하여라.

(1) $\lim_{x\to 1} \{2f(x)+3g(x)\}$

(2) $\lim_{x\to 1} \{f(x)-4g(x)\}$

(3) $\lim_{x\to 1} 5f(x)g(x)$

(4) $\lim_{x\to 1} \{f(x)\}^2$

(5) $\lim_{x\to 1} \dfrac{2-f(x)}{g(x)}$

유형 09 함수의 극한에 대한 성질 (2)

27 두 함수 $f(x)$, $g(x)$에 대하여

$$\lim_{x\to-2} f(x)=3,\ \lim_{x\to-2} g(x)=-\frac{1}{2}$$

일 때, 다음 극한값을 구하여라.

(1) $\lim_{x\to-2}\{3f(x)+2g(x)\}$

(2) $\lim_{x\to-2}\{2f(x)-6g(x)\}$

(3) $\lim_{x\to-2}\{4f(x)g(x)+5\}$

(4) $\lim_{x\to-2}\{g(x)-f(x)g(x)\}$

(5) $\lim_{x\to-2}\frac{2g(x)}{f(x)}$

(6) $\lim_{x\to-2}\frac{f(x)-1}{2-8g(x)}$

28 다음 극한값을 구하여라.

(1) $\lim_{x\to1}(5x+6)$

> 풀이 $\lim_{x\to1}(5x+6)=\_\_\lim_{x\to1}x+\lim_{x\to1}6$
> $=\_\_\times1+\_\_=\_\_$

(2) $\lim_{x\to-3}(-x-4)$

(3) $\lim_{x\to-2}(2x^2-5x)$

(4) $\lim_{x\to3}(-x^2+7x+1)$

(5) $\lim_{x\to2}(6x-x^3)$

(6) $\lim_{x\to1}\sqrt{-3x+7}$

29 다음 극한값을 구하여라.

(1) $\lim_{x \to -1} (3x-5)(x+6)$

> 풀이 $\lim_{x \to -1} (3x-5)(x+6)$
> $=\lim_{x \to -1} (3x-5) \lim_{x \to -1} (x+6)$
> $=\{3\times(\_\_\_\_)-5\}(\_\_\_\_+6)=\_\_\_\_$

(2) $\lim_{x \to 2} (x^2-x)(4x-2)$

(3) $\lim_{x \to 0} \left(-\frac{4}{x-2}\right)$

(4) $\lim_{x \to 1} \left(\frac{1}{x}-3\right)$

(5) $\lim_{x \to 3} \frac{x-1}{x+1}$

(6) $\lim_{x \to -2} \frac{2x+5}{x^2-9}$

30 다음 극한값을 구하여라.

(1) $\lim_{x \to 1-} (-2x+9)$

(2) $\lim_{x \to -2+} (5x^2-x)$

(3) $\lim_{x \to 2+} (x+1)(x^2-2)$

(4) $\lim_{x \to -1-} \frac{x-7}{3x+4}$

(5) $\lim_{x \to 0-} \frac{x^2-3x+8}{x+2}$

풍쌤 POINT

함수의 극한에 대한 성질과 실수 a에 대하여
$\lim_{x \to a} c=c$ (c는 상수), $\lim_{x \to a} x=a$임을 이용하여 그래프를 이용하지 않고도 함수의 극한값을 구할 수 있다.

06

함수의 극한을 구하는 방법(1): $\frac{0}{0}$ 꼴

1 $\frac{0}{0}$ 꼴 풀이 방법

① 분자, 분모가 모두 다항식인 경우: 분자, 분모를 인수분해한 후 약분한다.

② 분자, 분모 중 무리식이 있는 경우: 근호가 있는 쪽을 유리화한 후 약분한다.

> $\frac{0}{0}$ 꼴에서 0은 숫자 0이 아니라 0에 한없이 가까워지는 것을 나타낸다.

유형 10 $\frac{0}{0}$ 꼴의 극한 - 분자, 분모가 모두 다항식인 경우

31 다음 극한값을 구하여라.

(1) $\lim_{x \to 0} \frac{x^2-3x}{x}$

> 풀이 $\lim_{x \to 0} \frac{x^2-3x}{x}$ ⬅ $x=0$을 대입하면 $\frac{0}{0}$ 꼴
>
> $=\lim_{x \to 0} \frac{x(x-3)}{x}$ ⬅ 분자 인수분해
>
> $=\lim_{x \to 0}$ ______ ⬅ 약분
>
> $=0-3=$ ____ ⬅ 극한값

(2) $\lim_{x \to 0} \frac{x}{-2x^2+7x}$

(3) $\lim_{x \to -1} \frac{x^2-1}{x+1}$

(4) $\lim_{x \to 3} \frac{x-3}{x^2-9}$

(5) $\lim_{x \to -2} \frac{2x^2+3x-2}{x+2}$

(6) $\lim_{x \to 5} \frac{x^2-4x-5}{x^2-25}$

(7) $\lim_{x \to -1} \frac{x^3+1}{x+1}$

(8) $\lim_{x \to 2} \frac{x^3+x^2-7x+2}{x^2-x-2}$

풍쌤 POINT

$\lim_{x \to ●} \frac{★}{■}$(★, ■는 다항식)에서 $\lim_{x \to ●}★=0$, $\lim_{x \to ●}■=0$인 경우

➡ ★, ■에 공통인 인수 $x-●$가 나오도록 인수분해하고 약분한 후 $x=●$를 대입하여 극한값을 구한다.

유형·11 $\frac{0}{0}$ 꼴의 극한 - 분자, 분모 중 무리식이 있는 경우

정답과 풀이 006쪽

32 다음 극한값을 구하여라.

(1) $\lim_{x\to1}\frac{x-1}{\sqrt{x}-1}$

> 풀이 $\lim_{x\to1}\frac{x-1}{\sqrt{x}-1}$ ⬅ $x=1$을 대입하면 $\frac{0}{0}$ 꼴
>
> $=\lim_{x\to1}\frac{(x-1)(\sqrt{x}+1)}{(\sqrt{x}-1)(\sqrt{x}+1)}$ ⬅ 분모 유리화
>
> $=\lim_{x\to1}\frac{(x-1)(\sqrt{x}+1)}{x-1}$
>
> $=\lim_{x\to1}$ ________ ⬅ 약분
>
> $=$ ___ ⬅ 극한값

(2) $\lim_{x\to9}\frac{\sqrt{x}-3}{x-9}$

(3) $\lim_{x\to4}\frac{x^2-16}{\sqrt{x}-2}$

(4) $\lim_{x\to0}\frac{1-\sqrt{x+1}}{x}$

(5) $\lim_{x\to1}\frac{\sqrt{x+3}-2}{x-1}$

(6) $\lim_{x\to-2}\frac{\sqrt{x^2+5}-3}{x+2}$

(7) $\lim_{x\to-1}\frac{x+1}{\sqrt{x+5}-2}$

(8) $\lim_{x\to3}\frac{x^2-9}{\sqrt{x+6}-3}$

(9) $\lim_{x\to0}\frac{\sqrt{4+x}-\sqrt{4-x}}{2x}$

(10) $\lim_{x\to1}\frac{x-1}{\sqrt{x+9}-\sqrt{10}}$

풍쌤 POINT

$\lim_{x\to●}\frac{★}{■}$(★ 또는 ■는 무리식)에서 $\lim_{x\to●}★=0$, $\lim_{x\to●}■=0$인 경우

➡ ★, ■에 공통인 인수 $x-●$가 나오도록 유리화하고 약분한 후 $x=●$를 대입하여 극한값을 구한다.

함수의 극한을 구하는 방법(2): $\frac{\infty}{\infty}$ 꼴

1 $\frac{\infty}{\infty}$ 꼴 풀이 방법

분모의 최고차항으로 분자, 분모를 나눈다.

① (분모의 차수)=(분자의 차수) ➡ 극한값은 $\frac{(\text{분자의 최고차항의 계수})}{(\text{분모의 최고차항의 계수})}$

② (분모의 차수)>(분자의 차수) ➡ 극한값은 0

③ (분모의 차수)<(분자의 차수) ➡ ∞ 또는 $-\infty$로 발산한다.

› $\lim_{x\to\infty}\frac{c}{x^n}=0$ (n은 자연수, c는 상수)임을 이용한다.

예 $\lim_{x\to\infty}\frac{2}{x^3}=0$

유형 12 $\frac{\infty}{\infty}$ 꼴의 극한-(분모의 차수)=(분자의 차수)

33 다음 극한값을 구하여라.

(1) $\lim_{x\to\infty}\frac{4x}{x-1}$

› **풀이** 분모, 분자를 ___로 나누면

$\lim_{x\to\infty}\frac{4x}{x-1}=\lim_{x\to\infty}\frac{4}{1-\frac{1}{x}}=\frac{4}{1-0}=$___

(2) $\lim_{x\to\infty}\frac{2x^2-1}{x^2+3x}$

(3) $\lim_{x\to\infty}\frac{3x^2+2x+8}{2x^2+x-2}$

(4) $\lim_{x\to\infty}\frac{1-9x^3}{6x^3-2x+1}$

(5) $\lim_{x\to\infty}\frac{(6x-1)(x+2)}{3x^2+x}$

(6) $\lim_{x\to\infty}\frac{(2x-7)(8x^2+3)}{4x^3+x^2}$

(7) $\lim_{x\to\infty}\frac{-3x}{\sqrt{x^2+3}-1}$

(8) $\lim_{x\to\infty}\frac{\sqrt{4x^2-5x}-7}{x-6}$

풍쌤 POINT

① 분모의 최고차항이 x, x^2, x^3, $\sqrt{x^2}=x$, …인지 파악한 후 분자, 분모를 나눈다.

② $\lim_{x\to\infty}\frac{(\bullet\times x^n \text{ 꼴})}{(\blacksquare\times x^n \text{ 꼴})}$의 극한값 ➡ $\frac{\bullet}{\blacksquare}$

정답과 풀이 007쪽

유형 13 $\frac{\infty}{\infty}$ 꼴의 극한-(분모의 차수)>(분자의 차수)

34 다음 극한값을 구하여라.

(1) $\lim_{x\to\infty}\frac{3x+2}{2x^2+1}$

> 풀이 분모, 분자를 ___으로 나누면
>
> $\lim_{x\to\infty}\frac{3x+2}{2x^2+1}=\lim_{x\to\infty}\frac{\frac{3}{x}+\frac{2}{x^2}}{2+\frac{1}{x^2}}=\frac{0+0}{2+0}=$___

(2) $\lim_{x\to\infty}\frac{5-2x}{3x^2+x-6}$

(3) $\lim_{x\to\infty}\frac{x^2+4x+4}{7x^3+x^2-1}$

(4) $\lim_{x\to\infty}\frac{x^2+2}{x(x+2)(x-3)}$

(5) $\lim_{x\to\infty}\frac{\sqrt{4x^2+x}-1}{x^2-2}$

풍쌤 POINT

① 분모의 최고차항이 x, x^2, x^3, $\sqrt{x^2}=x$, …인지 파악한 후 분자, 분모를 나눈다.

② $\lim_{x\to\infty}\frac{(●\times x^a \text{ 꼴})}{(■\times x^b \text{ 꼴})}$의 극한값 ➡ $a<b$이면 0

유형 14 $\frac{\infty}{\infty}$ 꼴의 극한-(분모의 차수)<(분자의 차수)

35 다음 극한을 조사하여라.

(1) $\lim_{x\to\infty}\frac{x^2-4x}{x+2}$

> 풀이 분모, 분자를 ___로 나누면
>
> $\lim_{x\to\infty}\frac{x^2-4x}{x+2}=\lim_{x\to\infty}\frac{x-4}{1+\frac{2}{x}}=$___

(2) $\lim_{x\to\infty}\frac{x^2+2x+1}{x-3}$

(3) $\lim_{x\to\infty}\frac{6x^3+x^2-2}{2x^2-x+1}$

(4) $\lim_{x\to\infty}\frac{x^3+x}{(x+1)(3x-1)}$

(5) $\lim_{x\to\infty}\frac{x^2-16}{\sqrt{x^2-1}+2}$

풍쌤 POINT

① 분모의 최고차항이 x, x^2, x^3, $\sqrt{x^2}=x$, …인지 파악한 후 분자, 분모를 나눈다.

② $\lim_{x\to\infty}\frac{(●\times x^a \text{ 꼴})}{(■\times x^b \text{ 꼴})}$의 극한

➡ $a>b$이면 극한이 존재하지 않는다.

함수의 극한을 구하는 방법(3): $\infty-\infty$ 꼴, $\infty\times0$ 꼴

1 $\infty-\infty$ 꼴 풀이 방법

① 다항식인 경우: 최고차항으로 묶는다.

② 무리식인 경우: 유리화한다.

2 $\infty\times0$ 꼴 풀이 방법

통분 또는 유리화하여 $\infty\times c$, $\frac{c}{\infty}$, $\frac{0}{0}$, $\frac{\infty}{\infty}$ (c는 상수) 꼴로 변형한다.

유형 15 $\infty-\infty$ 꼴의 극한 - 다항식인 경우

36 다음 극한을 조사하여라.

(1) $\lim_{x\to\infty}(x^2-2x)$

> 풀이 최고차항 ___으로 묶으면
>
> $\lim_{x\to\infty}(x^2-2x)=\lim_{x\to\infty}x^2\left(1-\frac{2}{x}\right)=$ ___

(2) $\lim_{x\to\infty}(x^3+x^2-5x)$

(3) $\lim_{x\to\infty}(1-3x^2-4x^3)$

(4) $\lim_{x\to\infty}(x^4-8x)$

(5) $\lim_{x\to\infty}(-3+x^2+2x^4)$

유형 16 $\infty-\infty$ 꼴의 극한 - 무리식인 경우

37 다음 극한값을 구하여라.

(1) $\lim_{x\to\infty}(\sqrt{x^2-3x}-x)$

> 풀이 $\lim_{x\to\infty}(\sqrt{x^2-3x}-x)$ ⬅ $\infty-\infty$ 꼴
>
> $=\lim_{x\to\infty}\frac{(\sqrt{x^2-3x}-x)(\sqrt{x^2-3x}+x)}{(\sqrt{x^2-3x}+x)}$ ⬅ 분모를 1로 보고 유리화
>
> $=\lim_{x\to\infty}\frac{-3x}{\sqrt{x^2-3x}+x}$ ⬅ 분모의 최고차항 ___로 분자, 분모를 나눈다.
>
> $=\lim_{x\to\infty}\frac{-3}{\sqrt{1-\frac{3}{x}}+1}$
>
> $=\frac{-3}{\sqrt{1-0}+1}=$ ___ ⬅ 극한값

(2) $\lim_{x\to\infty}(\sqrt{x^2+2x}-x)$

(3) $\lim_{x\to\infty}(\sqrt{x^2-10}-x)$

(4) $\lim_{x \to \infty} (\sqrt{x^2-7x+1}-x)$

(5) $\lim_{x \to \infty} (\sqrt{x+6}-\sqrt{x})$

(6) $\lim_{x \to \infty} (\sqrt{x+1}-\sqrt{x-1})$

(7) $\lim_{x \to \infty} (\sqrt{x^2-2x}-\sqrt{x^2+2x})$

(8) $\lim_{x \to \infty} \sqrt{x}(\sqrt{x+5}-\sqrt{x})$

38 다음 극한값을 구하여라.

(1) $\lim_{x \to \infty} \frac{1}{\sqrt{x^2+x}-x}$

(2) $\lim_{x \to \infty} \frac{1}{\sqrt{x^2-4x}-x}$

(3) $\lim_{x \to \infty} \frac{1}{\sqrt{x^2-x+1}-x}$

(4) $\lim_{x \to \infty} \frac{1}{\sqrt{x^2+3x}-\sqrt{x^2-3x}}$

(5) $\lim_{x \to \infty} \frac{1}{\sqrt{x}(\sqrt{x+2}-\sqrt{x})}$

풍쌤 POINT

$\infty-\infty$ 꼴의 무리식인 경우

➡ 근호가 있는 쪽을 유리화한다. 이때 분수 꼴이 아닌 경우 분모를 1인 분수로 생각하여 유리화한다.

유형 17 $\infty\times 0$ 꼴의 극한-다항식인 경우

39 다음 극한값을 구하여라.

(1) $\lim_{x\to0}\frac{1}{x}\left(\frac{1}{x+1}-1\right)$

> 풀이 $\lim_{x\to0}\frac{1}{x}\left(\frac{1}{x+1}-1\right)$ ← $\infty\times0$ 꼴
>
> $=\lim_{x\to0}\left(\frac{1}{x}\times\_\_\_\_\right)$ ← $\frac{1}{x+1}-1$ 통분
>
> $=\lim_{x\to0}\_\_\_\_$ ← 약분
>
> $=\frac{-1}{0+1}=\_\_\_\_$ ← 극한값

(2) $\lim_{x\to0}\frac{1}{x}\left(\frac{1}{2}-\frac{1}{x+2}\right)$

(3) $\lim_{x\to-1}\frac{1}{x+1}\left(\frac{1}{x-2}+\frac{1}{3}\right)$

(4) $\lim_{x\to0}\frac{1}{x}\left\{1-\frac{1}{(x-1)^2}\right\}$

(5) $\lim_{x\to3}(x-3)\left(\frac{1}{x^2-9}-1\right)$

유형 18 $\infty\times 0$ 꼴의 극한-무리식인 경우

40 다음 극한값을 구하여라.

(1) $\lim_{x\to\infty}x\left(1-\frac{\sqrt{x+1}}{\sqrt{x}}\right)$

> 풀이 $\lim_{x\to\infty}x\left(1-\frac{\sqrt{x+1}}{\sqrt{x}}\right)$ ← $\infty\times0$ 꼴
>
> $=\lim_{x\to\infty}\frac{x(\sqrt{x}-\sqrt{x+1})}{\sqrt{x}}$ ← $1-\frac{\sqrt{x+1}}{\sqrt{x}}$ 통분
>
> $=\lim_{x\to\infty}\frac{x(\sqrt{x}-\sqrt{x+1})(\sqrt{x}+\sqrt{x+1})}{\sqrt{x}(\sqrt{x}+\sqrt{x+1})}$ ← 유리화
>
> $=\lim_{x\to\infty}\frac{-x}{x+\sqrt{x^2+x}}$
>
> $=\lim_{x\to\infty}\frac{-1}{1+\sqrt{1+\frac{1}{x}}}$ ← 분모의 최고차항 __로 분자, 분모를 나눈다.
>
> $=\frac{-1}{1+\sqrt{1}}=\_\_\_\_$ ← 극한값

(2) $\lim_{x\to\infty}x^2\left(1-\frac{x}{\sqrt{x^2+1}}\right)$

(3) $\lim_{x\to0}\frac{1}{x}\left(\frac{1}{\sqrt{2-x}}-\frac{1}{\sqrt{2}}\right)$

(4) $\lim_{x\to0}\frac{2}{x}\left(\frac{1}{\sqrt{x+4}}-\frac{1}{2}\right)$

분수식의 극한에서의 미정계수

1 미정계수의 결정

두 함수 $f(x)$, $g(x)$에 대하여

① $\lim_{x\to a}\frac{f(x)}{g(x)}=\alpha$ (α는 상수)일 때, $\lim_{x\to a}g(x)=0$이면 $\lim_{x\to a}f(x)=0$

② $\lim_{x\to a}\frac{f(x)}{g(x)}=\alpha$ (α는 0이 아닌 상수)일 때, $\lim_{x\to a}f(x)=0$이면 $\lim_{x\to a}g(x)=0$

› $x\to a$일 때,
① 극한값이 존재하고 (분모) $\to 0$이면 (분자) $\to 0$
② 0이 아닌 극한값이 존재하고 (분자) $\to 0$이면 (분모) $\to 0$

유형 19 미정계수의 결정 - (분모) ⟶ 0인 경우

정답과 풀이 010쪽

41 다음 등식이 성립하도록 하는 상수 a의 값을 구하여라.

(1) $\lim_{x\to-2}\frac{4x+a}{x+2}=4$

› 풀이 $\lim_{x\to-2}(x+2)=0$이므로 $\lim_{x\to-2}(4x+a)=$__에서
$-8+a=$__ $\therefore a=$__

(2) $\lim_{x\to-1}\frac{ax+1}{2x^2+3x+1}=-1$

(3) $\lim_{x\to3}\frac{x^2-ax+6}{x-3}=1$

42 두 상수 a, b에 대하여 $\lim_{x\to1}\frac{x^2+ax+b}{x-1}=3$일 때, 다음 물음에 답하여라.

(1) b를 a에 대한 식으로 나타내어라.

› 풀이 $\lim_{x\to1}(x-1)=0$이므로 $\lim_{x\to1}(x^2+ax+b)=$__에서
$1+a+b=$__ $\therefore b=$______

(2) a, b의 값을 구하여라.

› 풀이 $\lim_{x\to1}\frac{x^2+ax+b}{x-1}=\lim_{x\to1}\frac{x^2+ax-a-1}{x-1}$
$=\lim_{x\to1}\frac{(x-1)(x+a+1)}{x-1}$
$=\lim_{x\to1}(x+a+1)=a+2=3$
$\therefore a=$__, $b=$____

43 다음 등식이 성립할 때, 두 상수 a, b의 값을 구하여라.

(1) $\lim_{x\to-1}\frac{ax+b}{x+1}=-2$

(2) $\lim_{x\to-2}\frac{2x^2+ax+b}{x^2+x-2}=\frac{1}{3}$

(3) $\lim_{x\to1}\frac{a\sqrt{x+1}-b}{x-1}=1$

(4) $\lim_{x\to2}\frac{ax+b}{\sqrt{x+1}-\sqrt{3}}=2\sqrt{3}$

풍쌤 POINT

$\lim_{x\to●}\frac{★}{■}$의 값이 존재하고 $x\to●$일 때 ■ $\to 0$이면 ★ $\to 0$이어야 한다.

➡ 분모가 0으로 가면, 분자도 0으로 가야 수렴한다.

유형 20 미정계수의 결정-(분자) ⟶ 0인 경우

44 다음 등식이 성립하도록 하는 상수 a의 값을 구하여라.

(1) $\lim_{x \to 2} \frac{x-2}{x^2-a}=\frac{1}{4}$

(2) $\lim_{x \to 3} \frac{x-3}{x^2-x+a}=\frac{1}{5}$

(3) $\lim_{x \to -1} \frac{x+1}{x^2+ax+2}=1$

45 두 상수 a, b에 대하여 $\lim_{x \to -3} \frac{x+3}{x^2+ax+b}=-\frac{1}{7}$일 때, 다음 물음에 답하여라.

(1) b를 a에 대한 식으로 나타내어라.

풀이 $-\frac{1}{7} \neq 0$이고 $\lim_{x \to -3}(x+3)=$__이므로

$\lim_{x \to -3}(x^2+ax+b)=$__에서

$9-3a+b=$__　　$\therefore b=$_____

(2) a, b의 값을 구하여라.

풀이 $\lim_{x \to -3} \frac{x+3}{x^2+ax+b}=\lim_{x \to -3} \frac{x+3}{x^2+ax+3a-9}$

$=\lim_{x \to -3} \frac{x+3}{(x+3)(x+a-3)}$

$=\lim_{x \to -3} \frac{1}{x+a-3}=\frac{1}{a-6}=-\frac{1}{7}$

$\therefore a=$____, $b=$____

46 다음 등식이 성립할 때, 두 상수 a, b의 값을 구하여라.

(1) $\lim_{x \to 2} \frac{x-2}{x^2+ax+b}=\frac{1}{6}$

(2) $\lim_{x \to 1} \frac{x^2-1}{2x^2+ax-b}=\frac{1}{4}$

(3) $\lim_{x \to 1} \frac{x-1}{a\sqrt{x}-b}=1$

(4) $\lim_{x \to -2} \frac{x+2}{\sqrt{x+a}+b}=4$

풍쌤 POINT

0이 아닌 $\lim_{x \to ●} \frac{★}{■}$의 값이 존재하고 $x \to ●$일 때 $★ \to 0$이면

$■ \to 0$이어야 한다.

➡ 분자가 0으로 가면, 분모도 0으로 가야 0이 아닌 값에 수렴한다.

함수의 극한의 대소 관계

1 함수의 극한의 대소 관계

두 함수 $f(x)$, $g(x)$에 대하여 $\lim_{x\to a} f(x)=\alpha$, $\lim_{x\to a} g(x)=\beta$ (α, β는 실수)일 때, a에 가까운 모든 x의 값에 대하여

① $f(x)\le g(x)$이면 $\alpha\le\beta$

② 함수 $h(x)$에 대하여 $f(x)\le h(x)\le g(x)$이고 $\alpha=\beta$이면 $\lim_{x\to a} h(x)=\alpha$

참고 함수의 대소 관계는 $x\to a+$, $x\to a-$, $x\to\infty$, $x\to-\infty$일 때에도 성립한다.

유형 21 함수의 극한의 대소 관계

정답과 풀이 012쪽

47 모든 실수 x에 대하여 함수 $f(x)$가

$$2x+3\le f(x)\le x^2+4$$

를 만족시킬 때, 다음 극한값을 구하여라.

(1) $\lim_{x\to 1}(2x+3)$

(2) $\lim_{x\to 1}(x^2+4)$

(3) $\lim_{x\to 1} f(x)$

> 풀이 $\lim_{x\to 1}(2x+3)=$__, $\lim_{x\to 1}(x^2+4)=$__이므로
> $\lim_{x\to 1} f(x)=$__

48 모든 양의 실수 x에 대하여 함수 $f(x)$가

$$2-\frac{1}{x}\le f(x)\le 2+\frac{1}{x}$$

을 만족시킬 때, 다음 극한값을 구하여라.

(1) $\lim_{x\to\infty}\left(2-\frac{1}{x}\right)$

(2) $\lim_{x\to\infty}\left(2+\frac{1}{x}\right)$

(3) $\lim_{x\to\infty} f(x)$

49 모든 양의 실수 x에 대하여 함수 $f(x)$가 다음을 만족시킬 때, $\lim_{x\to\infty} f(x)$의 값을 구하여라.

(1) $\frac{5x-3}{x+2}<f(x)<\frac{5x+2}{x+1}$

(2) $\frac{2x^2+1}{x^2+2}<f(x)<\frac{2x+6}{x}$

(3) $\frac{3x^2+2}{x^2}<f(x)<\frac{9x^2+x+2}{3x^2}$

(4) $\frac{x^2+1}{4x^2+2}\le f(x)\le\frac{x^2+3}{4x^2+1}$

풍쌤 POINT

$f(x)\le h(x)\le g(x)$에서 $\lim_{x\to a} f(x)=\star$, $\lim_{x\to a} g(x)=\star$이면 $\lim_{x\to a} h(x)=\star$

· 중단원 점검문제 ·

01

함수의 그래프를 이용하여 $\lim_{x \to -2} \frac{x^2-x-6}{x+2}$의 값을 구하여라.

02

함수의 그래프를 이용하여 $\lim_{x \to -1} \left(\frac{1}{|x+1|} - 2 \right)$를 조사하여라.

03

함수의 그래프를 이용하여 $\lim_{x \to \infty} \frac{x-1}{x+3}$의 값을 구하여라.

04

함수 $y=f(x)$의 그래프가 오른쪽 그림과 같을 때, $\lim_{x \to 0-} f(x) - \lim_{x \to 2+} f(x)$의 값을 구하여라.

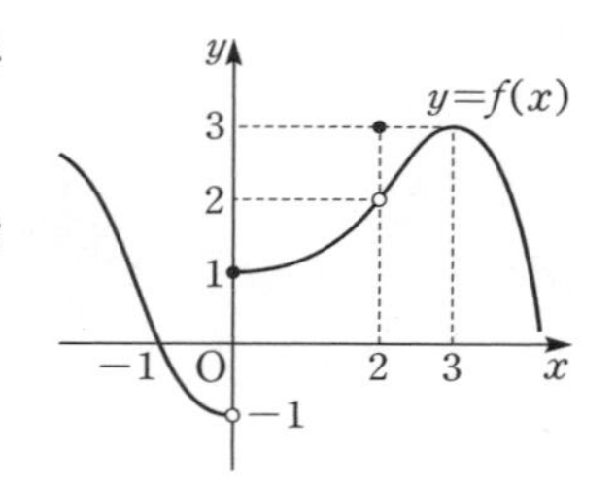

05

함수 $f(x)=\frac{x^2-4}{|x+2|}$에 대하여 $\lim_{x \to -2} f(x)$를 조사하여라.

06

두 함수 $f(x)$, $g(x)$에 대하여 $\lim_{x \to 2} f(x) = -2$, $\lim_{x \to 2} g(x) = \frac{1}{3}$일 때, $\lim_{x \to 2} \{6f(x)g(x) - f(x)\}$의 값을 구하여라.

07

$\lim_{x \to -3} (x^2-5x) + \lim_{x \to 1} (2x^2+x)(3x-1)$의 값을 구하여라.

08

$\lim_{x \to 3} \frac{x^2+2x-15}{x^2-9}$의 값을 구하여라.

09

$\lim_{x \to 1} \frac{x^2-1}{\sqrt{x+8}-3}$의 값을 구하여라.

10

$\lim_{x \to \infty} \frac{-6x^2+1}{(2x-1)(x+3)}$의 값을 구하여라.

11

$\lim_{x \to \infty} \frac{\sqrt{9x^2-x}+2}{x+2}$의 값을 구하여라.

12

$\lim_{x \to \infty} (\sqrt{x^2+4x-1}-x)$의 값을 구하여라.

13

$\lim_{x \to 0} \frac{1}{x}\left\{\frac{1}{(x+2)^2}-\frac{1}{4}\right\}$의 값을 구하여라.

14

두 상수 a, b에 대하여 $\lim_{x \to -1} \frac{3x^2+ax-b}{x^2-1}=6$일 때, ab의 값을 구하여라.

15

두 상수 a, b에 대하여 $\lim_{x \to 2} \frac{x-2}{\sqrt{2x^2+a}+b}=\frac{3}{4}$일 때, $a+b$의 값을 구하여라.

16

모든 양의 실수 x에 대하여 함수 $f(x)$가

$$\frac{2x^2+x}{x^2+1}<f(x)<\frac{4x^2+2x+1}{2x^2+1}$$

을 만족시킬 때, $\lim_{x \to \infty} f(x)$의 값을 구하여라.

함수의 연속

❶ 함수의 연속

함수 $f(x)$가 다음 세 가지 조건을 모두 만족시키면 $x=a$에서 연속이라고 한다.

(i) $f(a)$의 값이 존재한다. ⬅ 함숫값이 존재한다.

(ii) $\lim_{x \to a} f(x)$의 값이 존재한다. ⬅ 극한값이 존재한다.

(iii) $\lim_{x \to a} f(x)=f(a)$ ⬅ (극한값)=(함숫값)

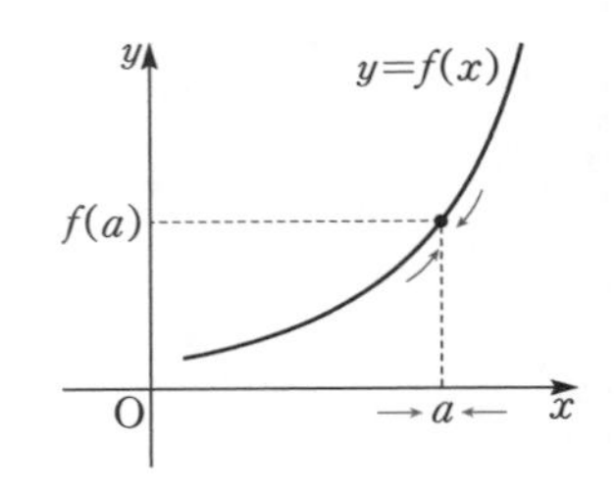

❷ 함수의 불연속

함수 $f(x)$가 위의 세 가지 조건 중 어느 한 가지라도 만족시키지 않으면 $x=a$에서 불연속이라고 한다.

참고 그래프에서 함수 $f(x)$가 $x=a$에서 불연속인 경우

(i) $f(a)$의 값이 존재하지 않는다.

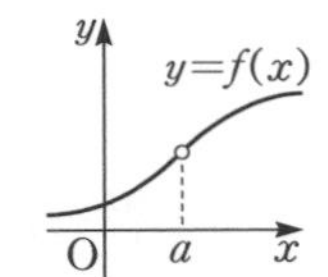

(ii) $\lim_{x \to a} f(x)$의 값이 존재하지 않는다.

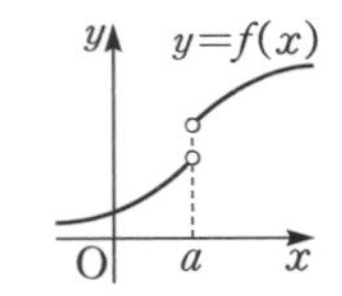

(iii) $\lim_{x \to a} f(x) \neq f(a)$

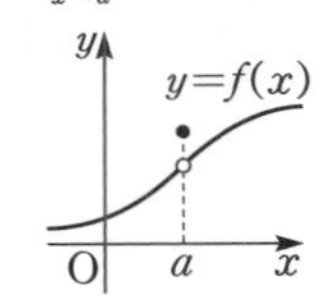

유형 01 그래프가 주어진 함수의 연속과 불연속

01 다음 함수가 $x=1$에서 연속인지 불연속인지 조사하고, 불연속인 경우 그 이유를 다음 보기에서 골라라.

보기

ㄱ. $f(1)$의 값이 존재하지 않는다.

ㄴ. $\lim_{x \to 1} f(x)$의 값이 존재하지 않는다.

(1)

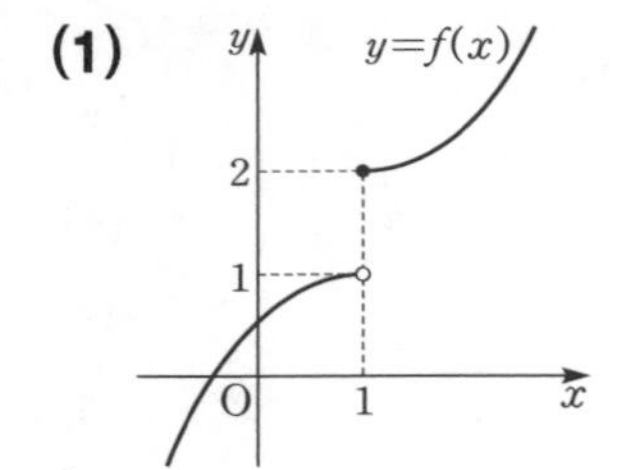

> 풀이 $\lim_{x \to 1-} f(x)=$__, $\lim_{x \to 1+} f(x)=$__
>
> 이므로 $\lim_{x \to 1} f(x)$의 값이 존재하지 않는다.
>
> 따라서 함수 $f(x)$는 $x=1$에서 불연속이고 그 이유는 __이다.

(2)

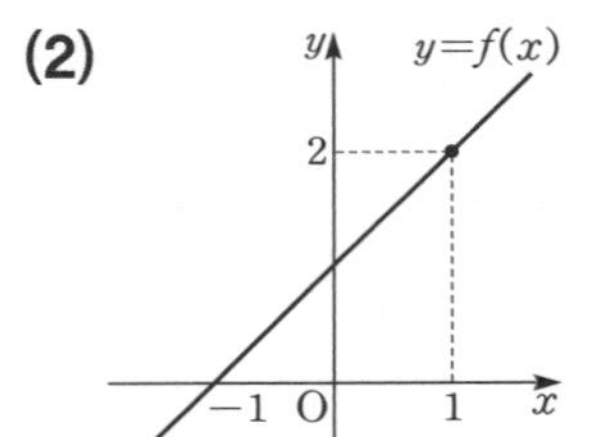

(3)

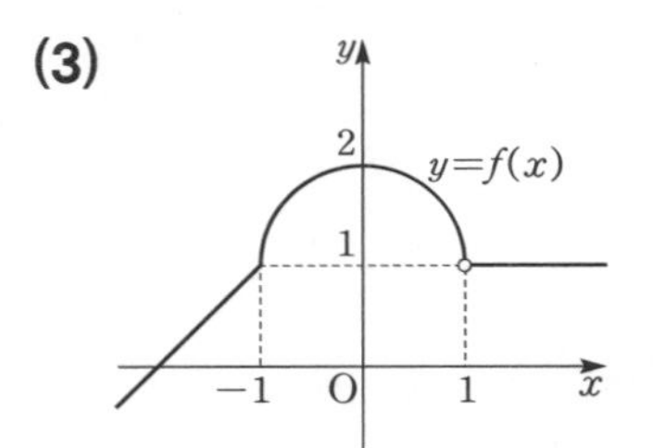

풍쌤 POINT

함수 $y=f(x)$의 그래프가 $x=a$에서

① 끊어지지 않고 이어져 있으면 ➡ $x=a$에서 연속

② 끊어져 있으면 ➡ $x=a$에서 불연속

유형·02 식이 주어진 함수의 연속과 불연속

정답과 풀이 014쪽

02 다음 함수가 $x=0$에서 연속인지 불연속인지 조사하여라.

(1) $f(x)=x^2-2x$

> 풀이 $\lim_{x \to 0} f(x)=\lim_{x \to 0}(x^2-2x)=$ ___,
> $f(0)=$ ___ 이므로
> $\lim_{x \to 0} f(x)=f(0)$
> 따라서 함수 $f(x)$는 $x=0$에서 ____ 이다.

(2) $f(x)=-3x+4$

(3) $f(x)=\frac{5}{x}$

(4) $f(x)=\frac{|x|}{x}$

(5) $f(x)=\begin{cases} -x^2+1 & (x \neq 0) \\ x^2-1 & (x=0) \end{cases}$

03 다음 함수가 $x=1$에서 연속인지 불연속인지 조사하여라.

(1) $f(x)=x^2+3$

(2) $f(x)=\sqrt{x+2}$

(3) $f(x)=\frac{2}{x-1}$

(4) $f(x)=|x+1|$

(5) $f(x)=\begin{cases} \frac{x^2+x-2}{x-1} & (x \neq 1) \\ 2 & (x=1) \end{cases}$

풍쌤 POINT

함수 $f(x)$에 대하여 $\lim_{x \to a} f(x)=f(a)$
➡ $x=a$에서 연속

유형 03 함수의 연속과 미정계수(1)

04 다음 함수 $f(x)$가 모든 실수 x에서 연속이 되도록 상수 k의 값을 정하여라.

(1) $f(x)=\begin{cases} \dfrac{x^2-1}{x+1} & (x\neq-1) \\ k & (x=-1) \end{cases}$

풀이 함수 $f(x)$가 모든 실수 x에서 연속이려면
$x=$____에서 연속이어야 하므로
$\lim_{x\to-1} f(x)=f(-1)$
$\lim_{x\to-1}\dfrac{x^2-1}{x+1}=\lim_{x\to-1}\dfrac{(x+1)(x-1)}{x+1}$
$=\lim_{x\to-1}$ ______ $=$ ____
$\therefore k=$____

(2) $f(x)=\begin{cases} 2x+6 & (x\neq2) \\ k & (x=2) \end{cases}$

(3) $f(x)=\begin{cases} \dfrac{x^2+x-12}{x-3} & (x\neq3) \\ k & (x=3) \end{cases}$

풍쌤 POINT

함수 $f(x)=\begin{cases} g(x) & (x\neq●) \\ ★ & (x=●) \end{cases}$가 $x=●$에서 연속이면

➡ $\lim_{x\to●} g(x)=★$

유형 04 함수의 연속과 미정계수(2)

05 다음 함수 $f(x)$가 모든 실수 x에서 연속이 되도록 두 상수 a, b의 값을 정하여라.

(1) $f(x)=\begin{cases} \dfrac{x^2-x+a}{x-2} & (x\neq2) \\ b & (x=2) \end{cases}$

풀이 함수 $f(x)$가 모든 실수 x에서 연속이려면
$x=$____에서 연속이어야 하므로
$\lim_{x\to2} f(x)=f(2)$
$\lim_{x\to2}\dfrac{x^2-x+a}{x-2}=b$ ⋯⋯ ㉠
㉠에서 $\lim_{x\to2}(x-2)=0$이므로
$\lim_{x\to2}(x^2-x+a)=0$에서
$4-2+a=0$ $\quad\therefore a=$____
$a=$____를 ㉠에 대입하면
$\lim_{x\to2}\dfrac{x^2-x-2}{x-2}=\lim_{x\to2}\dfrac{(x+1)(x-2)}{x-2}$
$=\lim_{x\to2}$ ______ $=$ __
$\therefore b=$__

(2) $f(x)=\begin{cases} \dfrac{x^2+ax-5}{x-1} & (x\neq1) \\ b & (x=1) \end{cases}$

(3) $f(x)=\begin{cases} \dfrac{\sqrt{x^2+4}+a}{x^2} & (x\neq0) \\ b & (x=0) \end{cases}$

연속함수

❶ 구간

두 실수 a, b $(a<b)$에 대하여 아래 집합을 구간이라 하고, 이들을 각각 기호와 수직선으로 나타내면 다음과 같다. 이때 $(a,\ b)$를 열린구간, $[a,\ b]$를 닫힌구간, $[a,\ b)$와 $(a,\ b]$를 반닫힌 구간 또는 반열린 구간이라고 한다.

	닫힌구간	열린구간	반닫힌 구간 또는 반열린 구간	
집합	$\{x\mid a\le x\le b\}$	$\{x\mid a<x<b\}$	$\{x\mid a\le x<b\}$	$\{x\mid a<x\le b\}$
기호	$[a,\ b]$	$(a,\ b)$	$[a,\ b)$	$(a,\ b]$
수직선	a b	a b	a b	a b

❷ 연속함수

함수 $f(x)$가 어떤 구간에 속하는 모든 실수에 대하여 연속일 때, $f(x)$는 그 구간에서 연속이라고 한다. 또, 어떤 구간에서 연속인 함수를 연속함수라고 한다.

› $\{x\mid x>a\}$ ➡ $(a,\ \infty)$
$\{x\mid x\ge a\}$ ➡ $[a,\ \infty)$
$\{x\mid x<a\}$ ➡ $(-\infty,\ a)$
$\{x\mid x\le a\}$ ➡ $(-\infty,\ a]$
실수 전체의 집합
➡ $(-\infty,\ \infty)$

› 닫힌구간 $[a,\ b]$에서 정의된 함수 $f(x)$가
(ⅰ) 열린구간 $(a,\ b)$에서 연속이다.
(ⅱ) $\lim_{x\to a+} f(x)=f(a)$, $\lim_{x\to b-} f(x)=f(b)$
➡ 함수 $f(x)$는 닫힌구간 $[a,\ b]$에서 연속이다.

유형 05 구간

정답과 풀이 015쪽

06 다음과 같은 실수의 집합을 구간의 기호로 나타내어라.

(1) $\{x\mid 1<x\le 4\}$

(2) $\{x\mid -2\le x\le 3\}$

(3) $\{x\mid x<5\}$

(4) $\{x\mid x\ge -3\}$

07 다음 함수의 정의역을 구간의 기호로 나타내어라.

(1) $f(x)=\sqrt{x-1}$

› 풀이 $x-1\ge$ __ 에서 $x\ge$ __
즉, 정의역은 ______ 이므로 구간으로 나타내면 ______ 이다.

(2) $f(x)=x^2$

(3) $f(x)=\dfrac{2}{x+1}$

(4) $f(x)=\sqrt{4-x^2}$

유형 06 구간에서의 함수의 연속

08 다음 함수가 연속인 구간을 구하여라.

(1) $f(x)=\frac{1}{x}$

> 풀이 함수 $f(x)$는 $x\neq$__인 모든 실수에서 연속이다.
> 따라서 연속인 구간은 ______________이다.

(2) $f(x)=-2x+7$

(3) $f(x)=x^2-3$

(4) $f(x)=\sqrt{9-x}$

(5) $f(x)=\frac{x}{x-2}$

(6) $f(x)=\frac{x+1}{x^2-1}$

풍쌤 POINT

① 다항함수 ➡ 모든 실수에서 연속
➡ 열린구간 $(-\infty, \infty)$에서 연속

② 유리함수 $y=\frac{f(x)}{g(x)}$ ➡ $g(x)\neq0$인 모든 실수에서 연속

③ 무리함수 $y=\sqrt{f(x)}$ ➡ $f(x)\geq0$인 x에서 연속

유형 07 구간에서의 함수의 연속과 미정계수

09 다음 함수 $f(x)$가 모든 실수 x에서 연속이 되도록 상수 a의 값을 정하여라.

(1) $f(x)=\begin{cases} x^2+x+a & (x\geq-2) \\ x+1 & (x<-2) \end{cases}$

> 풀이 함수 $f(x)$가 모든 실수 x에서 연속이려면
> $x=$___에서 연속이어야 하므로
> $\lim_{x\to-2-} f(x)=\lim_{x\to-2+} f(x)=f(-2)$
> $\lim_{x\to-2-} (x+1)=\lim_{x\to-2+} (x^2+x+a)=f(-2)$
> ___$=2+a$ $\quad\therefore a=$___

(2) $f(x)=\begin{cases} 2x-3 & (x\geq3) \\ a-x & (x<3) \end{cases}$

(3) $f(x)=\begin{cases} ax+1 & (x>-1) \\ x^2-3x-1 & (x\leq-1) \end{cases}$

(4) $f(x)=\begin{cases} 2x+1 & (x>2) \\ x^2+ax+3 & (x\leq2) \end{cases}$

풍쌤 POINT

함수 $f(x)=\begin{cases} g(x) & (x\geq\bullet) \\ h(x) & (x<\bullet) \end{cases}$가 $x=\bullet$에서 연속이면

➡ $\lim_{x\to\bullet-} h(x)=\lim_{x\to\bullet+} g(x)=f(\bullet)$

연속함수의 성질

1 연속함수의 성질

두 함수 $f(x)$, $g(x)$가 $x=a$에서 연속이면 다음 함수도 $x=a$에서 연속이다.

① $cf(x)$ (단, c는 상수) ② $f(x)\pm g(x)$

③ $f(x)g(x)$ ④ $\dfrac{f(x)}{g(x)}$ (단, $g(a)\neq 0$)

유형·08 연속함수의 성질

정답과 풀이 015쪽

10 실수 전체에서 정의된 두 함수 $f(x)$, $g(x)$가 $x=a$에서 연속일 때, 다음 중 $x=a$에서 항상 연속인 함수는 ○표, 불연속인 함수는 ×표를 ( ) 안에 써넣어라.

(1) $f(x)+g(x)$ ( )

(2) $3f(x)-g(x)$ ( )

(3) $4f(x)-5g(x)$ ( )

(4) $\dfrac{f(x)}{g(x)}$ ( )

> 풀이 유리함수는 분모가 ___일 때 불연속이다. 즉, $g(a)=0$이면 ______이므로 항상 연속이라고 할 수 없다.

(5) $\dfrac{g(x)}{f(x)}$ ( )

11 두 함수 $f(x)=x^2-4x$, $g(x)=x+3$에 대하여 다음 함수가 연속인 구간을 구하여라.

(1) $f(x)+g(x)$

> 풀이 $f(x)+g(x)=(x^2-4x)+(x+3)=$ ________은 다항함수이므로 모든 실수에서 연속이다.
> 따라서 연속인 구간은 ________이다.

(2) $2f(x)-3g(x)$

(3) $f(x)g(x)$

(4) $\dfrac{g(x)}{f(x)}$

풍쌤 POINT

① 다항함수 ➡ 모든 실수에서 연속
➡ 열린구간 $(-\infty,\ \infty)$에서 연속

② 유리함수 $y=\dfrac{f(x)}{g(x)}$ ➡ $g(x)\neq 0$인 모든 실수에서 연속

최대 · 최소의 정리

1 최대 · 최소의 정리

함수 $f(x)$가 닫힌구간 $[a,\ b]$에서 연속이면 함수 $f(x)$는 이 구간에서 반드시 최댓값과 최솟값을 가진다.

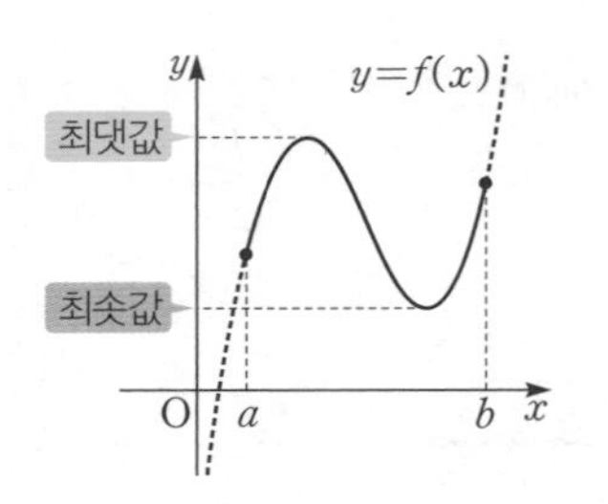

› 닫힌구간이 아닌 구간에서 정의된 연속함수는 최댓값과 최솟값을 갖지 않을 수도 있다.

› 함수 $f(x)$가 연속이 아니면 닫힌구간 $[a,\ b]$에서 최댓값과 최솟값을 갖지 않을 수 있다.

유형 09 최대·최소의 정리

정답과 풀이 016쪽

12 함수 $y=f(x)$의 그래프가 오른쪽 그림과 같을 때, 다음 구간에서 함수 $f(x)$의 최댓값과 최솟값을 구하여라.

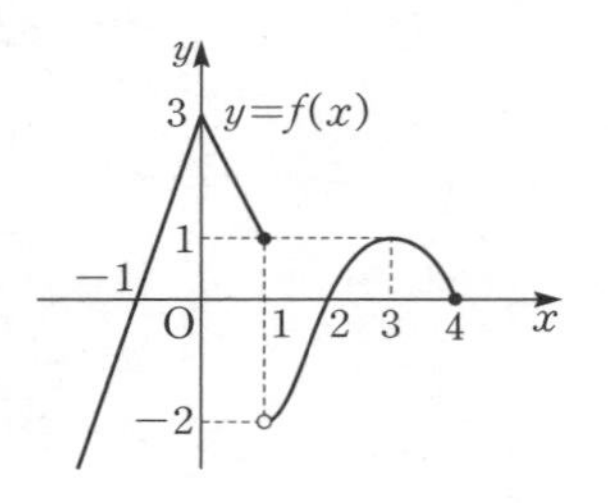

(1) $[-1,\ 1]$

› 풀이 함수 $f(x)$는 구간 $[-1,\ 1]$에서 연속이므로 $f(x)$는 주어진 구간에서 $x=0$일 때 최댓값 __, $x=-1$일 때 최솟값 __을 갖는다.

(2) $(1,\ 4]$

13 함수 $f(x)=x^2$에 대하여 다음 구간에서 함수 $f(x)$의 최댓값과 최솟값을 구하여라.

(1) $[-1,\ 2]$

› 풀이 함수 $f(x)$는 구간 $[-1,\ 2]$에서 연속이므로 $f(x)$는 주어진 구간에서 $x=2$일 때 최댓값 __, $x=0$일 때 최솟값 __을 갖는다.

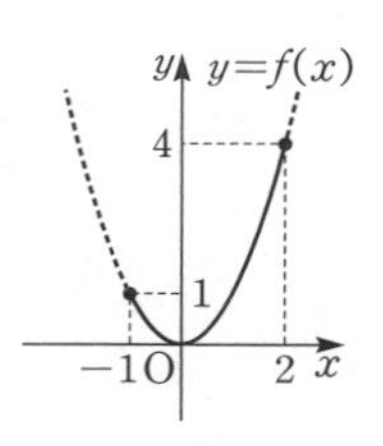

(2) $(-1,\ 2)$

14 다음 주어진 구간에서 함수 $f(x)$의 최댓값과 최솟값을 구하여라.

(1) $f(x)=-x^2+4x+1 \quad [-1,\ 3]$

(2) $f(x)=x^2+2x+2 \quad [-3,\ -2]$

(3) $f(x)=\sqrt{x+3} \quad [-2,\ 1]$

(4) $f(x)=\dfrac{x}{x+3} \quad [-4,\ -3)$

05

사잇값의 정리

1 사잇값의 정리

함수 $f(x)$가 닫힌구간 $[a, b]$에서 연속이고 $f(a) \neq f(b)$이면 $f(a)$와 $f(b)$ 사이에 있는 임의의 값 k에 대하여 $f(c)=k$를 만족시키는 c가 열린구간 (a, b)에 적어도 하나 존재한다.

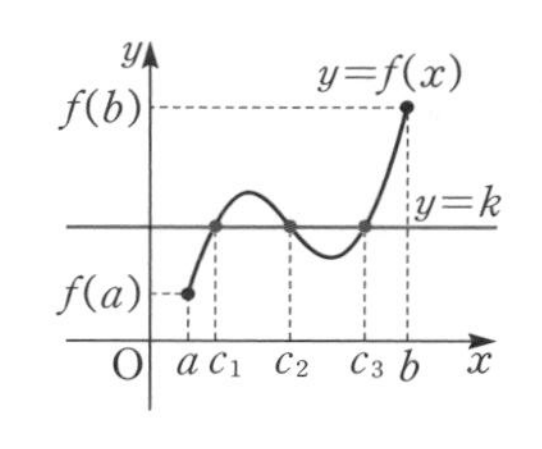

2 사잇값의 정리의 활용

함수 $f(x)$가 닫힌구간 $[a, b]$에서 연속이고 $f(a)f(b)<0$이면 방정식 $f(x)=0$은 열린구간 (a, b)에서 적어도 하나의 실근을 갖는다.

참고 $f(a)f(b)>0$이면 방정식 $f(x)=0$은 열린구간 (a, b)에서 실근을 가질 수도 있고 갖지 않을 수도 있으므로 함수 $y=f(x)$의 그래프를 그려 보아야 방정식 $f(x)=0$의 실근의 개수를 알 수 있다.

정답과 풀이 016쪽

유형 10 사잇값의 정리

15 다음은 함수 $f(x)=x^2-1$에 대하여 $f(c)=\sqrt{5}$인 c가 열린구간 $(1, 2)$에 적어도 하나 존재함을 증명한 것이다. (가), (나), (다)에 알맞은 것을 써넣어라.

> 함수 $f(x)=x^2-1$은 모든 실수에서 [(가)]이므로 닫힌구간 $[1, 2]$에서 [(나)]이다.
> 또, $f(1) \neq f(2)$이고 $f(1)<\sqrt{5}<f(2)$이므로 [(다)]에 의하여 $f(c)=\sqrt{5}$인 c가 열린구간 $(1, 2)$에 적어도 하나 존재한다.

16 함수 $f(x)=x^2+2x-1$에 대하여 $f(c)=-\frac{1}{3}$인 c가 열린구간 $(0, 1)$에 적어도 하나 존재함을 보여라.

17 함수 $f(x)=x^3-4x^2+6$에 대하여 $f(c)=2$인 c가 열린구간 $(-1, 1)$에 적어도 하나 존재함을 보여라.

유형 11 방정식에서 사잇값의 정리

18 다음은 방정식 $x^3+x-5=0$이 열린구간 $(0, 2)$에서 적어도 하나의 실근을 가짐을 증명한 것이다. (가), (나), (다)에 알맞은 것을 써넣어라.

> $f(x)=x^3+x-5$라 하면 함수 $f(x)$는 닫힌구간 $[0, 2]$에서 연속이고 $f(0)=-5<0$, $f(2)=5>0$이므로
> $f(0)f(2)$ [(가)] 0
> 따라서 [(나)]에 의하여 방정식 $x^3+x-5=0$은 열린구간 $(0, 2)$에서 적어도 하나의 [(다)]을 갖는다.

19 다음 방정식이 주어진 구간에서 적어도 하나의 실근을 가짐을 보여라.

(1) $x^2-6x+2=0$ $\quad (-1, 1)$

(2) $x^4-2x^2-1=0$ $\quad (-1, 2)$

· 중단원 점검문제 ·

정답과 풀이 016쪽

01

함수 $f(x)=\frac{|x-1|}{x-1}$이 $x=1$에서 연속인지 불연속인지 조사하여라.

02

함수 $f(x)=\begin{cases} \frac{x^2+ax-8}{x-2} & (x\neq2) \\ b & (x=2) \end{cases}$가 모든 실수 x에서 연속이 되도록 하는 상수 a, b에 대하여 ab의 값을 구하여라.

03

함수 $f(x)=\sqrt{3-x}$가 연속인 구간을 구하여라.

04

함수 $f(x)=\begin{cases} x^2+a & (x\geq-1) \\ bx+2 & (x<-1) \end{cases}$가 모든 실수 x에서 연속이 되도록 하는 상수 a, b에 대하여 $a+b$의 값을 구하여라.

05

두 함수 $f(x)=2x^2+9x-5$, $g(x)=2x-1$에 대하여 함수 $\frac{f(x)}{g(x)}$가 연속인 구간을 구하여라.

06

닫힌구간 $[2, 4]$에서 함수 $f(x)=\frac{2}{x-1}$의 최댓값을 a, 최솟값을 b라고 할 때, $a-b$의 값을 구하여라.

07

방정식 $x^3-7x+3=0$이 열린구간 $(2, 3)$에서 적어도 하나의 실근을 가짐을 보여라.

08

방정식 $x^3+2x-2=0$이 오직 하나의 실근을 가질 때, 다음 보기에서 방정식의 실근이 존재하는 구간을 골라라.

보기

ㄱ. $(-1, 0)$ ㄴ. $(0, 1)$

ㄷ. $(1, 2)$ ㄹ. $(2, 3)$

Ⅱ 미분

평균변화율

❶ 평균변화율

함수 $y=f(x)$에서 x의 값이 a에서 b까지 변할 때,

$$\frac{\Delta y}{\Delta x}=\frac{f(b)-f(a)}{b-a}=\frac{f(a+\Delta x)-f(a)}{\Delta x}$$

를 구간 $[a, b]$에서의 함수 $f(x)$의 평균변화율이라고 한다.

❷ 평균변화율의 기하학적 의미

평균변화율은 두 점 $\mathrm{A}(a, f(a))$, $\mathrm{B}(b, f(b))$를 지나는 직선 AB의 기울기와 같다.

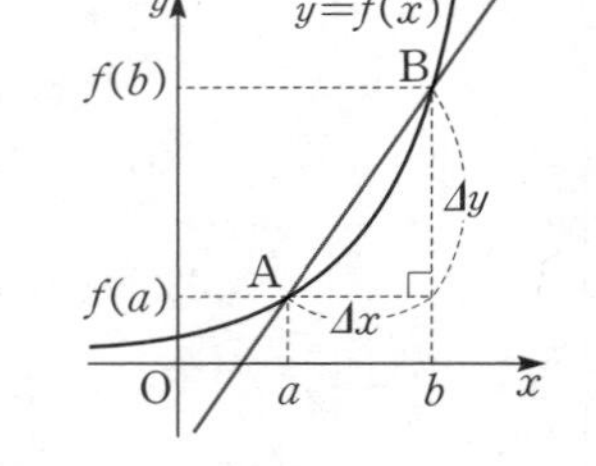

유형 01 평균변화율

정답과 풀이 018쪽

01 함수 $f(x)=x^2$에서 x의 값이 다음과 같이 변할 때의 평균변화율을 구하여라.

(1) -3에서 5까지 변할 때

> 풀이 $\frac{\Delta y}{\Delta x}=\frac{f(5)-f(-3)}{5-(-3)}=\frac{25-9}{8}=$ ___

(2) 1에서 2까지 변할 때

(3) a에서 $a+\Delta x$까지 변할 때

02 함수 $f(x)=-x^2+2x$에서 x의 값이 다음과 같이 변할 때의 평균변화율을 구하여라.

(1) 1에서 4까지 변할 때

(2) -2에서 3까지 변할 때

(3) a에서 $a+h$까지 변할 때

03 x의 값이 2에서 3까지 변할 때, 다음 함수 $f(x)$의 평균변화율을 구하여라.

(1) $f(x)=x^2-3$

(2) $f(x)=-x^3+x$

04 x의 값이 [ ]과 같이 변할 때, 다음 함수 $f(x)$의 평균변화율을 구하여라.

(1) $f(x)=x^2-4x$ [-1에서 3까지]

(2) $f(x)=3x^2-x$ [1에서 2까지]

(3) $f(x)=2x^2+5$ [-2에서 0까지]

풍쌤 POINT

함수 $y=f(x)$에서 x의 값이 a에서 b까지 변할 때, y의 값은 $f(a)$에서 $f(b)$까지 변한다.

➡ (평균변화율)$=\frac{f(b)-f(a)}{b-a}$

02

미분계수

❶ 미분계수

함수 $y=f(x)$에서 $x=a$에서의 미분계수를 $f'(a)$라 하고 다음과 같이 정의한다.

$$f'(a)=\lim_{\Delta x\to 0}\frac{\Delta y}{\Delta x}=\lim_{\Delta x\to 0}\frac{f(a+\Delta x)-f(a)}{\Delta x}=\lim_{x\to a}\frac{f(x)-f(a)}{x-a}$$

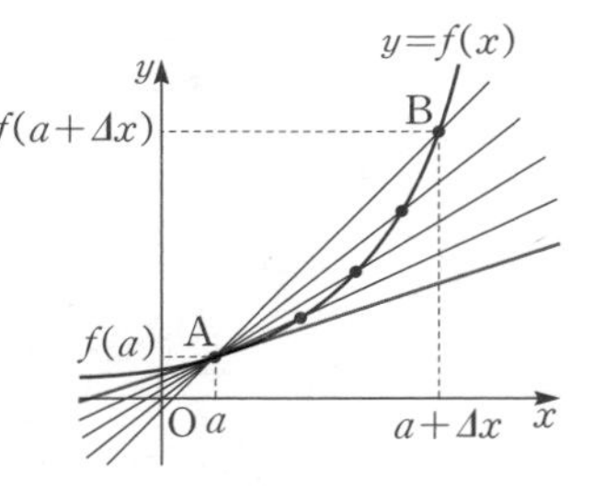

참고 Δx 대신 h를 사용하여 $f'(a)$를 다음과 같이 나타낼 수도 있다.

$$f'(a)=\lim_{h\to 0}\frac{f(a+h)-f(a)}{h}$$

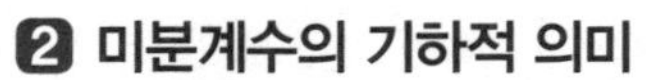

❷ 미분계수의 기하적 의미

$x=a$에서의 미분계수 $f'(a)$는 곡선 $y=f(x)$ 위의 점 $(a,\ f(a))$에서의 접선의 기울기와 같다.

유형 · 02 미분계수

정답과 풀이 018쪽

05 다음 함수 $f(x)$의 $x=1$에서의 미분계수를 구하여라.

(1) $f(x)=2x-1$

> 풀이 $f'(1)=\lim_{x\to 1}\frac{f(x)-f(1)}{x-1}=\lim_{x\to 1}\frac{(2x-1)-1}{x-1}$
> $=\lim_{x\to 1}\frac{2(x-1)}{x-1}=$ ___

(2) $f(x)=-\frac{1}{2}x^2$

(3) $f(x)=x^2-3x$

(4) $f(x)=x^3+x+4$

06 다음 함수 $f(x)$의 $x=-2$에서의 미분계수를 구하여라.

(1) $f(x)=-x+5$

(2) $f(x)=3x^2$

(3) $f(x)=x^2+2x$

(4) $f(x)=-2x^3+x-1$

풍쌤 POINT

함수 $y=f(x)$에서 $x=a$에서의 미분계수는

➡ $f'(a)=\lim_{x\to a}\frac{f(x)-f(a)}{x-a}=\lim_{h\to 0}\frac{f(a+h)-f(a)}{h}$

정답과 풀이 019쪽

07 다음 곡선 위의 주어진 점에서의 접선의 기울기를 구하여라.

(1) $f(x)=x^2+3$, $(1, 4)$

> 풀이 점 $(1, 4)$에서의 접선의 기울기는 $f'(1)$과 같으므로

$$f'(1)=\lim_{h\to0}\frac{f(1+h)-f(1)}{h}$$
$$=\lim_{h\to0}\frac{\{(1+h)^2+3\}-4}{h}$$
$$=\lim_{h\to0}\frac{h^2+2h}{h}$$
$$=\lim_{h\to0}(h+2)=\_\_$$

(2) $f(x)=5x^2$, $(-1, 5)$

(3) $f(x)=-2x^2+3x$, $(2, -2)$

(4) $f(x)=-x^2+2x+2$, $(0, 2)$

(5) $f(x)=x^3-6$, $(-1, -7)$

08 곡선 $f(x)=x^2-1$ 위의 두 점 $P(1, 0)$, $Q(2, 3)$에 대하여 다음을 구하여라.

(1) 직선 PQ의 기울기

(2) 점 P에서의 접선의 기울기

(3) 점 Q에서의 접선의 기울기

09 곡선 $f(x)=-x^3+4x$ 위의 두 점 $P(-2, 0)$, $Q(1, 3)$에 대하여 다음을 구하여라.

(1) 직선 PQ의 기울기

(2) 점 P에서의 접선의 기울기

(3) 점 Q에서의 접선의 기울기

풍쌤 POINT

곡선 $y=f(x)$에서

① 두 점 $(a, f(a))$와 $(b, f(b))$를 이은 직선의 기울기
➡ 평균변화율

② 점 $(a, f(a))$에서의 접선의 기울기 ➡ 미분계수

미분계수를 이용한 극한값의 계산

1 미분계수를 이용한 극한값의 계산

① $f'(a)=\lim_{h\to 0}\frac{f(a+h)-f(a)}{h}$

② $f'(a)=\lim_{x\to a}\frac{f(x)-f(a)}{x-a}$

› $\lim_{★\to 0}\frac{f(a+★)-f(a)}{★}=f'(a)$

$\lim_{★\to a}\frac{f(★)-f(a)}{★-a}=f'(a)$

➡ 분자, 분모의 ★ 부분이 같아야 $f'(a)$가 된다.

유형·04 미분계수를 이용한 극한값의 계산 (1)

정답과 풀이 020쪽

10 다항함수 $f(x)$에 대하여 다음 극한값을 $f'(a)$를 이용하여 나타내어라.

(1) $\lim_{h\to 0}\frac{f(a+2h)-f(a)}{h}$

› 풀이 $\lim_{h\to 0}\frac{f(a+2h)-f(a)}{h}$

$=\lim_{h\to 0}\frac{f(a+2h)-f(a)}{2h}\times$ ___ $=2f'(a)$

(2) $\lim_{h\to 0}\frac{f(a-3h)-f(a)}{h}$

(3) $\lim_{h\to 0}\frac{f(a+4h)-f(a)}{2h}$

(4) $\lim_{h\to 0}\frac{f(a+h^2)-f(a)}{h}$

11 다항함수 $f(x)$에서 $f'(1)=2$일 때, 다음 극한값을 구하여라.

(1) $\lim_{h\to 0}\frac{f(1+3h)-f(1)}{h}$

› 풀이 $\lim_{h\to 0}\frac{f(1+3h)-f(1)}{h}$

$=\lim_{h\to 0}\frac{f(1+3h)-f(1)}{3h}\times 3$

$=3f'(1)=$ ___

(2) $\lim_{h\to 0}\frac{f(1-6h)-f(1)}{3h}$

12 다항함수 $f(x)$에서 $f'(2)=-3$일 때, 다음 극한값을 구하여라.

(1) $\lim_{h\to 0}\frac{f(2+5h)-f(2)}{-h}$

(2) $\lim_{h\to 0}\frac{f(2-4h)-f(2)}{4h}$

13 다항함수 $f(x)$에 대하여 다음 극한값을 $f'(a)$를 이용하여 나타내어라.

(1) $\lim_{h\to 0}\frac{f(a+h)-f(a-h)}{h}$

> 풀이 $\lim_{h\to 0}\frac{f(a+h)-f(a-h)}{h}$
$=\lim_{h\to 0}\frac{f(a+h)-f(a)+f(a)-f(a-h)}{h}$
$=\lim_{h\to 0}\left\{\frac{f(a+h)-f(a)}{h}-\frac{f(a-h)-f(a)}{h}\right\}$
$=\lim_{h\to 0}\left\{\frac{f(a+h)-f(a)}{h}+\frac{f(a-h)-f(a)}{-h}\right\}$
$=f'(a)+f'(a)=\_\_f'(a)$

(2) $\lim_{h\to 0}\frac{f(a+3h)-f(a+2h)}{h}$

14 다항함수 $f(x)$에서 $f'(1)=4$일 때, 다음 극한값을 구하여라.

(1) $\lim_{h\to 0}\frac{f(1-3h)-f(1+h)}{h}$

(2) $\lim_{h\to 0}\frac{f(1-h)-f(1-2h)}{2h}$

풍쌤 POINT

$\lim_{■\to 0}\frac{f(a+■)-f(a)}{■}$에서는 ■ 부분이 같아지도록 식을 변형하고 $f'(a)$의 값을 이용하여 극한값을 구한다.

15 다항함수 $f(x)$에서 $f'(1)=2$일 때, 다음 극한값을 구하여라.

(1) $\lim_{x\to 1}\frac{f(x)-f(1)}{x^2-1}$

> 풀이 $\lim_{x\to 1}\frac{f(x)-f(1)}{x^2-1}=\lim_{x\to 1}\left\{\frac{f(x)-f(1)}{x-1}\times\frac{1}{x+1}\right\}$
$=\_\_f'(1)=\_\_$

(2) $\lim_{x\to 1}\frac{f(x)-f(1)}{x^3-1}$

(3) $\lim_{x\to 1}\frac{f(\sqrt{x})-f(1)}{x^2-1}$

(4) $\lim_{x\to 1}\frac{f(x^2)-f(1)}{x-1}$

(5) $\lim_{x\to 1}\frac{x^4-1}{f(x)-f(1)}$

16 다항함수 $f(x)$에서 $f(2)=1$, $f(4)=2$, $f'(2)=3$, $f'(4)=5$일 때, 다음 극한값을 구하여라.

(1) $\lim_{x \to 2} \frac{f(x)-1}{x^2-4}$

> 풀이 $\lim_{x \to 2} \frac{f(x)-1}{x^2-4}=\lim_{x \to 2} \left\{\frac{f(x)-f(2)}{x-2} \times \frac{1}{x+2}\right\}$
>
> $=\frac{1}{4}f'(2)=$___

(2) $\lim_{x \to 2} \frac{f(x)-1}{x^3-8}$

(3) $\lim_{x \to 4} \frac{f(x)-2}{x^2-16}$

(4) $\lim_{x \to 2} \frac{f(x^2)-2}{x-2}$

(5) $\lim_{x \to 2} \frac{x^4-16}{f(x)-1}$

17 다항함수 $f(x)$에 대하여 다음 극한값을 $f'(a)$를 이용하여 나타내어라.

(1) $\lim_{x \to a} \frac{xf(a)-af(x)}{x-a}$

> 풀이 $\lim_{x \to a} \frac{xf(a)-af(x)}{x-a}$
>
> $=\lim_{x \to a} \frac{xf(a)-af(a)+af(a)-af(x)}{x-a}$
>
> $=\lim_{x \to a} \frac{f(a)(x-a)-a\{f(x)-f(a)\}}{x-a}$
>
> $=\lim_{x \to a} \left\{f(a)-a \times \frac{f(x)-f(a)}{x-a}\right\}$
>
> $=f(a)-$______

(2) $\lim_{x \to a} \frac{x^2f(a)-a^2f(x)}{x-a}$

18 다항함수 $f(x)$에서 $f(3)=-1$, $f'(3)=3$일 때, 다음 극한값을 구하여라.

(1) $\lim_{x \to 3} \frac{xf(3)-3f(x)}{x-3}$

(2) $\lim_{x \to 3} \frac{x^2f(3)-9f(x)}{x-3}$

풍쌤 POINT

$\lim_{■ \to ▲} \frac{f(■)-f(▲)}{■-▲}$에서는 ■와 ▲ 부분이 같아지도록 식을 변형하고 $f'(▲)$의 값을 이용하여 극한값을 구한다.

미분가능성과 연속성

1 미분가능성과 연속성

함수 $f(x)$가 $x=a$에서 미분가능하면 $f(x)$는 $x=a$에서 연속이다.

그러나 역이 반드시 성립하는 것은 아니다.

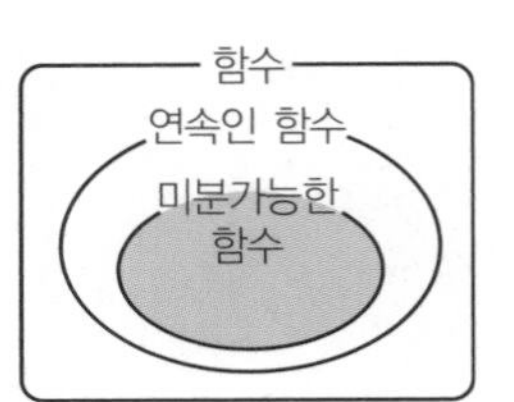

› 함수 $f(x)$에 대하여

① $\lim_{x\to a} f(x)=f(a)$

➡ $x=a$에서 연속

② $\lim_{h\to 0} \frac{f(a+h)-f(a)}{h}$가 존재

➡ $x=a$에서 미분가능

정답과 풀이 022쪽

유형 06 그래프에서의 미분가능성과 연속성

19 함수 $y=f(x)$의 그래프가 아래 그림과 같을 때, $x=a$에서 미분가능한 것에는 ○표, 미분가능하지 않은 것에는 ×표를 다음 (　　) 안에 써넣어라.

(1)

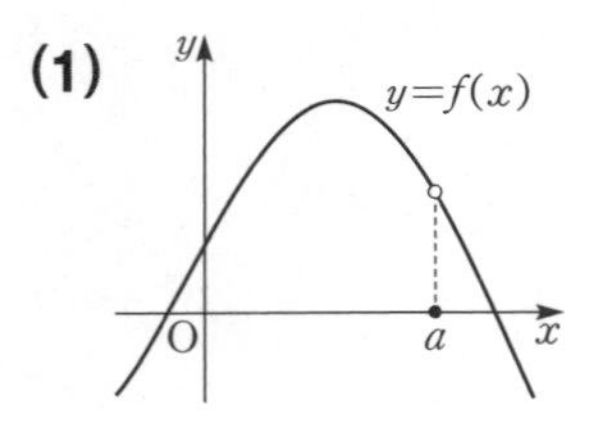

(　　)

› 풀이 $x=a$에서 ____이 아니므로 $x=a$에서 미분가능하지 않다.

(2)

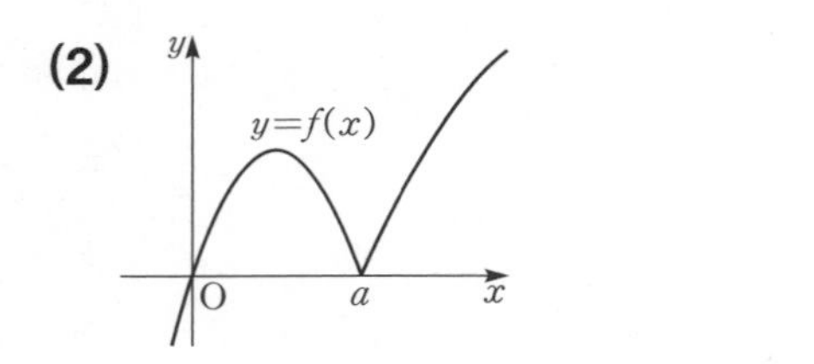

(　　)

(3)

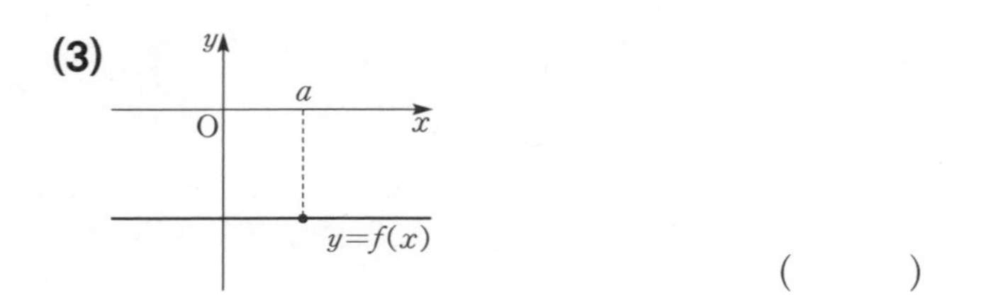

(　　)

풍쌤 POINT

함수 $f(x)$가 $x=a$에서 미분가능하지 않은 경우

① $x=a$에서 그래프가 끊어진 경우 ➡ 불연속

② $x=a$에서 그래프가 꺾인 경우

유형 07 함수의 미분가능성과 연속성

20 다음 함수 $f(x)$에 대하여 $x=0$에서의 연속성과 미분가능성을 조사하여라.

(1) $f(x)=|x|$

› 풀이 (i) $\lim_{x\to 0} f(x)=\lim_{x\to 0} |x|=0$, $f(0)=0$이므로

$\lim_{x\to 0} f(x)=f(0)$

따라서 함수 $f(x)$는 $x=0$에서 연속이다.

(ii) $\lim_{x\to 0+} \frac{f(x)-f(0)}{x-0}=\lim_{x\to 0+} \frac{|x|-0}{x}=\lim_{x\to 0+} \frac{x}{x}=1$,

$\lim_{x\to 0-} \frac{f(x)-f(0)}{x-0}=\lim_{x\to 0-} \frac{|x|-0}{x}=\lim_{x\to 0-} \frac{-x}{x}=$ ____

이므로 $f'(0)$이 존재하지 않는다.

따라서 함수 $f(x)$는 $x=0$에서 ____이지만 미분가능하지 않다.

(2) $f(x)=|x|-x$

(3) $f(x)=\begin{cases} x^2 & (x\geq 0) \\ 0 & (x<0) \end{cases}$

05

도함수의 정의

1 도함수

함수 $y=f(x)$에서 x의 각 값에 미분계수 $f'(x)$를 대응시키는 새로운 함수

$$f'(x)=\lim_{h\to 0}\frac{f(x+h)-f(x)}{h}$$

를 함수 $f(x)$의 도함수라 하고, 이것을 기호로 $f'(x)$, y', $\frac{dy}{dx}$, $\frac{d}{dx}f(x)$

와 같이 나타낸다.

> 미분법
> 함수 $y=f(x)$에서 그 도함수 $f'(x)$를 구하는 것을 함수 $y=f(x)$를 x에 대하여 미분한다고 하고, 그 계산법을 미분법이라고 한다.

> $f'(x)=\lim_{t\to x}\frac{f(t)-f(x)}{t-x}$

유형·08 도함수의 정의를 이용하여 도함수 구하기

정답과 풀이 022쪽

21 다음 함수 $f(x)$의 도함수를 구하여라.

(1) $f(x)=2x+1$

> 풀이 $f'(x)=\lim_{h\to 0}\frac{f(x+h)-f(x)}{h}$
> $=\lim_{h\to 0}\frac{\{2(x+h)+1\}-(2x+1)}{h}$
> $=\lim_{h\to 0}\frac{2h}{h}=\lim_{h\to 0}$ ___ = ___

(2) $f(x)=4$

(3) $f(x)=x^2-x$

(4) $f(x)=-x^3$

22 함수 $f(x)=-x^2+3$에 대하여 다음 물음에 답하여라.

(1) 도함수를 구하여라.

(2) **(1)**의 도함수를 이용하여 $x=1$에서의 미분계수를 구하여라.

> 풀이 $x=1$에서의 미분계수는 $f'(1)$과 같다.
> 함수 $f(x)$의 도함수가 $f'(x)=$ _____ 이므로
> $f'(1)=$ ____

23 다음 함수 $f(x)$의 $x=2$에서의 미분계수를 구하여라.

(1) $f(x)=-5x+2$

(2) $f(x)=2x^2+x$

(3) $f(x)=x^3-6$

풍쌤 POINT

$x=a$에서의 미분계수는 함수 $f(x)$의 도함수 $f'(x)$에 $x=a$를 대입한 것과 같다. ➡ $f'(a)$

06

미분법의 기본 공식

1 함수 $y=x^n$과 상수함수의 도함수

① $y=x^n$ (n은 자연수)이면 $y'(x)=nx^{n-1}$

② $y=c$ (c는 상수)이면 $y'=0$

2 실수배, 합, 차, 곱의 미분법

세 함수 $f(x)$, $g(x)$, $h(x)$가 미분가능할 때

① $y=cf(x)$이면 $y'=cf'(x)$(단, c는 상수)

② $y=f(x)\pm g(x)$이면 $y'=f'(x)\pm g'(x)$ (복호동순)

③ $y=f(x)g(x)$이면 $y'=f'(x)g(x)+f(x)g'(x)$

④ $y=f(x)g(x)h(x)$이면

$y'=f'(x)g(x)h(x)+f(x)g'(x)h(x)+f(x)g(x)h'(x)$

⑤ $y=\{f(x)\}^n$(n은 자연수)이면 $y'=n\{f(x)\}^{n-1}f'(x)$

› $x^0=1$이므로 함수 $y=x$의 도함수는 $y'=x^0=1$

› 함수 $y=(3x+1)^2$의 도함수 구하기

[방법 1]

$y=(3x+1)^2$
$=(3x+1)(3x+1)$

이므로

$y'=(3x+1)'(3x+1)$
$+(3x+1)(3x+1)'$
$=3(3x+1)+(3x+1)\times 3$
$=18x+6$

[방법 2]

$y'=2(3x+1)^{2-1}(3x+1)'$
$=2(3x+1)\times 3=18x+6$

유형 09 함수 $y=x^n$과 상수함수의 도함수

24 다음 함수를 미분하여라.

(1) $y=x^3$

› 풀이 $y'=3x^{3-1}=$____

(2) $y=x^5$

(3) $y=x^8$

(4) $y=x^{10}$

(5) $y=x^{26}$

25 다음 함수를 미분하여라.

(1) $y=2$

(2) $y=-7$

(3) $y=\frac{1}{3}$

(4) $y=100$

풍쌤 POINT

① $(x^n)'=nx^{n-1}$

② 상수함수의 도함수는 항상 0이다.

유형 10 실수배, 합, 차의 미분법

정답과 풀이 023쪽

26 다음 함수를 미분하여라.

(1) $y=-5x^3$

> 풀이 $y'=(-5x^3)'=-5\times(x^3)'=-5\times3x^2=$______

(2) $y=\frac{2}{3}x^6$

(3) $y=2x+7$

> 풀이 $y'=(2x)'+(7)'=2\times(x)'+(7)'$
> $=2\times1+0=$__

(4) $y=-4x+3$

(5) $y=6x^2-1$

(6) $y=-x^2+5x+2$

(7) $y=x^3-2x^2$

(8) $y=2x^3-4x^2+3x+1$

(9) $y=x^4+3x^2$

(10) $y=-x^4-7x^2+2x-9$

(11) $y=2x^5-3x^3-5x^2$

(12) $y=-3x^5+8x^2+2x-3$

27 다음 함수를 미분하여라.

(1) $y=\frac{1}{4}x^4+\frac{1}{3}x^3+\frac{1}{2}x^2-x$

(2) $y=\frac{4}{5}x^5-\frac{3}{4}x^4+\frac{2}{3}x^3$

28 두 다항함수 $f(x)$, $g(x)$에 대하여 $f'(1)=2$, $g'(1)=-3$일 때, 다음 함수의 $x=1$에서의 미분계수를 구하여라.

(1) $3f(x)$

> 풀이 함수 $3f(x)$의 $x=1$에서의 미분계수는
> $3f'(1)=3\times2=$ ___

(2) $f(x)+g(x)$

(3) $f(x)-g(x)$

(4) $2f(x)-4g(x)$

풍쌤 POINT

두 함수 $f(x)$, $g(x)$가 미분가능하고 a, b가 상수일 때

① $y=af(x)+bg(x)$이면 $y'=af'(x)+bg'(x)$

② $y=af(x)-bg(x)$이면 $y'=af'(x)-bg'(x)$

유형 11 곱의 미분법

29 다음 함수를 미분하여라.

(1) $y=(x-1)(5x^2-3)$

> 풀이 $y'=(x-1)'(5x^2-3)+(x-1)(5x^2-3)'$
> $=1\times(5x^2-3)+(x-1)\times10x$
> $=$ ___________

(2) $y=(2x-5)(3x+4)$

(3) $y=-2x^3(3x^2+x)$

(4) $y=(x^2+6)(x^2-x+2)$

(5) $y=(2x^2-3x)(x^3-2)$

(6) $y=(x^3-4)(x^4-1)$

30 다음 함수를 미분하여라.

(1) $y=(x+1)(x-2)(5x+3)$

> 풀이 $y'=(x+1)'(x-2)(5x+3)+(x+1)(x-2)'(5x+3)$
> $+(x+1)(x-2)(5x+3)'$
> $=1\times(x-2)(5x+3)+(x+1)\times1\times(5x+3)$
> $+(x+1)(x-2)\times5$
> $=$________

(2) $y=(2x-1)(x+3)(3x+2)$

(3) $y=x(x^2+1)(x-1)$

31 다음 함수를 미분하여라.

(1) $y=(3x-1)^3$

> 풀이 $y'=3(3x-1)^2(3x-1)'$
> $=3(3x-1)^2\times3$
> $=$________

(2) $y=(x+2)^5$

(3) $y=(x^2-x+1)^2$

유형·12 미분법 공식의 활용

32 다음 함수 $f(x)$의 $x=2$에서의 미분계수를 구하여라.

(1) $f(x)=3x^2+x-2$

> 풀이 $f'(x)=$______
> 따라서 $x=2$에서의 미분계수는
> $f'(2)=6\times2+1=$___

(2) $f(x)=x^3-7x$

(3) $y=(x-1)^4$

33 함수 $f(x)$에 대하여 다음 값을 구하여라.

(1) $f(x)=-5x^2+9$에 대하여 $f'(1)$의 값

> 풀이 $f'(x)=$______
> $\therefore f'(1)=-10\times1=$______

(2) $f(x)=4x^3+x^2$에 대하여 $f'(-1)$의 값

(3) $f(x)=(2x^2-x)(-x+1)$에 대하여 $f'(2)$의 값

풍쌤 POINT

$x=a$에서의 미분계수는 함수 $f(x)$의 도함수 $f'(x)$에 $x=a$를 대입한 것과 같다. ➡ $f'(a)$

도함수의 응용

1 미분가능할 조건

두 다항함수 $g(x)$, $h(x)$에 대하여 함수 $f(x)=\begin{cases} g(x) & (x \ge a) \\ h(x) & (x < a) \end{cases}$가 $x=a$에서 미분가능하면

① 함수 $f(x)$는 $x=a$에서 연속이다. ➡ $\lim_{x \to a-} h(x) = \lim_{x \to a+} g(x)$

② $f'(a)$가 존재한다. ➡ $f'(x)=\begin{cases} g'(x) & (x > a) \\ h'(x) & (x < a) \end{cases}$에서

$\lim_{x \to a-} h'(x) = \lim_{x \to a+} g'(x)$

› 함수 $f(x)$가 $x=a$에서 미분가능하면 $x=a$에서 연속이고 미분계수 $f'(a)$가 존재한다.

2 나머지정리와 미분

다항식 $f(x)$를 $(x-a)^2$으로 나눌 때

① 몫이 $Q(x)$, 나머지가 $R(x)$이면 ➡ $f(x)=(x-a)^2Q(x)+R(x)$에서

$f'(x)=2(x-a)Q(x)+(x-a)^2Q'(x)+R'(x)$

② 나누어떨어지면 ➡ $f(a)=0$, $f'(a)=0$

› 다항식을 n차의 다항식으로 나누면 나머지는 $(n-1)$차의 다항식이다.

유형 13 미분가능할 조건

34 다음 함수 $f(x)$가 $x=1$에서 미분가능할 때, 상수 a, b의 값을 구하여라.

(1) $f(x)=\begin{cases} ax+b & (x \ge 1) \\ 5x^2 & (x < 1) \end{cases}$

› 풀이 (i) $f(x)$가 $x=1$에서 연속이므로

$\lim_{x \to 1-} 5x^2 = \lim_{x \to 1+} (ax+b) = f(1)$

$\therefore a+b=$__ ……㉠

(ii) $f'(x)=\begin{cases} a & (x > 1) \\ 10x & (x < 1) \end{cases}$에서 $f'(1)$이 존재하므로

$\lim_{x \to 1-} 10x = \lim_{x \to 1+} a$ $\quad \therefore a=10$

$a=10$을 ㉠에 대입하면 $b=$____

(2) $f(x)=\begin{cases} ax-1 & (x \ge 1) \\ x^2-b & (x < 1) \end{cases}$

(3) $f(x)=\begin{cases} ax^3+1 & (x \ge 1) \\ 2x^2+bx & (x < 1) \end{cases}$

(4) $f(x)=\begin{cases} x^3+ax^2+bx & (x \ge 1) \\ 3x^2-4 & (x < 1) \end{cases}$

정답과 풀이 025쪽

35 다음을 구하여라.

(1) 다항식 x^6-3x^3+4를 $(x-1)^2$으로 나누었을 때의 나머지

> **풀이** x^6-3x^3+4를 $(x-1)^2$으로 나눈 몫을 $Q(x)$, 나머지를 $ax+b$ (a, b는 상수)라고 하면
> $x^6-3x^3+4=(x-1)^2Q(x)+ax+b$ ……㉠
> ㉠의 양변에 $x=1$을 대입하면
> $a+b=2$ ……㉡
> ㉠의 양변을 x에 대하여 미분하면
> ______$=2(x-1)Q(x)+(x-1)^2Q'(x)+a$
> 양변에 $x=1$을 대입하면 $a=-3$
> $a=-3$을 ㉡에 대입하면 $b=5$
> 따라서 구하는 나머지는 ______이다.

(2) 다항식 $x^{10}-x^5+1$을 $(x-1)^2$으로 나누었을 때의 나머지

(3) 다항식 x^8-2x+3을 $(x+1)^2$으로 나누었을 때의 나머지

(4) 다항식 x^9-1을 $(x+1)^2$으로 나누었을 때의 나머지

36 다음 물음에 답하여라.

(1) 다항식 x^7+ax+b가 $(x-1)^2$으로 나누어떨어질 때, 상수 a, b의 값을 구하여라.

(2) 다항식 x^4-ax+b가 $(x+2)^2$으로 나누어떨어질 때, 상수 a, b의 값을 구하여라.

(3) 다항식 $x^{10}+ax^3+bx+13$이 $(x+1)^2$으로 나누어떨어질 때, 상수 a, b의 값을 구하여라.

(4) 다항식 $x^4+ax^3+bx-16$이 $(x-2)^2$으로 나누어떨어질 때, 상수 a, b의 값을 구하여라.

풍쌤 POINT

① 다항식 $f(x)$를 이차식 $(x-a)^2$으로 나누었을 때의 나머지는 일차식 $ax+b$이다.

② $f(x)=(x-a)^2Q(x)$에서 $f(a)=0$
$f'(x)=2(x-a)Q(x)+(x-a)^2Q'(x)$에서 $f'(a)=0$

· 중단원 점검문제 ·

01

x의 값이 -2에서 1까지 변할 때, 함수 $f(x)=2x^2-6x$의 평균변화율을 구하여라.

02

함수 $f(x)=-x^3+4x-5$의 $x=-1$에서의 미분계수를 구하여라.

03

곡선 $f(x)=3x^2-2x$ 위의 점 $(2,\ 8)$에서의 접선의 기울기를 구하여라.

04

다항함수 $f(x)$에 대하여 $\lim_{h \to 0} \frac{f(a-6h)-f(a)}{-h}$의 값을 $f'(a)$를 이용하여 나타내어라.

05

다항함수 $f(x)$에서 $f'(3)=-1$일 때,

$\lim_{h \to 0} \frac{f(3+2h)-f(3-h)}{h}$의 값을 구하여라.

06

다항함수 $f(x)$에서 $f(\sqrt{2})=2,\ f'(\sqrt{2})=-\sqrt{2}$일 때,

$\lim_{x \to \sqrt{2}} \frac{f(x)-2}{x^2-2}$의 값을 구하여라.

07

다항함수 $f(x)$에서 $f(1)=-3,\ f'(1)=2$일 때,

$\lim_{x \to 1} \frac{x^2f(1)-f(x)}{x-1}$의 값을 구하여라.

08

함수 $f(x)=|x^2-4|$에 대하여 $x=2$에서 연속성과 미분가능성을 조사하여라.

09

함수 $f(x)=-2x^2+7$의 도함수를 다음 방법을 이용하여 구하여라.

(1) 도함수의 정의
(2) 미분법 공식

10

함수 $y=5x^4-3x^3+6x^2-4x$를 미분하여라.

11

함수 $y=(2x^2-3)^3$을 미분하여라.

12

함수 $f(x)=\frac{4}{3}x^2+9x-\frac{1}{2}$의 $x=-3$에서의 미분계수를 구하여라.

13

함수 $f(x)=(5x^2-4x)(x^3+1)$에 대하여 $f'(1)$의 값을 구하여라.

14

함수 $f(x)=\begin{cases} 3x^2-1 & (x\le 2) \\ ax+b & (x>2) \end{cases}$가 $x=2$에서 미분가능할 때, 상수 a, b에 대하여 $a+b$의 값을 구하여라.

15

다항식 x^5+5x^2-11을 $(x+1)^2$으로 나누었을 때의 나머지를 구하여라.

16

다항식 x^7+ax^2+bx+2가 $(x-1)^2$으로 나누어떨어질 때, 상수 a, b에 대하여 ab의 값을 구하여라.

01

접점이 주어질 때 접선의 방정식

1 접점이 주어질 때 접선의 방정식

곡선 $y=f(x)$ 위의 점 $\mathrm{P}(a, f(a))$에서의 접선의 방정식은

$$y-f(a)=f'(a)(x-a)$$

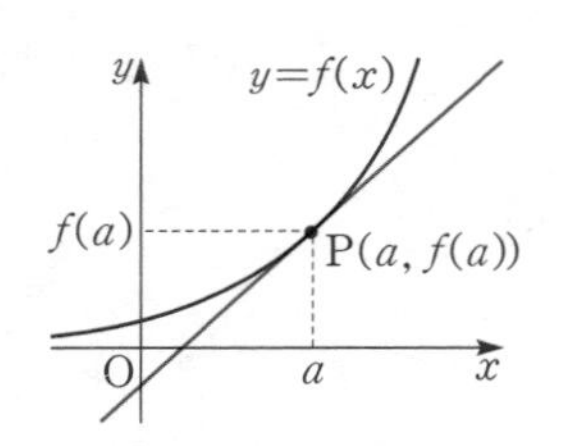

›곡선 $y=f(x)$ 위의 점 $(a, f(a))$를 지나고, 이 점에서의 접선에 수직인 직선의 방정식은

$$y-f(a)=-\frac{1}{f'(a)}(x-a)$$

(단, $f'(a)\neq 0$)

정답과 풀이 028쪽

유형 01 접점이 주어질 때 접선의 방정식

01 다음 곡선 위의 주어진 점에서의 접선의 방정식을 구하여라.

(1) $y=x^2-4x$, $(1, -3)$

› 풀이 $f(x)=x^2-4x$로 놓으면 $f'(x)=2x-4$
이 곡선 위의 점 $(1, -3)$에서의 접선의 기울기는
$f'(1)=$____
따라서 구하는 접선의 방정식은
$y-(-3)=-2(x-1)$ $\quad\therefore y=$________

(2) $y=-\frac{1}{2}x^2+3$, $(-2, 1)$

(3) $y=-x^3-2x^2+3x$, $(-1, -4)$

풍쌤 POINT

곡선 $y=f(x)$ 위의 점 $(a, f(a))$에서의 접선의 방정식 구하는 순서

① 접선의 기울기 $f'(a)$를 구한다.
② $f'(a)$를 $y-f(a)=f'(a)(x-a)$에 대입한다.

유형 02 접점이 주어진 접선에 수직인 직선의 방정식

02 다음 곡선 위의 주어진 점을 지나고, 이 점에서의 접선에 수직인 직선의 방정식을 구하여라.

(1) $y=2x^2+5$, $(-1, 7)$

› 풀이 $f(x)=2x^2+5$로 놓으면 $f'(x)=4x$
이 곡선 위의 점 $(-1, 7)$에서의 접선의 기울기는
$f'(-1)=-4$이므로 이 접선에 수직인 직선의 기울기는 ____이다. 따라서 구하는 직선의 방정식은
$y-7=\frac{1}{4}\{x-(-1)\}$ $\quad\therefore y=$________

(2) $y=-4x^2+3x$, $(1, -1)$

(3) $y=\frac{1}{3}x^3+x^2-6$, $(-3, -6)$

기울기가 주어질 때 접선의 방정식

❶ 기울기가 주어질 때 접선의 방정식

곡선 $y=f(x)$에 접하고 기울기가 m인 접선의 방정식은

[1단계] $f'(x)=m$을 이용하여 접점의 x좌표 $x=a$를 구한다.

[2단계] $x=a$를 $f(x)$에 대입하여 $f(a)$를 구한다.

[3단계] $y-f(a)=m(x-a)$에 대입한다.

› 기울기가 주어지면 $f'(x)=m$임을 이용하여 접점을 구한 후 접선의 방정식 구하는 공식에 대입한다.

유형 03 기울기가 주어질 때 접선의 방정식 (1)

정답과 풀이 028쪽

03 곡선 $y=-x^2+3x+1$에 접하고 기울기가 -1인 접선에 대하여 다음 물음에 답하여라.

(1) 접점의 좌표를 구하여라.

› 풀이 $f(x)=-x^2+3x+1$로 놓으면 $f'(x)=-2x+3$
기울기가 -1이므로
$-2x+3=-1$ $\quad\therefore x=$___
따라서 $f(2)=3$이므로 접점의 좌표는 ______이다.

(2) 접선의 방정식을 구하여라.

› 풀이 곡선 위의 점 ______에서의 접선의 기울기가 -1이므로 구하는 접선의 방정식은
$y-3=-(x-2)$ $\quad\therefore y=$______

04 곡선 $y=x^3+2x$에 접하고 기울기가 5인 접선에 대하여 다음 물음에 답하여라.

(1) 접점의 좌표를 모두 구하여라.

(2) 접선의 방정식을 모두 구하여라.

05 다음을 구하여라.

(1) 곡선 $y=2x^2-x$에 접하고 기울기가 3인 접선의 방정식

(2) 곡선 $y=x^2+2x-1$에 접하고 기울기가 -2인 접선의 방정식

(3) 곡선 $y=x^3-3x^2-5$에 접하고 기울기가 -3인 접선의 방정식

(4) 곡선 $f(x)=-\frac{1}{3}x^3+5x$에 접하고 기울기가 1인 접선의 방정식

정답과 풀이 029쪽

유형 04 기울기가 주어질 때 접선의 방정식 (2)

06 곡선 $y=x^2+4x+5$에 접하고 직선 $2x-y+3=0$에 평행한 접선에 대하여 다음 물음에 답하여라.

(1) 접선의 기울기를 구하여라.

> 풀이 직선 $2x-y+3=0$에서 $y=2x+3$
> 이 직선에 평행한 접선의 기울기는 ＿이다.

(2) 접점의 좌표를 구하여라.

(3) 접선의 방정식을 구하여라.

07 다음을 구하여라.

(1) 곡선 $y=x^2+7x$에 접하고 직선 $y=-x+3$에 평행한 접선의 방정식

(2) 곡선 $y=-x^2+4x-3$에 접하고 직선 $-2x-y+9=0$에 평행한 접선의 방정식

(3) 곡선 $y=x^3+2$에 접하고 직선 $y=3x-1$에 평행한 접선의 방정식

유형 05 기울기가 주어질 때 접선의 방정식 (3)

08 곡선 $y=-x^2+8x-6$에 접하고 직선 $x+4y-2=0$에 수직인 접선에 대하여 다음 물음에 답하여라.

(1) 접선의 기울기를 구하여라.

(2) 접점의 좌표를 구하여라.

(3) 접선의 방정식을 구하여라.

09 다음을 구하여라.

(1) 곡선 $y=x^2-x+2$에 접하고 직선 $y=x-2$에 수직인 접선의 방정식

(2) 곡선 $y=-x^3+15x$에 접하고 직선 $x+3y-3=0$에 수직인 접선의 방정식

풍쌤 POINT

곡선 $y=f(x)$에 접하는 접선의 기울기

① 접선과 평행한 직선의 기울기가 m이면
➡ 접선의 기울기는 m
➡ 기울기가 같다.

② 접선과 수직인 직선의 기울기가 m이면
➡ 접선의 기울기는 $-\frac{1}{m}$
➡ 기울기의 곱이 -1이다.

곡선 밖의 한 점에서의 접선의 방정식

❶ 곡선 밖의 한 점에서의 접선의 방정식

곡선 $y=f(x)$ 밖의 한 점 (m, n)에서 곡선에 그은 접선의 방정식은

[1단계] 접점을 $(a, f(a))$로 놓고, 접선의 방정식 $y-f(a)=f'(a)(x-a)$를 세운다.

[2단계] 점 (m, n)의 좌표를 접선의 방정식에 대입하여 a의 값을 구한다.

[3단계] 구한 a의 값을 접선의 방정식 $y-f(a)=f'(a)(x-a)$에 대입한다.

유형·06 곡선 밖의 한 점에서의 접선의 방정식

정답과 풀이 030쪽

10 다음 곡선 밖의 한 점에서 곡선에 그은 접선의 방정식을 구하여라.

(1) $y=x^2+x-2$, $(0, -3)$

> 풀이 $f(x)=x^2+x-2$로 놓으면 $f'(x)=2x+1$
접점의 좌표를 (a, a^2+a-2)라고 하면 접선의 기울기는 $f'(a)=$______이므로 접선의 방정식은
$y-(a^2+a-2)=(2a+1)(x-a)$
$y=(2a+1)x-a^2-2$ ······ ㉠
이 직선이 점 $(0, -3)$을 지나므로
$-3=-a^2-2$ $\therefore a=\pm1$
$a=\pm1$을 ㉠에 각각 대입하면 구하는 접선의 방정식은
$y=$________, $y=3x-3$

(2) $y=-x^2+4x$, $(2, 5)$

(3) $y=x^2-3x+4$, $(0, 0)$

(4) $y=x^3+1$, $(0, -1)$

(5) $y=x^3-3x^2+x+1$, $(1, 2)$

접선의 방정식의 활용

❶ 두 곡선이 접할 조건

두 곡선 $y=f(x)$, $y=g(x)$가 $x=a$인 점에서 공통인 접선을 가질 때

① $x=a$인 점에서 만난다. ➡ $f(a)=g(a)$

② $x=a$인 점에서 두 곡선의 접선의 기울기가 같다. ➡ $f'(a)=g'(a)$

› 두 곡선 $y=f(x)$, $y=g(x)$가 점 (a, b)에서 만나고 이 점에서 두 곡선에 그은 접선이 서로 수직이면
➡ $f(a)=g(a)=b$, $f'(a)g'(a)=-1$

정답과 풀이 030쪽

유형 07 접점이 주어질 때 미정계수 구하기

11 다음 물음에 답하여라.

(1) 곡선 $y=x^2+ax+b$ 위의 점 $(2, 1)$에서의 접선의 방정식이 $y=2x-3$일 때, 상수 a, b의 값을 구하여라.

› 풀이 $f(x)=x^2+ax+b$로 놓으면 $f'(x)=2x+a$
점 $(2, 1)$이 곡선 위의 점이므로 $f(2)=4+2a+b=1$
$\therefore 2a+b=$____ …… ㉠
점 $(2, 1)$에서의 접선의 기울기가 2이므로
$f'(2)=4+a=2$ $\therefore a=-2$
$a=-2$를 ㉠에 대입하면 $b=$__

(2) 곡선 $y=-x^2+ax+b$ 위의 점 $(1, 2)$에서의 접선의 방정식이 $y=x+1$일 때, 상수 a, b의 값을 구하여라.

(3) 곡선 $y=-x^3+ax^2+bx$ 위의 점 $(1, 3)$에서의 접선의 방정식이 $y=-x+4$일 때, 상수 a, b의 값을 구하여라.

유형 08 두 곡선이 접할 때 미정계수 구하기

12 다음 물음에 답하여라.

(1) 두 곡선 $y=-x^3+3$, $y=x^2+ax+2b$가 점 $(1, 2)$에서 공통인 접선을 가질 때, 상수 a, b의 값을 구하여라.

› 풀이 $f(x)=-x^3+3$, $g(x)=x^2+ax+2b$로 놓으면
$f'(x)=-3x^2$, $g'(x)=2x+a$
점 $(1, 2)$가 두 곡선 위의 점이므로
$f(1)=g(1)$에서 $-1+3=1+a+2b$
$\therefore a+2b=$__ …… ㉠
점 $(1, 2)$에서의 접선의 기울기가 같으므로
$f'(1)=g'(1)$에서 $-3=2+a$ $\therefore a=-5$
$a=-5$를 ㉠에 대입하면 $b=$__

(2) 두 곡선 $y=x^3+ax+b$, $y=x^2+4x$가 점 $(-1, -3)$에서 공통인 접선을 가질 때, 상수 a, b의 값을 구하여라.

(3) 두 곡선 $y=x^3-5x$, $y=ax^2+bx$가 점 $(2, -2)$에서 공통인 접선을 가질 때, 상수 a, b의 값을 구하여라.

롤의 정리

1 롤의 정리

함수 $f(x)$가 닫힌구간 $[a,\ b]$에서 연속이고 열린구간 $(a,\ b)$에서 미분가능할 때, $f(a)=f(b)$이면 $f'(c)=0\,(a<c<b)$인 c가 열린구간 $(a,\ b)$에 적어도 하나 존재한다.

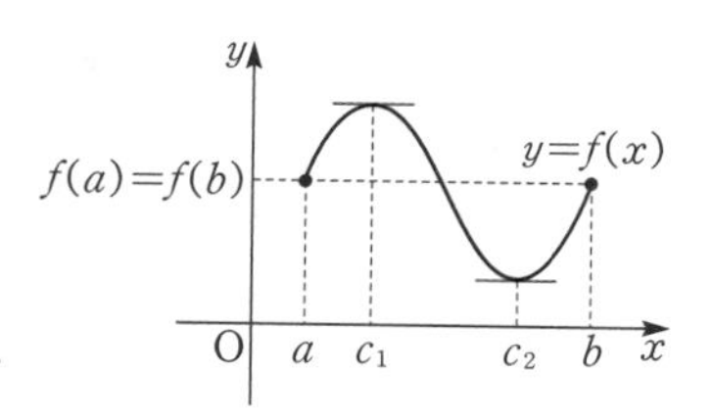

› 롤의 정리는 곡선 $y=f(x)$에서 $f(a)=f(b)$이면 x축과 평행한 접선을 갖는 점이 열린구간 $(a,\ b)$에 적어도 하나 존재함을 의미한다.

유형 09 롤의 정리

정답과 풀이 031쪽

13 다음 함수 $f(x)$에 대하여 주어진 구간에서 롤의 정리를 만족시키는 상수 c의 값을 구하여라.

(1) $f(x)=3x-x^2,\quad [0,\ 3]$

› 풀이 함수 $f(x)$는 닫힌구간 $[0,\ 3]$에서 연속이고 열린구간 $(0,\ 3)$에서 미분가능하며 $f(0)=f(3)=$___이므로 롤의 정리에 의하여 $f'(c)=0\ (0<c<3)$인 c가 적어도 하나 존재한다.
$f'(x)=3-2x$이므로 $f'(c)=3-2c=0$
$\therefore c=$___

(2) $f(x)=2x^2-8x,\quad [0,\ 4]$

(3) $f(x)=x^2-2x-3,\quad [-1,\ 3]$

(4) $f(x)=x^3-x,\quad [0,\ 1]$

(5) $f(x)=x^3+x^2-5x+3,\quad [-3,\ 1]$

(6) $y=-x^4-x^2+2,\quad [-1,\ 1]$

풍쌤 POINT

함수 $f(x)$에 대하여 닫힌구간 $[a,\ b]$에서 롤의 정리를 만족시키는 상수 c 구하는 순서

[1단계] 함수 $f(x)$가 닫힌구간 $[a,\ b]$에서 연속이고 열린구간 $(a,\ b)$에서 미분가능한지 확인한다.

[2단계] $f(a)=f(b)$인지 확인한다.

[3단계] $f'(x)$를 구한 후 $f'(c)=0\ (a<c<b)$를 만족시키는 c의 값을 구한다.

06

평균값 정리

1 평균값 정리

함수 $f(x)$가 닫힌구간 $[a, b]$에서 연속이고 열린구간 (a, b)에서 미분가능할 때,

$$\frac{f(b)-f(a)}{b-a}=f'(c)\ (a<c<b)$$

인 c가 열린구간 (a, b)에 적어도 하나 존재한다.

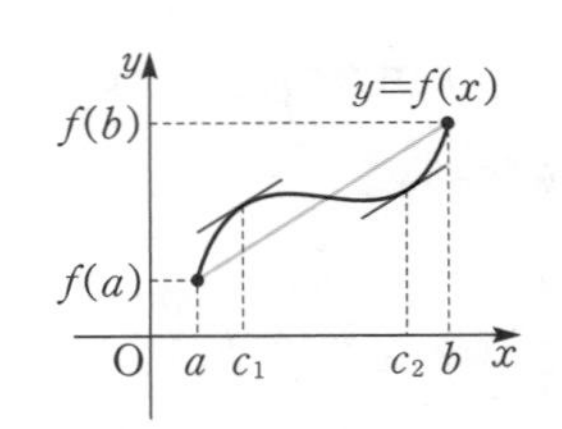

› 평균값 정리는 곡선 $y=f(x)$ 위의 두 점 $(a, f(a))$, $(b, f(b))$를 잇는 직선과 평행한 접선을 갖는 점이 열린구간 (a, b)에 적어도 하나 존재함을 의미한다.

› 평균값 정리에서 $f(a)=f(b)$인 경우가 롤의 정리이다.

유형 10 평균값 정리

정답과 풀이 031쪽

14 다음 함수 $f(x)$에 대하여 주어진 구간에서 평균값 정리를 만족시키는 상수 c의 값을 구하여라.

(1) $f(x)=x^2-1$, $[-1, 2]$

› 풀이 함수 $f(x)$는 닫힌구간 $[-1, 2]$에서 연속이고 열린구간 $(-1, 2)$에서 미분가능하므로 평균값 정리에 의하여 $\frac{f(2)-f(-1)}{2-(-1)}=f'(c)(-1<c<2)$인 c가 적어도 하나 존재한다.

$f'(x)=$____이므로 $\frac{3-0}{2-(-1)}=2c$

$\therefore c=$____

(2) $f(x)=6x-x^2$, $[1, 4]$

(3) $f(x)=-x^2+2x+3$, $[1, 3]$

(4) $f(x)=-2x^3$, $[0, 3]$

(5) $f(x)=2x^3-5x$, $[-1, 2]$

(6) $f(x)=x^3-x^2+1$, $[-3, 2]$

풍쌤 POINT

함수 $f(x)$에 대하여 닫힌구간 $[a, b]$에서 평균값 정리를 만족시키는 상수 c 구하는 순서

[1단계] 함수 $f(x)$가 닫힌구간 $[a, b]$에서 연속이고 열린구간 (a, b)에서 미분가능한지 확인한다.

[2단계] $f'(x)$를 구한다.

[3단계] $\frac{f(b)-f(a)}{b-a}=f'(c)$ $(a<c<b)$를 만족시키는 c의 값을 구한다.

07

함수의 증가와 감소

1 함수의 증가와 감소

함수 $y=f(x)$가 어떤 구간에 속하는 임의의 두 수 x_1, x_2에 대하여

① $x_1<x_2$일 때, $f(x_1)<f(x_2)$이면 함수 $f(x)$는 이 구간에서 증가한다고 한다.

② $x_1<x_2$일 때, $f(x_1)>f(x_2)$이면 함수 $f(x)$는 이 구간에서 감소한다고 한다.

2 함수의 증가와 감소의 판정

함수 $f(x)$가 어떤 구간에서 미분가능하고, 이 구간의 모든 x에 대하여

① $f'(x)>0$이면 $f(x)$는 이 구간에서 증가한다.

② $f'(x)<0$이면 $f(x)$는 이 구간에서 감소한다.

› 일반적으로 이 성질의 역은 성립하지 않는다. 예를 들어, 함수 $f(x)=x^3$은 모든 구간에서 증가하지만 $f'(0)=0$이다.

유형 11 함수의 증가와 감소

15 주어진 구간에서 다음 함수 $f(x)$의 증가와 감소를 조사하여라.

(1) $f(x)=2x^2$, $(0, \infty)$

› 풀이 $x_1<x_2$인 임의의 두 양수 x_1, x_2에 대하여
$f(x_1)-f(x_2)=2{x_1}^2-2{x_2}^2=2(x_1+x_2)(x_1-x_2)<0$
이므로 $f(x_1)<f(x_2)$
따라서 함수 $f(x)$는 구간 $(0, \infty)$에서 ____한다.

(2) $f(x)=-x^2+1$, $(0, \infty)$

(3) $f(x)=x^3$, $(-\infty, \infty)$

(4) $f(x)=\frac{1}{x}$, $(-\infty, -1)$

정답과 풀이 032쪽

유형 12 함수의 증가와 감소의 판정(1)

16 주어진 구간에서 다음 함수 $f(x)$의 증가와 감소를 조사하여라.

(1) $f(x)=x^2+3x$, $(0, \infty)$

› 풀이 열린구간 $(0, \infty)$에서 $f'(x)=2x+3>0$이므로 함수 $f(x)$는 ____한다.

(2) $f(x)=-4x^2-9x$, $(-1, \infty)$

(3) $f(x)=x^3+7x+1$, $(-\infty, \infty)$

(4) $f(x)=\frac{1}{2}x^4-5x$, $(2, \infty)$

풍쌤 POINT

미분가능한 함수 $f(x)$의 증가와 감소의 판정

➡ $f'(x)$의 부호 조사

정답과 풀이 032쪽

17 다음 함수 $f(x)$의 증가와 감소를 조사하여라.

(1) $f(x)=x^3-3x^2+2$

> 풀이 $f'(x)=3x^2-6x=3x(x-2)$
$f'(x)=0$에서 $x=0$ 또는 $x=2$
함수 $f(x)$의 증가와 감소를 표로 나타내면 다음과 같다.

x	$\cdots$	0	$\cdots$	2	$\cdots$
$f'(x)$	+	0	−	0	+
$f(x)$	↗	2	↘	−2	↗

따라서 함수 $f(x)$는 구간 $(-\infty, 0]$, ______에서 증가하고, 구간 _____에서 감소한다.

(2) $f(x)=x^2-4x+1$

(3) $f(x)=-4x^2+8x$

(4) $f(x)=2x^3-3x^2-12x+5$

(5) $f(x)=-x^3+9x^2-2$

(6) $f(x)=4x^3+12x^2+12x$

(7) $f(x)=x^4-2x^2+1$

(8) $f(x)=-x^4+4x-7$

풍쌤 POINT
함수 $f(x)$를 미분해서 $f'(x)=0$인 x의 값을 찾고, 이 x의 값을 경계로 증감표를 만든다.

08

함수가 증가 또는 감소할 조건

❶ 함수가 증가 또는 감소할 조건

함수 $f(x)$가 어떤 구간에서 미분가능하고, 이 구간의 모든 x에 대하여

① $f(x)$가 증가하면 이 구간에서 $f'(x)\geq 0$

② $f(x)$가 감소하면 이 구간에서 $f'(x)\leq 0$

› $y=f'(x)$의 그래프의 개형을 그린 후 어떤 구간에서 $f(x)$가 증가하려면 $f'(x)\geq 0$, $f(x)$가 감소하려면 $f'(x)\leq 0$이어야 함을 이용한다.

정답과 풀이 033쪽

유형 14 모든 실수에서 함수가 증가 또는 감소할 조건

18 다음 물음에 답하여라.

(1) 함수 $f(x)=x^3-3ax^2+ax$가 모든 실수에서 증가하기 위한 상수 a의 값의 범위를 구하여라.

› 풀이 함수 $f(x)$가 증가하려면 $f'(x)=3x^2-6ax+a\geq 0$
위의 이차부등식이 모든 실수 x에 대하여 성립해야 하므로 이차방정식 $f'(x)=0$의 판별식을 D라고 하면
$\frac{D}{4}=9a^2-3a\leq 0$, $3a(3a-1)\leq 0$
$\therefore$ ______

(2) 함수 $f(x)=x^3+2ax^2-4ax$가 모든 실수에서 증가하기 위한 상수 a의 값의 범위를 구하여라.

(3) 함수 $f(x)=-4x^3+ax^2+ax+6$이 모든 실수에서 감소하기 위한 상수 a의 값의 범위를 구하여라.

풍쌤 POINT
삼차함수 $f(x)$에 대하여 모든 실수에서 $f'(x)\geq 0$이 성립
➡ 이차방정식 $f'(x)=0$의 판별식 $D\leq 0$

유형 15 주어진 구간에서 함수가 증가 또는 감소할 조건

19 다음 물음에 답하여라.

(1) 함수 $f(x)=\frac{1}{3}x^3-2x^2+ax+2$가 열린구간 $(1, 2)$에서 감소하기 위한 상수 a의 값의 범위를 구하여라.

› 풀이 함수 $f(x)$가 감소하려면
$f'(x)=x^2-4x+a\leq 0$이 열린구간 $(1, 2)$에서 성립해야 한다.
따라서 $y=f'(x)$의 그래프가 오른쪽 그림과 같아야 하므로
$f'(1)=1-4+a\leq 0$에서 ______ ⋯⋯ ㉠
$f'(2)=4-8+a\leq 0$에서 $a\leq 4$ ⋯⋯ ㉡
㉠, ㉡에서 ______

$y=f'(x)$
1 2
x

(2) 함수 $f(x)=x^3-3x^2+ax+1$이 열린구간 $(-2, 1)$에서 감소하기 위한 상수 a의 값의 범위를 구하여라.

(3) 함수 $f(x)=-x^3+x^2+ax-4$가 열린구간 $(-3, -1)$에서 증가하기 위한 상수 a의 값의 범위를 구하여라.

09

함수의 극대와 극소

❶ 함수의 극대와 극소

함수 $f(x)$가 $x=a$를 포함하는 어떤 열린구간에 속하는 모든 x에 대하여

① $f(a) \geq f(x)$일 때, 함수 $f(x)$는 $x=a$에서 극대라고 하며 이때의 함숫값 $f(a)$를 극댓값이라고 한다.

② $f(a) \leq f(x)$일 때, 함수 $f(x)$는 $x=a$에서 극소라고 하며 이때의 함숫값 $f(a)$를 극솟값이라고 한다.

③ 극댓값과 극솟값을 통틀어 극값이라고 한다.

❷ 함수의 극값과 미분계수

함수 $y=f(x)$가 $x=a$에서 미분가능하고 $x=a$에서 극값을 가지면 $f'(a)=0$이다.

참고 이 성질의 역은 성립하지 않는다. 즉, $f'(a)=0$이라고 해서 반드시 $x=a$에서 극값을 갖는 것은 아니다.
예를 들어 $f(x)=x^3$일 때, $f'(x)=3x^2$이므로 $f'(0)=0$이지만 $f(x)$는 $x=0$에서 극값을 갖지 않는다.

❸ 미분가능한 함수의 극대와 극소의 판정

미분가능한 함수 $f(x)$에서 $f'(a)=0$이고, $x=a$의 좌우에서

① $f'(x)$의 부호가 양(+)에서 음(−)으로 바뀌면 $f(x)$는 $x=a$에서 극대이다.

② $f'(x)$의 부호가 음(−)에서 양(+)으로 바뀌면 $f(x)$는 $x=a$에서 극소이다.

유형 16 그래프에서 함수의 극대와 극소

20 다음 그림은 다항함수 $y=f(x)$의 그래프이다. 함수 $f(x)$의 극댓값과 극솟값을 구하여라.

(1)

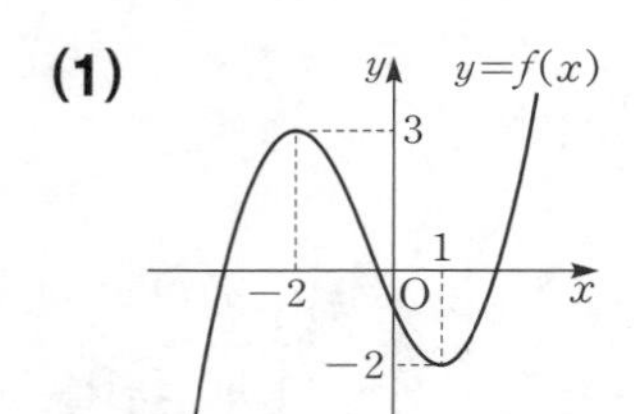

> 풀이 함수 $y=f(x)$의 그래프는 $x=-2$의 좌우에서 증가하다 감소하므로 $x=-2$에서 극대이고 극댓값은 ___이다.
> 또한, $x=1$의 좌우에서 감소하다 증가하므로 $x=1$에서 극소이고 극솟값은 ____이다.

(2)

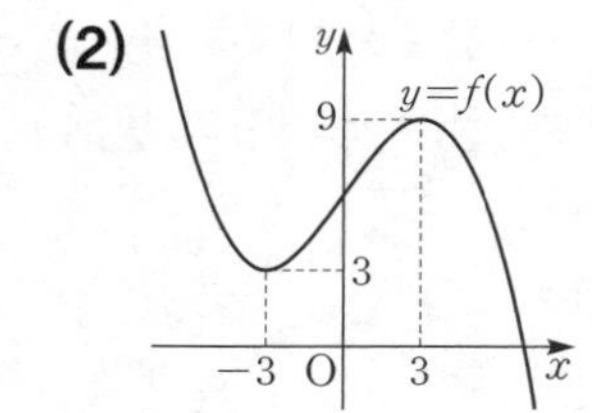

(3)

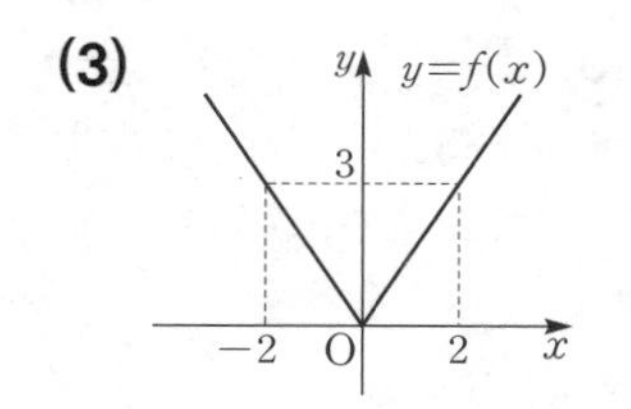

21 함수 $y=f(x)$의 그래프가 아래 그림과 같을 때 열린구간 (α, β)에서 다음을 구하여라.

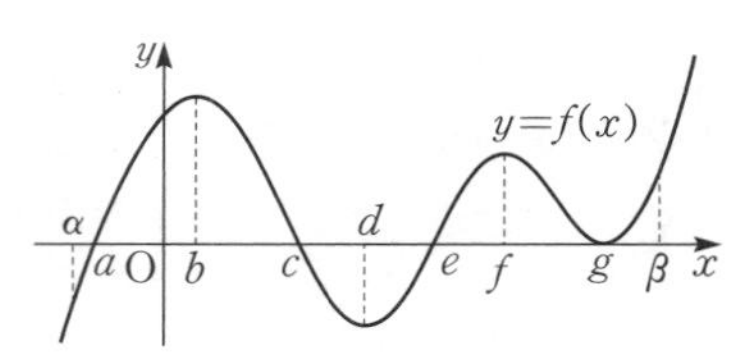

(1) 함수 $f(x)$가 극댓값을 갖는 x의 값

(2) 함수 $f(x)$가 극솟값을 갖는 x의 값

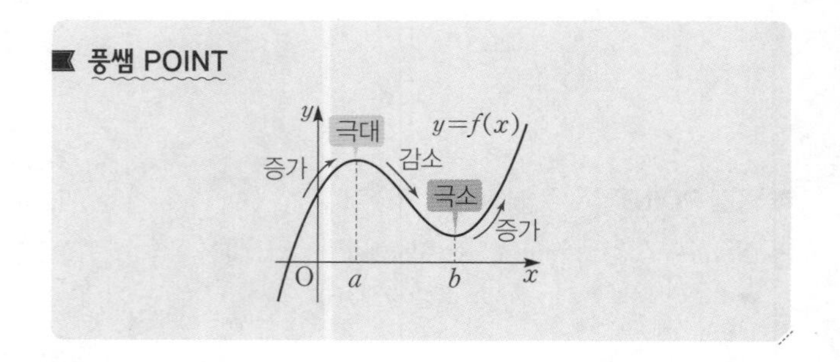

정답과 풀이 034쪽

22 함수 $f(x)=x^3-6x^2+9x$에 대하여 다음을 구하여라.

(1) $f'(x)$를 구하여라.

(2) $f'(x)=0$인 x의 값을 구하여라.

(3) 다음 증감표를 완성하여라.

x	$\cdots$		$\cdots$		$\cdots$
$f'(x)$	$+$	0	$-$	0	$+$
$f(x)$	↗		↘		↗

(4) 함수 $f(x)$의 극값을 구하여라.

23 함수 $f(x)=x^4-\frac{4}{3}x^3-2$에 대하여 다음을 구하여라.

(1) $f'(x)$를 구하여라.

(2) $f'(x)=0$인 x의 값을 구하여라.

(3) 다음 증감표를 완성하여라.

x	$\cdots$		$\cdots$		$\cdots$
$f'(x)$	$-$	0	$-$	0	$+$
$f(x)$	↘		↘		↗

(4) 함수 $f(x)$의 극값을 구하여라.

24 다음 함수 $f(x)$의 극값을 구하여라.

(1) $f(x)=x^3-3x^2-9x+3$

> 풀이 $f'(x)=3x^2-6x-9=3(x+1)(x-3)$
> $f'(x)=0$에서 $x=-1$ 또는 $x=3$
> 함수 $f(x)$의 증가와 감소를 표로 나타내면 다음과 같다.

x	$\cdots$	-1	$\cdots$	3	$\cdots$
$f'(x)$	$+$	0	$-$	0	$+$
$f(x)$	↗	8	↘	-24	↗

따라서 $x=-1$일 때 극댓값은 $f(-1)=$__,
$x=3$일 때 극솟값은 $f(3)=$____이다.

(2) $f(x)=-x^3+3x+2$

(3) $f(x)=2x^3-6x^2+3$

(4) $f(x)=x^4-4x^3+4x^2-1$

유형 18 극값과 미정계수의 결정

25 다음 함수 $f(x)$의 극값을 구하여라.

(1) $f(x)=-3x^4+4x^3+1$

> 풀이 $f'(x)=-12x^3+12x^2=-12x^2(x-1)$
> $f'(x)=0$에서 $x=0$ 또는 $x=1$
> 함수 $f(x)$의 증가와 감소를 표로 나타내면 다음과 같다.

x	$\cdots$	0	$\cdots$	1	$\cdots$
$f'(x)$	+	0	+	0	−
$f(x)$	↗	1	↗	2	↘

> 따라서 $x=1$일 때 극댓값은 $f(1)=$__이고, 극솟값은 ___.

(2) $f(x)=\frac{1}{2}x^4-x^3+x+2$

(3) $f(x)=-x^4+2x^3-1$

(4) $f(x)=2x^3-6x^2+6x+5$

26 다음 물음에 답하여라.

(1) 함수 $f(x)=-2x^3+3ax^2+b$가 $x=1$에서 극댓값 5를 가질 때, 상수 a, b의 값을 구하여라.

> 풀이 $f'(x)=-6x^2+6ax$
> $x=1$에서 극댓값 5를 가지므로
> $f(1)=-2+3a+b=5$, $3a+b=7$ ······ ㉠
> $f'(1)=-6+6a=$__ $\therefore a=1$
> $a=1$을 ㉠에 대입하면 $b=$__

(2) 함수 $f(x)=x^3+ax^2+9x+b$가 $x=3$에서 극솟값 -4를 가질 때, 상수 a, b의 값을 구하여라.

(3) 함수 $f(x)=-x^3+ax^2+bx+2$가 $x=-1$에서 극솟값 0을 가질 때, 상수 a, b의 값을 구하여라.

(4) 함수 $f(x)=2x^3+ax^2+bx-4$가 $x=-2$에서 극댓값 16을 가질 때, 상수 a, b의 값을 구하여라.

풍쌤 POINT
함수 $y=f(x)$가 $x=\alpha$에서 극값 β를 가지면
➡ $f(\alpha)=\beta$, $f'(\alpha)=0$

삼차함수의 그래프

❶ 삼차함수의 그래프

최고차항의 계수가 양수인 삼차함수 $f(x)$에 대하여 $y=f(x)$의 그래프의 개형은 다음과 같다.

$f'(x)=0$의 근	서로 다른 두 실근	중근	허근
$y=f(x)$의 그래프	$y=f'(x)$, +, −, +, x, 극대, $y=f(x)$, 극소	$y=f'(x)$, +, +, x, $y=f(x)$, 극값 아님	$y=f'(x)$, +, +, x, $y=f(x)$

참고 삼차함수 $f(x)$가 극값을 가지려면 이차방정식 $f'(x)=0$이 서로 다른 두 실근을 가져야 한다.

› 함수의 그래프의 개형을 그리는 방법
[1단계] $f'(x)$를 구한다.
[2단계] $f'(x)=0$인 x의 값을 구한다.
[3단계] 증감표를 만든다.
[4단계] 그래프를 그린다.

유형 19 삼차함수의 그래프

정답과 풀이 035쪽

27 다음 함수 $f(x)$의 그래프를 그려라.

(1) $f(x)=x^3-3x$

› 풀이 $f'(x)=3x^2-3=3(x+1)(x-1)$
$f'(x)=0$에서 $x=-1$ 또는 $x=1$
함수 $f(x)$의 증가와 감소를 표로 나타내면 다음과 같다.

x	$\cdots$	-1	$\cdots$	1	$\cdots$
$f'(x)$	+	0	−	0	+
$f(x)$	↗	2	↘	−2	↗

따라서 $x=-1$일 때 극댓값은 $f(-1)=$__, $x=1$일 때 극솟값은 $f(1)=$____이므로 함수 $f(x)$의 그래프를 그리면 오른쪽 그림과 같다.

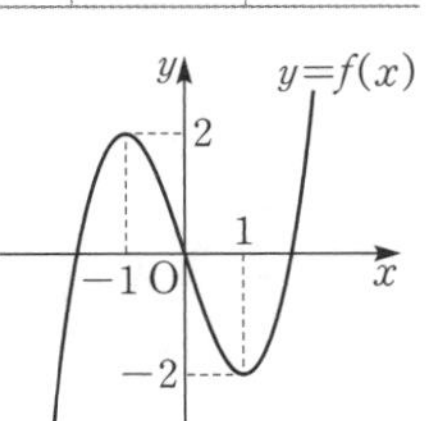

(2) $f(x)=x^3-6x^2+10$

(3) $f(x)=x^3+6x^2+9x+4$

(4) $f(x)=-x^3+3x^2-4$

(5) $f(x)=-2x^3+6x+3$

(6) $f(x)=2x^3-9x^2+12x-3$

28 다음 함수 $f(x)$의 그래프를 그려라.

(1) $f(x)=x^3-3x^2+3x-1$

(2) $f(x)=-x^3+6x^2-12x$

풍쌤 POINT

일반적으로 함수의 증가와 감소, 극대와 극소, 좌표축과의 교점을 알면 함수의 그래프의 개형을 그릴 수 있다.

유형 20 삼차함수가 극값을 가질 조건

29 다음 함수 $f(x)$가 극값을 가질 때, 상수 a의 값의 범위를 구하여라.

(1) $f(x)=x^3+ax^2+x-3$

> 풀이 $f'(x)=3x^2+2ax+1$
> 함수 $f(x)$가 극값을 가지려면 방정식 $f'(x)=0$이 서로 다른 두 실근을 가져야 하므로 방정식 $f'(x)=0$의 판별식을 D라고 하면
> $\frac{D}{4}=a^2-3>0$, $(a+\sqrt{3})(a-\sqrt{3})>0$
> $\therefore$ ______

(2) $f(x)=-x^3-3x^2+ax-5$

(3) $f(x)=2x^3+ax^2-ax+4$

(4) $f(x)=\frac{1}{3}x^3-ax^2+ax$

풍쌤 POINT
삼차함수 $f(x)$가 극값을 가질 조건
➡ 이차방정식 $f'(x)=0$이 서로 다른 두 실근을 갖는다.
➡ 판별식 $D>0$

유형 21 삼차함수가 극값을 갖지 않을 조건

30 다음 함수 $f(x)$가 극값을 갖지 않을 때, 상수 a의 값의 범위를 구하여라.

(1) $f(x)=x^3+ax^2-3ax+4$

> 풀이 $f'(x)=3x^2+2ax-3a$
> 함수 $f(x)$가 극값을 갖지 않으면 방정식 $f'(x)=0$이 중근 또는 허근을 가져야 하므로 방정식 $f'(x)=0$의 판별식을 D라고 하면
> $\frac{D}{4}=a^2+9a\le 0$, $a(a+9)\le 0$
> $\therefore$ ______

(2) $f(x)=x^3-ax^2+(a^2-2a)x$

(3) $f(x)=-x^3+ax^2+ax-1$

(4) $f(x)=2x^3+x^2+ax-3$

풍쌤 POINT
삼차함수 $f(x)$가 극값을 갖지 않을 조건
➡ 이차방정식 $f'(x)=0$이 중근 또는 허근을 갖는다.
➡ 판별식 $D\le 0$

11

사차함수의 그래프

❶ 사차함수의 그래프

최고차항의 계수가 양수인 사차함수 $f(x)$에 대하여 $y=f(x)$의 그래프의 개형은 다음과 같다.

$f'(x)=0$의 근	실근이 3개	실근이 2개	삼중근	하나의 실근과 허근
$y=f(x)$의 그래프				

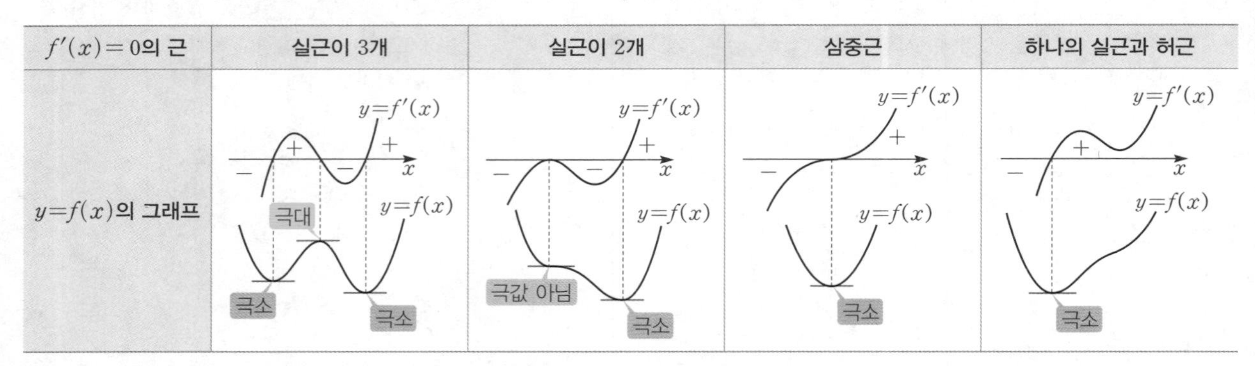

참고 사차항의 계수가 양수인 사차함수 $f(x)$가 극댓값을 가지려면 삼차방정식 $f'(x)=0$이 서로 다른 세 실근을 가져야 한다.

유형 22 사차함수의 그래프

31 다음 함수 $f(x)$의 그래프를 그려라.

(1) $f(x)=x^4-2x^2+3$

> 풀이 $f'(x)=4x^3-4x=4x(x+1)(x-1)$
$f'(x)=0$에서 $x=-1$ 또는 $x=0$ 또는 $x=1$
함수 $f(x)$의 증가와 감소를 표로 나타내면 다음과 같다.

x	$\cdots$	-1	$\cdots$	0	$\cdots$	1	$\cdots$
$f'(x)$	$-$	0	$+$	0	$-$	0	$+$
$f(x)$	↘	2	↗	3	↘	2	↗

따라서 $x=0$일 때 극댓값은 $f(0)=$___, $x=-1$, $x=1$일 때 극솟값은 $f(-1)=f(1)=$___이므로 함수 $f(x)$의 그래프를 그리면 오른쪽 그림과 같다.

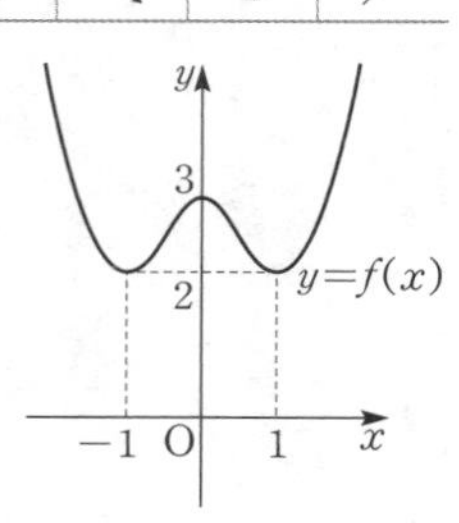

(2) $f(x)=-x^4+8x^3-16x^2$

(3) $f(x)=\frac{1}{2}x^4-2x^3+2x^2-1$

32 다음 함수 $f(x)$의 그래프를 그려라.

(1) $f(x)=3x^4-4x^3$

(2) $f(x)=-x^4-2x^3+1$

(3) $f(x)=\frac{1}{2}x^4+2x^3+6$

(4) $f(x)=-3x^4+8x^3-2$

유형 23 사차함수가 극값을 갖거나 갖지 않을 조건

33 함수 $f(x)=x^4+2x^3-ax^2+1$에 대하여 다음 물음에 답하여라.

(1) $f(x)$가 극댓값을 가질 때, 상수 a의 값의 범위를 구하여라.

> 풀이 $f'(x)=4x^3+6x^2-2ax=2x(2x^2+3x-a)$
> 사차항의 계수가 양수인 사차함수 $f(x)$가 극댓값을 가지려면 방정식 $f'(x)=0$이 서로 다른 세 실근을 가져야 한다.
> $f'(x)=0$의 한 근이 $x=0$이므로
> $2x^2+3x-a=0$ ……㉠
> 은 0이 아닌 서로 다른 두 실근을 가져야 한다.
> (i) $x=0$이 ㉠의 근이 아니므로 $a\neq0$
> (ii) 방정식 ㉠의 판별식을 D라고 하면
> $D=9+8a>0$ ∴ ________
> (i), (ii)에서 ________________

(2) $f(x)$가 극댓값을 갖지 않을 때, 상수 a의 값의 범위를 구하여라.

> 풀이 극댓값을 갖지 않을 조건은 극댓값을 가질 조건을 부정하면 된다.
> 따라서 **(1)**에서 구한 결과의 여집합을 구하면 되므로
> ________________

34 함수 $f(x)=3x^4-16x^3+4ax^2$에 대하여 다음 물음에 답하여라.

(1) $f(x)$가 극댓값을 가질 때, 상수 a의 값을 구하여라.

(2) $f(x)$가 극댓값을 갖지 않을 때, 상수 a의 값의 범위를 구하여라.

35 함수 $f(x)=x^4+2ax^2+4(a+1)x$에 대하여 다음을 구하여라.

(1) $f(x)$가 극댓값을 가질 때, 상수 a의 값의 범위를 구하여라.

(2) $f(x)$가 극댓값을 갖지 않을 때, 상수 a의 값의 범위를 구하여라.

36 함수 $f(x)=-x^4+4x^3-3ax^2-1$에 대하여 다음 물음에 답하여라.

(1) $f(x)$가 극솟값을 가질 때, 상수 a의 값의 범위를 구하여라.

(2) $f(x)$가 극솟값을 갖지 않을 때, 상수 a의 값의 범위를 구하여라.

풍쌤 POINT

① 사차항의 계수가 양수인 사차함수 $f(x)$가 극댓값을 가질 조건
➡ 삼차방정식 $f'(x)=0$이 서로 다른 세 실근을 갖는다.

② 사차항의 계수가 음수인 사차함수 $f(x)$가 극솟값을 가질 조건
➡ 삼차방정식 $f'(x)=0$이 서로 다른 세 실근을 갖는다.

12

함수의 최대와 최소

1 함수의 최대와 최소

닫힌구간 $[a, b]$에서 연속함수 $f(x)$의 최댓값과 최솟값은 다음과 같은 순서로 구한다.

[1단계] 주어진 구간에서 $f(x)$의 극댓값과 극솟값을 구한다.

[2단계] 양 끝점에서의 함숫값 $f(a)$, $f(b)$를 구한다.

[3단계] 위에서 구한 극값과 함숫값 $f(a)$, $f(b)$를 비교하여 가장 큰 값을 최댓값, 가장 작은 값을 최솟값으로 정한다.

2 함수의 최대와 최소의 활용

도형의 길이, 넓이, 부피 등의 최댓값과 최솟값은 다음과 같은 순서로 구한다.

[1단계] 미지수와 그 범위를 구한다.

[2단계] 도형의 길이, 넓이, 부피를 미지수를 이용한 함수로 나타낸다.

[3단계] 함수의 최댓값과 최솟값을 구한다.

> 닫힌구간 $[a, b]$에서 연속함수 $f(x)$의 극값이 오직 하나 존재할 때
> ① 극값이 극댓값이면 (극댓값)=(최댓값)
> ② 극값이 극솟값이면 (극솟값)=(최솟값)

유형 24 함수의 최대와 최소

정답과 풀이 039쪽

37 주어진 구간에서 다음 함수 $f(x)$의 최댓값과 최솟값을 구하여라.

(1) $f(x)=x^3-6x^2+9x+2$, $[0, 2]$

> 풀이 $f'(x)=3x^2-12x+9=3(x-1)(x-3)$
> $f'(x)=0$에서 $x=$__
> 구간 $[0, 2]$에서 함수 $f(x)$의 증가와 감소를 표로 나타내면 다음과 같다.

x	0	$\cdots$	1	$\cdots$	2
$f'(x)$		$+$	0	$-$	
$f(x)$	2	↗	6	↘	4

> 따라서 극값과 양 끝값을 비교하면 최댓값은 $f(1)=$__, 최솟값은 $f(0)=$__이다.

(2) $f(x)=x^3-\frac{9}{2}x^2+\frac{5}{2}$, $[0, 4]$

(3) $f(x)=2x^3-12x^2+3$, $[-1, 2]$

(4) $f(x)=-x^3+3x,\quad [-3, \sqrt{3}]$

(5) $f(x)=x^4-6x^2+8x-1,\quad [-3, 2]$

(6) $f(x)=\frac{1}{3}x^4-\frac{4}{3}x^3+10,\quad [1, 4]$

풍쌤 POINT

닫힌구간 $[a, b]$에서 연속함수 $f(x)$의 최댓값과 최솟값을 구하려면

최댓값 ➡ 극댓값, $f(a)$, $f(b)$ 중 최대인 것

최솟값 ➡ 극솟값, $f(a)$, $f(b)$ 중 최소인 것

유형 25 미정계수를 포함한 함수의 최대와 최소

38 다음 물음에 답하여라.

(1) 닫힌구간 $[1, 5]$에서 함수 $f(x)=x^3-6x^2+a$의 최솟값이 -20일 때, 상수 a의 값을 구하여라.

> 풀이 $f'(x)=3x^2-12x=3x(x-4)$
> $f'(x)=0$에서 $x=4$
> 구간 $[1, 5]$에서 함수 $f(x)$의 증가와 감소를 표로 나타내면 다음과 같다.

x	1	$\cdots$	4	$\cdots$	5
$f'(x)$		$-$	0	$+$	
$f(x)$	$-5+a$	↘	$-32+a$	↗	$-25+a$

최솟값이 $f(4)=-32+a$이므로

$-32+a=-20\qquad \therefore a=$___

(2) 닫힌구간 $[-1, 2]$에서 함수 $f(x)=2x^3-3x^2+a$의 최댓값이 6일 때, 상수 a의 값을 구하여라.

(3) 닫힌구간 $[1, 4]$에서 함수 $f(x)=ax^4-4ax^3+b$의 최댓값이 3이고 최솟값이 -6일 때, 상수 a, b의 값을 구하여라. (단, $a>0$)

풍쌤 POINT

미정계수를 포함한 함수의 최댓값, 최솟값이 주어지면 최댓값, 최솟값을 미정계수를 이용한 식으로 나타낸 다음 주어진 값과 비교한다.

유형 26 함수의 최대와 최소의 활용 (1)

39 오른쪽 그림과 같이 밑변이 x축 위에 놓이고 두 꼭짓점이 곡선 $y=-x^2+12$ 위에 놓인 직사각형 ABCD의 넓이의 최댓값을 구하려고 한다. 다음 물음에 답하여라.

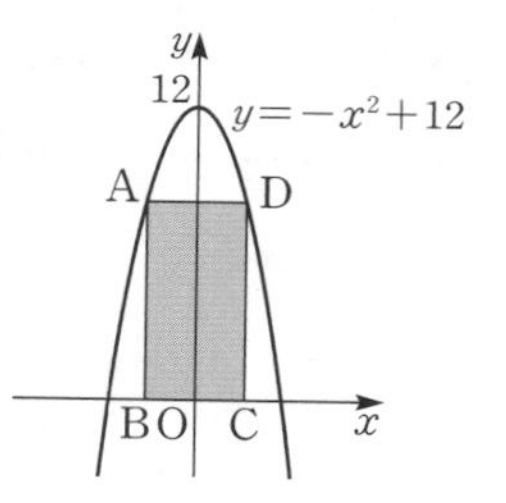

(1) C$(x,\ 0)$이라 하고 x의 값의 범위를 구하여라.

> 풀이 $-x^2+12=0$에서 $x^2-12=0$
> $(x+2\sqrt{3})(x-2\sqrt{3})=0$ $\therefore x=$______
> 이때 $x>0$이므로 $0<x<$______

(2) 직사각형 ABCD의 넓이를 $S(x)$라 하고 $S(x)$를 x에 대한 함수로 나타내어라.

> 풀이 A$(-x,\ -x^2+12)$, B$(-x,\ 0)$, D$(x,\ -x^2+12)$이므로
> $S(x)=2x(-x^2+12)=$______ $(0<x<2\sqrt{3})$

(3) 직사각형 ABCD의 넓이의 최댓값을 구하여라.

> 풀이 $S'(x)=-6x^2+24=-6(x+2)(x-2)$
> $S'(x)=0$에서 $x=2$
> $0<x<2\sqrt{3}$에서 $S(x)$의 증가와 감소를 표로 나타내면 다음과 같다.

x	(0)	$\cdots$	2	$\cdots$	$(2\sqrt{3})$
$S'(x)$		$+$	0	$-$	
$S(x)$		↗	32	↘	

> 따라서 직사각형 ABCD의 넓이는 $x=2$일 때 최대이고, 이때의 넓이는 ____이다.

40 오른쪽 그림과 같이 밑변이 x축 위에 놓이고 두 꼭짓점이 곡선 $y=-x^2+9$ 위에 놓인 직사각형 ABCD의 넓이의 최댓값을 구하여라.

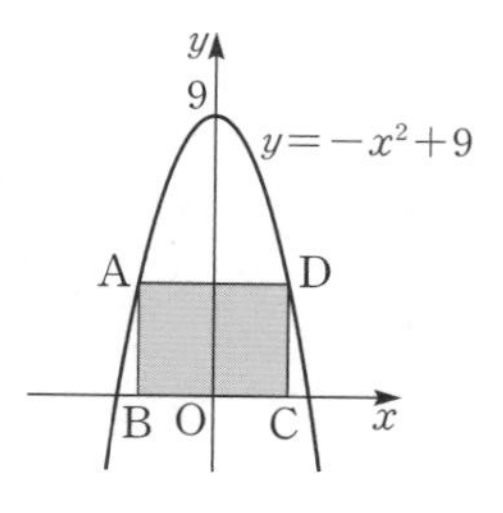

유형 27 함수의 최대와 최소의 활용 (2)

41 오른쪽 그림과 같이 한 변의 길이가 6 cm인 정사각형 모양의 종이의 네 귀퉁이에서 같은 크기의 정사각형을 잘라 내고 나머지 부분을 접어서 뚜껑이 없는 직육면체 모양의 상자를 만들어 이 상자의 부피의 최댓값을 구하려고 한다. 다음 물음에 답하여라.

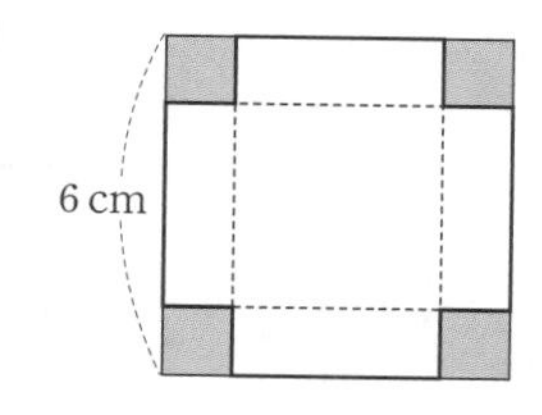

(1) 잘라 낸 정사각형의 한 변의 길이를 x cm라 하고 x의 값의 범위를 구하여라.

> 풀이 상자의 밑면의 한 변의 길이는 $(6-2x)$cm이므로
> $0<6-2x<6$ $\therefore$ ______

(2) 상자의 부피를 $V(x)$ cm^{3}라 하고 $V(x)$를 x에 대한 함수로 나타내어라.

> 풀이 $V(x)=x(6-2x)^2=$______ $(0<x<3)$

(3) 상자의 부피의 최댓값을 구하여라.

42 오른쪽 그림과 같이 한 변의 길이가 24 cm인 정사각형 모양의 종이의 네 귀퉁이에서 같은 크기의 정사각형을 잘라 내고 나머지 부분을 접어서 뚜껑이 없는 직육면체 모양의 상자를 만들었을 때, 이 상자의 부피의 최댓값을 구하여라.

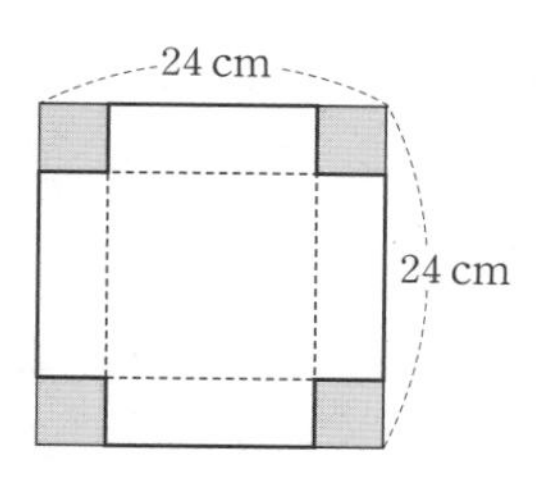

방정식의 실근과 그래프

❶ 방정식의 실근과 함수의 그래프

① 방정식 $f(x)=0$의 실근: 함수 $y=f(x)$의 그래프와 x축의 교점의 x좌표와 같다.

② 방정식 $f(x)=g(x)$의 실근: 두 함수 $y=f(x)$와 $y=g(x)$의 그래프의 교점의 x좌표와 같다.

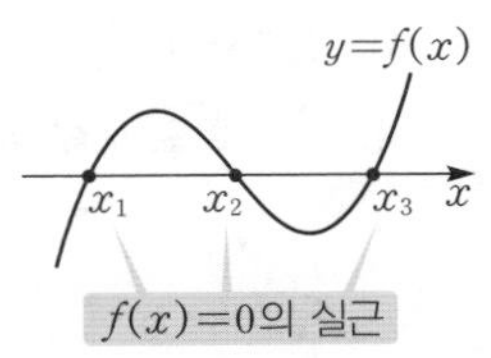

❷ 삼차방정식의 근의 판별

삼차함수 $f(x)$가 극값을 가질 때, 삼차방정식 $f(x)=0$의 근을 판별하는 방법은 다음과 같다.

근의 종류	서로 다른 세 실근	중근과 다른 한 실근 (서로 다른 두 실근)	한 실근과 두 허근
최고차항의 계수가 양수인 삼차함수의 그래프와 특징	극대, 극소, x	극대, 극소, 극대, 극소, x	극대, 극소, 극대, 극소, x
판별법	(극댓값)×(극솟값)<0	(극댓값)×(극솟값)$=0$	(극댓값)×(극솟값)>0

유형 28 그래프를 이용한 방정식의 실근의 개수

43 그래프를 이용하여 다음 방정식의 서로 다른 실근의 개수를 구하여라.

(1) $x^3-3x^2+2=0$

풀이 $f(x)=x^3-3x^2+2$라고 하면

$f'(x)=3x^2-6x=3x(x-2)$

$f'(x)=0$에서 $x=0$ 또는 $x=2$

함수 $f(x)$의 증가와 감소를 표로 나타내면 다음과 같다.

x	$\cdots$	0	$\cdots$	2	$\cdots$
$f'(x)$	$+$	0	$-$	0	$+$
$f(x)$	↗	2	↘	-2	↗

따라서 함수 $y=f(x)$의 그래프는 오른쪽 그림과 같고 x축과 서로 다른 세 점에서 만나므로 주어진 방정식의 서로 다른 실근의 개수는 __이다.

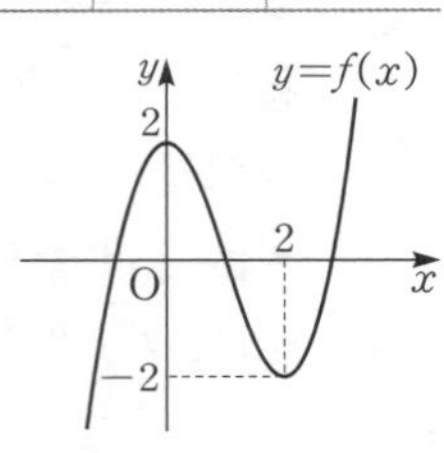

(2) $-2x^3-3x^2=0$

(3) $x^3-6x^2+9x+2=0$

유형 29 극값을 이용한 삼차방정식의 실근의 개수

(4) $2x^3-3x^2-12x+1=0$

(5) $x^4+2x^2-3=0$

(6) $x^4-4x^3-2x^2+12x+3=0$

44 극값을 이용하여 다음 삼차방정식의 서로 다른 실근의 개수를 구하여라.

(1) $x^3-6x^2+12=0$

> 풀이 $f(x)=x^3-6x^2+12$라고 하면
> $f'(x)=3x^2-12x=3x(x-4)$
> $f'(x)=0$에서 $x=0$ 또는 $x=4$
> 함수 $f(x)$의 증가와 감소를 표로 나타내면 다음과 같다.

x	$\cdots$	0	$\cdots$	4	$\cdots$
$f'(x)$	$+$	0	$-$	0	$+$
$f(x)$	↗	12	↘	-20	↗

극댓값은 12, 극솟값은 -20이므로
(극댓값)$\times$(극솟값)<0
따라서 방정식의 실근의 개수는 __이다.

(2) $x^3-3x^2-9x-5=0$

(3) $-2x^3+4x^2+3=0$

풍쌤 POINT

삼차방정식 $ax^3+bx^2+cx+d=0$의 실근의 개수는
삼차함수 $f(x)=ax^3+bx^2+cx+d$에서
① (극댓값)$\times$(극솟값)<0 ➡ 실근 3개
② (극댓값)$\times$(극솟값)$=0$ ➡ 실근 2개
③ (극댓값)$\times$(극솟값)>0 ➡ 실근 1개

유형 30 삼차방정식의 근의 판별

45 방정식 $x^3-6x^2+9x-a=0$의 근이 다음과 같을 때, 상수 a의 값 또는 범위를 구하여라.

(1) 서로 다른 세 실근

> 풀이 $f(x)=x^3-6x^2+9x-a$라고 하면
$f'(x)=3x^2-12x+9=3(x-1)(x-3)$
$f'(x)=0$에서 $x=1$ 또는 $x=3$
함수 $f(x)$의 증가와 감소를 표로 나타내면 다음과 같다.

x	$\cdots$	1	$\cdots$	3	$\cdots$
$f'(x)$	$+$	0	$-$	0	$+$
$f(x)$	$\nearrow$	$4-a$	$\searrow$	$-a$	$\nearrow$

극댓값은 $4-a$, 극솟값은 $-a$이고 서로 다른 세 실근을 가지므로 (극댓값)$\times$(극솟값)<0
$(4-a)\times(-a)<0$, $a(a-4)<0$
$\therefore$ ________

(2) 중근과 다른 한 실근

(3) 한 실근과 두 허근

46 방정식 $2x^3-6x+1+a=0$의 근이 다음과 같을 때, 상수 a의 값 또는 범위를 구하여라.

(1) 서로 다른 세 실근

(2) 중근과 다른 한 실근

(3) 한 실근과 두 허근

유형 31 방정식 $f(x)=g(x)$의 실근

47 두 곡선 $y=-x^3+x$, $y=3x^3-2x+a$가 다음과 같이 만날 때, 상수 a의 값 또는 범위를 구하여라.

(1) 두 곡선이 서로 다른 세 점에서 만나는 경우

> 풀이 두 곡선이 서로 다른 세 점에서 만나므로
$-x^3+x=3x^3-2x+a$, 즉 $4x^3-3x+a=0$이 서로 다른 세 실근을 갖는다. $f(x)=4x^3-3x+a$라고 하면
$f'(x)=12x^2-3=3(2x+1)(2x-1)$
$f'(x)=0$에서 $x=-\frac{1}{2}$ 또는 $x=\frac{1}{2}$
함수 $f(x)$의 증가와 감소를 표로 나타내면 다음과 같다.

x	$\cdots$	$-\frac{1}{2}$	$\cdots$	$\frac{1}{2}$	$\cdots$
$f'(x)$	$+$	0	$-$	0	$+$
$f(x)$	$\nearrow$	$1+a$	$\searrow$	$-1+a$	$\nearrow$

극댓값은 $1+a$, 극솟값은 $-1+a$이고 서로 다른 세 실근을 가지므로 (극댓값)$\times$(극솟값)<0
$(1+a)(-1+a)<0$ $\therefore$ ________

(2) 두 곡선이 서로 다른 두 점에서 만나는 경우

(3) 두 곡선이 오직 한 점에서 만나는 경우

48 두 곡선 $y=x^3+4x^2+9x$, $y=2x^3+x^2-a$가 다음과 같이 만날 때, 상수 a의 값 또는 범위를 구하여라.

(1) 두 곡선이 서로 다른 세 점에서 만나는 경우

(2) 두 곡선이 서로 다른 두 점에서 만나는 경우

(3) 두 곡선이 오직 한 점에서 만나는 경우

풍쌤 POINT
두 곡선 $y=f(x)$, $y=g(x)$의 교점의 개수는 방정식 $f(x)=g(x)$의 실근의 개수와 같다.

미분을 이용한 부등식의 증명

1 미분을 이용한 부등식의 증명

① 어떤 구간에서 부등식 $f(x)\ge 0$이 성립함을 증명하려면 주어진 구간에서 함수 $y=f(x)$의 최솟값을 구하여 (최솟값)≥ 0임을 보이면 된다.

② 어떤 구간에서 부등식 $f(x)\ge g(x)$가 성립함을 증명하려면 $h(x)=f(x)-g(x)$로 놓고 주어진 구간에서 ($h(x)$의 최솟값)≥ 0임을 보이면 된다.

› 어떤 구간에서 $f(x)$의 최솟값이 a이면 그 구간에서 $f(x)\ge a$

유형 32 미분을 이용한 부등식의 증명

정답과 풀이 043쪽

49 다음 물음에 답하여라.

(1) $x\ge 0$일 때, $x^3-3x^2+4\ge 0$이 성립함을 증명하여라.

› 풀이 $f(x)=x^3-3x^2+4$라고 하면
$f'(x)=3x^2-6x=3x(x-2)$
$f'(x)=0$에서 $x=0$ 또는 $x=2$
$x\ge 0$일 때, 함수 $f(x)$의 증가와 감소를 표로 나타내면 다음과 같다.

x	0	$\cdots$	2	$\cdots$
$f'(x)$	0	$-$	0	$+$
$f(x)$	4	↘	0	↗

따라서 $x\ge 0$에서 함수 $f(x)$는 $x=2$일 때 최솟값이 $f(2)=$___이므로 $x\ge 0$일 때 ________이 성립한다.

(2) $x\ge 1$일 때, $x^3-3x+5>0$이 성립함을 증명하여라.

(3) 모든 실수 x에 대하여 $x^4+4x+3\ge 0$이 성립함을 증명하여라.

(4) 모든 실수 x에 대하여 $3x^4-4x^3+2>0$이 성립함을 증명하여라.

풍쌤 POINT

① $x\ge a$에서 $f(x)$가 증가하고 $f(a)>0$
➡ $x\ge a$에서 부등식 $f(x)>0$이 성립한다.

② 모든 실수 x에 대하여 부등식 $f(x)>0$
➡ ($f(x)$의 최솟값)>0

15

속도와 가속도

1 속도와 가속도

수직선 위를 움직이는 점 P의 시각 t에서의 위치를 $x=f(t)$라고 할 때

① 시각 $t=a$에서 시각 $t=b$까지의 평균속도: $\frac{f(b)-f(a)}{b-a}$

② 시각 t에서의 속도: $v=\frac{dx}{dt}=f'(t)$

③ 시각 t에서의 가속도: $a=\frac{dv}{dt}=v'(t)$

참고 속도 $v=f'(t)$의 부호는 점 P의 운동 방향을 나타낸다.
$v>0$이면 점 P는 양의 방향으로 움직이고, $v<0$이면 점 P는 음의 방향으로 움직인다.
또한 $v=0$이면 점 P는 운동 방향을 바꾸거나 정지한다.

유형 33 수직선 위에서의 속도와 가속도

50 원점을 출발하여 수직선 위를 움직이는 점 P의 시각 t에서의 위치가 $x=t^3-t^2$일 때, 다음을 구하여라.

(1) 시각 $t=1$에서의 점 P의 속도

풀이 시각 t에서의 속도를 v라고 하면
$v=\frac{dx}{dt}=3t^2-2t$
따라서 $t=1$일 때의 속도는
$v=3\times1^2-2\times1=$ ___

(2) 시각 $t=1$에서의 점 P의 가속도

풀이 시각 t에서의 가속도를 a라고 하면
$a=\frac{dv}{dt}=6t-2$
따라서 $t=1$일 때의 가속도는
$a=6\times1-2=$ ___

51 원점을 출발하여 수직선 위를 움직이는 점 P의 시각 t에서의 위치가 $x=t^3-9t^2+15t$일 때, 다음을 구하여라.

(1) 시각 $t=2$에서의 점 P의 속도

(2) 시각 $t=2$에서의 점 P의 가속도

52 원점을 출발하여 수직선 위를 움직이는 점 P의 시각 t에서의 위치 x가 다음과 같을 때, 시각 $t=3$에서의 점 P의 속도를 구하여라.

(1) $x=t^3-4t^2+4$

(2) $x=-t^3+6t^2$

53 원점을 출발하여 수직선 위를 움직이는 점 P의 시각 t에서의 위치 x가 다음과 같을 때, 시각 $t=4$에서의 점 P의 가속도를 구하여라.

(1) $x=\frac{1}{3}t^3-\frac{1}{2}t^2$

(2) $x=-2t^3+15t^2$

54 원점을 출발하여 수직선 위를 움직이는 점 P의 시각 t에서의 위치가 $x=t^2-3t$일 때, 다음을 구하여라.

(1) 시각 $t=0$에서 $t=2$까지의 점 P의 평균속도

> 풀이 $\frac{f(2)-f(0)}{2-0}=\frac{-2-0}{2}=$____

(2) 시각 $t=2$일 때의 점 P의 속도와 가속도

> 풀이 시각 t에서의 속도를 v, 가속도를 a라고 하면
> $v=\frac{dx}{dt}=2t-3$, $a=\frac{dv}{dt}=2$
> 따라서 $t=2$일 때의 속도와 가속도는
> $v=2\times2-3=$__, $a=$__

(3) 점 P가 운동 방향을 바꿀 때의 시각

> 풀이 운동 방향을 바꿀 때의 속도는 0이므로
> $v=2t-3=0$ $\quad\therefore t=$____

55 원점을 출발하여 수직선 위를 움직이는 점 P의 시각 t에서의 위치가 $x=\frac{1}{3}t^3-6t^2+9$일 때, 다음을 구하여라.

(1) 시각 $t=0$에서 $t=1$까지의 점 P의 평균속도

(2) 시각 $t=3$일 때의 점 P의 속도와 가속도

(3) 점 P가 운동 방향을 바꿀 때의 시각

56 원점을 출발하여 수직선 위를 움직이는 점 P의 시각 t에서의 위치가 $x=-t^3+12t$일 때, 다음을 구하여라.

(1) 시각 $t=1$에서 $t=3$까지의 점 P의 평균속도

(2) 시각 $t=1$일 때의 점 P의 속도와 가속도

(3) 점 P가 운동 방향을 바꿀 때의 시각

풍쌤 POINT

① 위치 $x \xrightarrow{\text{미분}}$ 속도 $v=\frac{dx}{dt} \xrightarrow{\text{미분}}$ 가속도 $a=\frac{dv}{dt}$

② 운동 방향을 바꿀 때의 시각은 (속도)$=0$일 때의 시각이다.

유형 34 위로 던진 물체의 위치와 속도

정답과 풀이 044쪽

57 어느 다이빙 선수가 수면으로부터 높이가 10 m인 다이빙대에서 뛰어오른 지 t초 후의 수면으로부터의 높이를 x m라고 하면 $x=-5t^2+5t+10$인 관계가 성립한다. 다음 물음에 답하여라.

(1) 이 선수가 다이빙대에서 뛰어오른 지 1초 후의 속도를 구하여라.

> **풀이** t초 후의 속도를 v라고 하면
> $v=\dfrac{dx}{dt}=-10t+5$
> 따라서 뛰어오른 지 1초 후의 속도는
> $v=-10\times1+5=$____(m/초)

(2) 이 선수가 가장 높은 곳에 도달할 때까지 걸린 시간과 그때의 높이를 구하여라.

> **풀이** 가장 높은 곳에서의 속도는 0 m/초이므로
> $-10t+5=0 \quad \therefore t=\dfrac{1}{2}$(초)
> 따라서 가장 높은 곳에 도달할 때까지 걸린 시간은 ___초이고 그때의 높이는
> $x=-5\times\left(\dfrac{1}{2}\right)^2+5\times\dfrac{1}{2}+10=$____ (m)

(3) 이 선수가 수면에 닿는 순간의 속도를 구하여라.

> **풀이** 수면에 닿는 순간의 높이는 0 m이므로
> $-5t^2+5t+10=0$
> $t^2-t-2=0,\ (t+1)(t-2)=0$
> $\therefore t=$__(초) ($\because t>0$)
> 따라서 수면에 닿는 순간의 속도는
> $v=-10\times2+5=$____ (m/초)

58 지면으로부터 60 m의 높이에서 초속 20 m로 똑바로 위로 쏘아 올린 물체의 t초 후의 높이를 x m라고 하면 $x=-5t^2+20t+60$인 관계가 성립한다. 다음 물음에 답하여라.

(1) 이 물체를 쏘아 올린 지 1초 후의 속도를 구하여라.

(2) 이 물체가 최고 높이에 도달할 때까지 걸린 시간과 그때의 높이를 구하여라.

(3) 이 물체가 지면에 떨어지는 순간의 속도를 구하여라.

59 지면에서 초속 30 m로 똑바로 위로 쏘아 올린 물체의 t초 후의 높이를 x m라고 하면 $x=30t-5t^2$인 관계가 성립한다. 다음 물음에 답하여라.

(1) 이 물체를 쏘아 올린 지 2초 후의 속도를 구하여라.

(2) 이 물체가 최고 높이에 도달할 때까지 걸린 시간과 그때의 높이를 구하여라.

(3) 이 물체가 다시 지면에 떨어지는 순간의 속도를 구하여라.

풍쌤 POINT
① 최고 높이에 도달할 때 ➡ 방향이 바뀔 때이므로 속도가 0이다.
② 땅에 떨어질 때 ➡ 높이가 0이다.

변화율

1 시각에 대한 변화율

어떤 물체의 시각 t에서의 길이를 l, 넓이를 S, 부피를 V라고 할 때

① 길이의 변화율: $\lim_{\Delta t \to 0} \frac{\Delta l}{\Delta t} = \frac{dl}{dt}$

② 넓이의 변화율: $\lim_{\Delta t \to 0} \frac{\Delta S}{\Delta t} = \frac{dS}{dt}$

③ 부피의 변화율: $\lim_{\Delta t \to 0} \frac{\Delta V}{\Delta t} = \frac{dV}{dt}$

› 시각 t에 대한 변화율 구하는 순서
① 시각 t에서의 길이, 넓이, 부피의 관계식을 t에 대한 식으로 나타낸다.
② ①의 식을 t에 대하여 미분한다.

유형 35 시각에 대한 변화율

정답과 풀이 045쪽

60 어떤 물체의 시각 t에서의 길이 l이 $l=t^2-4t+5$일 때, 다음을 구하여라.

(1) $\frac{dl}{dt}$

(2) 시각 $t=3$에서의 물체의 길이의 변화율

› 풀이 $\frac{dl}{dt}=2t-4$이므로
$t=3$에서의 물체의 길이의 변화율은
$\frac{dl}{dt}=2\times3-4=$ __

61 어떤 물체의 시각 t에서의 길이 l이 $l=2t^2+t-1$일 때, 다음을 구하여라.

(1) $\frac{dl}{dt}$

(2) 시각 $t=2$에서의 물체의 길이의 변화율

62 어떤 도형의 시각 t에서의 넓이 S가 $S=4t^2+3t+6$일 때, 다음을 구하여라.

(1) $\frac{dS}{dt}$

(2) 시각 $t=1$에서의 도형의 넓이의 변화율

63 어떤 입체도형의 시각 t에서의 부피 V가 $V=(t+3)^3$일 때, 다음을 구하여라.

(1) $\frac{dV}{dt}$

(2) 시각 $t=2$에서의 입체도형의 부피의 변화율

· 중단원 점검문제 ·

01

곡선 $y=-3x^2+5x+1$ 위의 점 $(2, -1)$에서의 접선의 방정식을 구하여라.

02

곡선 $y=x^3-6x$ 위의 점 $(-1, 5)$를 지나고 이 점에서의 접선에 수직인 직선의 방정식을 구하여라.

03

곡선 $y=2x^3+3x^2-10x+9$에 접하고 기울기가 2인 접선의 방정식을 구하여라.

04

곡선 $y=-x^2+2x+1$에 접하고 직선 $2x+y-5=0$에 평행한 접선의 방정식을 구하여라.

05

곡선 $y=x^2-x$ 밖의 한 점 $(1, -1)$에서 곡선에 그은 접선의 방정식을 구하여라.

06

곡선 $y=-x^3+ax^2+b$ 위의 점 $(2, -1)$에서의 접선의 방정식이 $y=-4x+7$일 때, ab의 값을 구하여라.

(단, a, b는 상수이다.)

07

두 곡선 $y=x^3+x$, $y=ax^2+b$가 점 $(1, 2)$에서의 공통인 접선을 가질 때, $a-b$의 값을 구하여라. (단, a, b는 상수이다.)

08

함수 $f(x)=4x^2-8x-12$에 대하여 닫힌구간 $[-1, 3]$에서 롤의 정리를 만족시키는 상수 c의 값을 구하여라.

09

함수 $f(x)=x^3+2x$에 대하여 닫힌구간 $[-2,\ 1]$에서 평균값 정리를 만족시키는 상수 c의 값을 구하여라.

10

함수 $f(x)=2x^3-9x^2+12x$의 증가와 감소를 조사하여라.

11

함수 $f(x)=x^3-ax^2+ax+1$이 모든 실수에서 증가하기 위한 상수 a의 값의 범위를 구하여라.

12

함수 $f(x)=x^3-6x^2+ax+4$가 열린구간 $(1,\ 2)$에서 감소하기 위한 상수 a의 값의 범위를 구하여라.

13

함수 $f(x)=-x^3+\frac{9}{2}x^2-6x+\frac{3}{2}$의 극값을 구하여라.

14

함수 $f(x)=x^3+ax^2+bx+3$이 $x=1$에서 극댓값 7을 가질 때, $b-a$의 값을 구하여라. (단, a, b는 상수이다.)

15

다음 함수 $f(x)$의 그래프를 그려라.

(1) $f(x)=2x^3-9x^2+12x-3$

(2) $f(x)=x^4-6x^2+8$

16

함수 $f(x)=2x^3+ax^2+ax+5$가 극값을 갖지 않을 때, 상수 a의 값의 범위를 구하여라.

17

함수 $f(x)=3x^4-6x^3+3ax^2+9$가 극댓값을 가질 때, 상수 a의 값의 범위를 구하여라.

18

닫힌구간 $[-2, 3]$에서 함수 $f(x)=2x^3-3x^2-12x$의 최댓값과 최솟값을 구하여라.

19

닫힌구간 $[1, 4]$에서 함수 $f(x)=x^3-3x^2+a$의 최솟값이 1일 때, 상수 a의 값을 구하여라.

20

방정식 $2x^3-6x-4=0$의 서로 다른 실근의 개수를 구하여라.

21

모든 실수 x에 대하여 $x^4+2x^2-8x+5\geq 0$이 성립함을 증명하여라.

22

원점을 출발하여 수직선 위를 움직이는 점 P의 시각 t에서의 위치가 $x=t^3-8t+9$일 때, 시각 $t=2$에서의 점 P의 속도와 가속도를 구하여라.

23

지면으로부터 30 m의 높이에서 초속 10 m로 똑바로 위로 쏘아 올린 물체의 t초 후의 높이를 x m라고 하면 $x=-5t^2+10t+30$인 관계가 성립한다. 물체가 최고 높이에 도달하는 데 걸리는 시간과 그때의 높이를 구하여라.

24

어떤 도형의 시각 t에서의 넓이 S가 $S=(t+2)(3t-1)$일 때, 시각 $t=2$에서의 도형의 넓이의 변화율을 구하여라.

Ⅲ
적분

부정적분의 정의

1 부정적분

함수 $F(x)$의 도함수가 $f(x)$일 때, 즉 $F'(x)=f(x)$일 때 함수 $F(x)$를 $f(x)$의 부정적분이라 하고, 기호로 $\int f(x)dx$로 나타낸다.

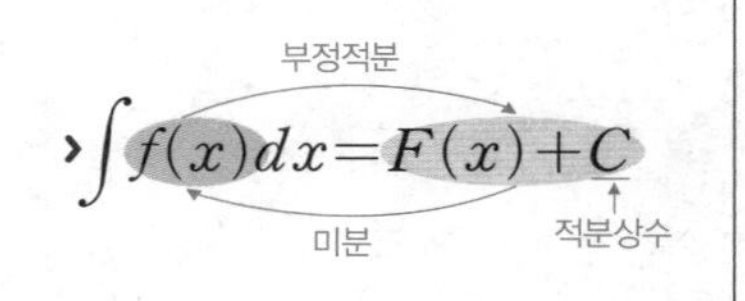

정답과 풀이 049쪽

유형 01 부정적분의 정의 (1)

01 다음 등식을 만족시키는 함수 $f(x)$를 구하여라. (단, C는 상수이다.)

(1) $\int f(x)dx=3x+C$

> 풀이 $f(x)=(3x+C)'=$ __

(2) $\int f(x)dx=x^2-4x+C$

(3) $\int f(x)dx=-\frac{1}{2}x^2+5x+C$

(4) $\int f(x)dx=x^3-2x^2+7x+C$

풍쌤 POINT

$\int f(x)dx=F(x)+C$ (C는 적분상수) ➡ $F'(x)=f(x)$

유형 02 부정적분의 정의 (2)

02 다음 부정적분을 구하여라.

(1) $\int 2x\,dx$

> 풀이 $(x^2)'=2x$이므로
> $\int 2xdx=$ __ $+C$ (단, C는 적분상수이다.)

(2) $\int 9\,dx$

(3) $\int (-3x^2)dx$

(4) $\int 8x^3dx$

풍쌤 POINT

$\int f(x)dx$를 구하려면 미분해서 $f(x)$가 되는 식을 찾으면 된다.

02

부정적분의 기본 공식

1 부정적분의 기본 공식

① $\int k\,dx = kx + C$ (단, k는 상수, C는 적분상수)

② n이 자연수일 때, $\int x^n\,dx = \frac{1}{n+1}x^{n+1} + C$ (단, C는 적분상수)

2 함수의 실수배, 합, 차의 부정적분

두 함수 $f(x)$, $g(x)$의 부정적분이 존재할 때

① $\int kf(x)\,dx = k\int f(x)\,dx$ (단, k는 상수)

② $\int \{f(x) \pm g(x)\}dx = \int f(x)\,dx \pm \int g(x)\,dx$ (복호동순)

› 부정적분의 계산에서 적분상수가 여러 개일 때에는 이들을 하나의 상수 C로 나타낸다.

› a, b는 상수, $a \neq 0$이고 n이 자연수일 때,

$\int (ax+b)^n\,dx$

$= \frac{1}{a} \times \frac{1}{n+1}(ax+b)^{n+1} + C$

(단, C는 적분상수)

정답과 풀이 049쪽

유형 03 부정적분의 기본 공식

03 다음 부정적분을 구하여라.

(1) $\int 5\,dx$

(2) $\int \left(-\frac{1}{2}\right)dx$

(3) $\int x^2\,dx$

› 풀이 $\int x^2\,dx = \frac{1}{2+1}x^{2+1} + C = \_\_\_\_ + C$

(4) $\int x^5\,dx$

(5) $\int x^{10}\,dx$

유형 04 함수의 실수배의 부정적분

04 다음 부정적분을 구하여라.

(1) $\int 4x\,dx$

› 풀이 $\int 4x\,dx = 4\int x\,dx = 4 \times \frac{1}{2}x^2 + C$

$= \_\_\_\_ + C$

(2) $\int 3x^2\,dx$

(3) $\int (-12x^3)\,dx$

(4) $\int \frac{1}{5}x^4\,dx$

(5) $\int 8x^7\,dx$

유형·05 함수의 실수배, 합, 차의 부정적분

05 다음 부정적분을 구하여라.

(1) $\int (3x^2-2x+3)dx$

> 풀이 $\int (3x^2-2x+3)dx$
>
> $=\int 3x^2dx-\int 2xdx+\int 3dx$
>
> $=3\int x^2dx-2\int xdx+\int 3dx$
>
> $=3\times\frac{1}{3}x^3-2\times\frac{1}{2}x^2+3x+C$
>
> $=$________$+C$

(2) $\int (8x-7)dx$

(3) $\int (15x^2+6x)dx$

(4) $\int \left(2x^3+\frac{3}{2}x^2\right)dx$

(5) $\int (-x^6+12x^5)dx$

(6) $\int (4x^3-3x^2+1)dx$

(7) $\int (10x^4+2x-5)dx$

(8) $\int \left(\frac{1}{3}x^4-16x^3-4x\right)dx$

(9) $\int (x^3-x^2+x-1)dx$

(10) $\int (10x^9-9x^8+8x^7-7x^6)dx$

풍쌤 POINT

각 항을 따로따로 적분한 후, 맨 뒤에 적분상수 C를 붙여 주면 된다.

유형·06 부정적분의 계산(1)

정답과 풀이 049쪽

06 다음 부정적분을 구하여라.

(1) $\int 3x(x+8)dx$

> 풀이 $\int 3x(x+8)dx$
$=\int (3x^2+24x)dx$
$=3\int x^2dx+24\int xdx$
$=3\times\frac{1}{3}x^3+24\times\frac{1}{2}x^2+C$
$=$________$+C$

(2) $\int 2x(6x^2-x)dx$

(3) $\int 10x^2(x^2+2x-3)dx$

(4) $\int (x-1)(2x-3)dx$

(5) $\int (3x+4)(x-2)dx$

(6) $\int x(x-3)(x+3)dx$

(7) $\int x^2(x-2)(x+2)dx$

(8) $\int (3x+1)^2dx$

(9) $\int (x-1)^3dx$

(10) $\int x(x+4)^2dx$

유형 07 부정적분의 계산 (2)

07 다음 부정적분을 구하여라.

(1) $\int (x-1)(x^2+x+1)dx$

(2) $\int (x+2)(x^2-2x+4)dx$

(3) $\int \frac{x^2-1}{x-1}dx$

(4) $\int \frac{x^2-9}{x+3}dx$

(5) $\int \frac{x^3+1}{x+1}dx$

풍쌤 POINT
곱셈 공식이나 인수분해 공식을 이용하여 식을 간단히 한 후, 각 항을 따로따로 적분한다.

08 다음 부정적분을 구하여라.

(1) $\int (2x^2+3x)dx+\int (x^2-x+1)dx$

풀이 $\int (2x^2+3x)dx+\int (x^2-x+1)dx$

$=\int \{(2x^2+3x)+(x^2-x+1)\}dx$

$=\int (3x^2+2x+1)dx$

$=3\times\frac{1}{3}x^3+2\times\frac{1}{2}x^2+x+C$

$=$ ________ $+C$

(2) $\int (x^2-3x-8)dx-\int (x^3-5x^2+3x)dx$

(3) $\int (x+1)^2dx-\int (x-1)^2dx$

(4) $\int (x+1)^3dx+\int (x-1)^3dx$

(5) $\int \frac{x^2}{x-2}dx-\int \frac{4}{x-2}dx$

풍쌤 POINT
두 적분을 합쳐 식을 간단히 한 후, 각 항을 따로따로 적분한다.

03

부정적분과 미분의 관계

1 부정적분과 미분의 관계

① $\frac{d}{dx}\left\{\int f(x)dx\right\}=f(x)$

② $\int\left\{\frac{d}{dx}f(x)\right\}dx=f(x)+C$

> $\int\left\{\frac{d}{dx}f(x)\right\}dx \neq \frac{d}{dx}\left\{\int f(x)dx\right\}$

정답과 풀이 051쪽

유형·08 부정적분과 미분의 관계

09 함수 $f(x)=x^2-2x$일 때, 다음을 구하여라.

(1) $\frac{d}{dx}\left\{\int f(x)dx\right\}$

> 풀이 $\frac{d}{dx}\left\{\int f(x)dx\right\}=f(x)=$______

(2) $\int\left\{\frac{d}{dx}f(x)\right\}dx$

> 풀이 $\int\left\{\frac{d}{dx}f(x)\right\}dx=f(x)+C=$______$+C$

10 함수 $f(x)=4x^3+7x^2-3$일 때, 다음을 구하여라.

(1) $\frac{d}{dx}\left\{\int f(x)dx\right\}$

(2) $\int\left\{\frac{d}{dx}f(x)\right\}dx$

유형·09 부정적분과 미분의 관계 활용 (1)

11 다음을 만족시키는 상수 a, b, c의 값을 구하여라.

(1) $\frac{d}{dx}\left\{\int (ax^3+5x^2-6)dx\right\}=3x^3+bx^2+c$

> 풀이 $\frac{d}{dx}\left\{\int (ax^3+5x^2-6)dx\right\}=ax^3+5x^2-6$
> 즉, $ax^3+5x^2-6=3x^3+bx^2+c$이므로
> $a=$__, $b=$__, $c=$___

(2) $\frac{d}{dx}\left\{\int (-2x^2+ax+3)dx\right\}=bx^2-x+c$

(3) $\frac{d}{dx}\left\{\int \left(\frac{1}{3}x^3+ax^2+bx\right)dx\right\}=cx^3+4x^2-9x$

(4) $\frac{d}{dx}\left\{\int (ax^4+3x^3+bx^2)dx\right\}=-8x^4+cx^3-4x^2$

유형 10 부정적분과 미분의 관계 활용 (2)

12 다음 등식을 만족시키는 함수 $f(x)$를 구하여라.
(단, C는 상수이다.)

(1) $\int xf(x)dx=2x^3-x^2+C$

> 풀이 양변을 미분하면
> $\frac{d}{dx}\left\{\int xf(x)dx\right\}=(2x^3-x^2+C)'$
> $xf(x)=6x^2-2x$
> $\therefore f(x)=$ ______

(2) $\int xf(x)dx=\frac{1}{8}x^4+4x^2+C$

(3) $\int (x+1)f(x)dx=x^3+x^2-x+C$

(4) $\int (x-1)f(x)dx=\frac{1}{3}x^3+\frac{1}{2}x^2-2x+C$

풍쌤 POINT
주어진 식의 양변을 미분하여 $\frac{d}{dx}\left\{\int ★dx\right\}=★$임을 이용한다.

유형 11 도함수가 주어진 함수 구하기

13 다음 조건을 만족시키는 함수 $f(x)$를 구하여라.

(1) $f'(x)=3x^2+2x-5,\ f(0)=2$

> 풀이 $f(x)=\int (3x^2+2x-5)dx$
> $=x^3+x^2-5x+C$
> 이때 $f(0)=2$이므로 $C=2$
> $\therefore f(x)=$ ______

(2) $f'(x)=6x^2-4x+1,\ f(1)=4$

(3) $f'(x)=8x^3-3x^2-2x,\ f(0)=-5$

(4) $f'(x)=(x+2)(x-3),\ f(-2)=-\frac{8}{3}$

풍쌤 POINT
도함수가 주어진 함수 구하기
① 도함수를 적분하여 부정적분을 구한다.
➡ $f'(x)=●$이면 $f(x)=\int ●dx+C$
② ①의 식에 주어진 함숫값을 대입하여 적분상수 C의 값을 구한다.
③ ①의 식에 C의 값을 대입하여 $f(x)$를 구한다.

· 중단원 점검문제 ·

정답과 풀이 052쪽

01

$\int(14x^6+5x^4-2x^3-3x)dx$를 구하여라.

02

$\int(x+3)(2x-5)dx$를 구하여라.

03

$\int(x+6)^2dx$를 구하여라.

04

$\int\frac{x^3-8}{x-2}dx$를 구하여라.

05

$\int(x+3)^2dx+\int(x-3)^2dx$를 구하여라.

06

$\frac{d}{dx}\left\{\int\left(\frac{1}{2}x^3+ax^2-2x\right)dx\right\}=bx^3+6x^2+cx$를 만족시키는 세 상수 a, b, c에 대하여 $a+bc$의 값을 구하여라.

07

$\int(2x-1)f(x)dx=\frac{2}{3}x^3+\frac{9}{2}x^2-5x+C$를 만족시키는 함수 $f(x)$를 구하여라. (단, C는 상수이다.)

08

함수 $f(x)$가 $f'(x)=16x^3-2x$, $f(0)=-2$를 만족시킬 때, $f(-1)$의 값을 구하여라.

01 정적분의 정의

1 정적분의 정의

함수 $f(x)$가 닫힌구간 $[a, b]$에서 연속일 때, $f(x)$의 한 부정적분 $F(x)$에 대하여 $f(x)$의 a에서 b까지의 정적분을

$$\int_a^b f(x)\,dx = \Big[F(x)\Big]_a^b = F(b) - F(a)$$

라고 한다.

참고 $\Big[F(x)+C\Big]_a^b = \{F(b)+C\} - \{F(a)+C\} = F(b) - F(a) = \Big[F(x)\Big]_a^b$
이므로 정적분의 계산에서 적분상수는 고려하지 않는다.

› $\int_a^b f(x)\,dx$에서 b를 정적분의 위끝, a를 아래끝이라고 한다.

유형 01 정적분의 계산

정답과 풀이 053쪽

01 다음 정적분을 구하여라.

(1) $\int_2^3 3x^2\,dx$

› 풀이 $\int_2^3 3x^2\,dx = \Big[x^3\Big]_2^3 = 27 - 8 =$ ___

(2) $\int_0^2 (-8x^3)\,dx$

(3) $\int_1^3 (10x-1)\,dx$

(4) $\int_{-1}^0 (4x^3 - 9x^2 + 2)\,dx$

(5) $\int_0^1 (5x^4 + 12x^2 - 8x)\,dx$

(6) $\int_1^2 2x(3x^2-1)\,dx$

(7) $\int_{-3}^0 (x-3)^2\,dx$

(8) $\int_0^2 (2x+1)(x-4)\,dx$

풍쌤 POINT

정적분의 계산 ➡ 부정적분을 구해 위끝과 아래끝을 대입하여 뺀다.

02

정적분의 성질

1 정적분의 성질

두 함수 $f(x)$, $g(x)$가 세 실수 a, b, c를 포함하는 닫힌구간에서 연속일 때

① $\int_a^a f(x)\,dx=0$

② $\int_a^b f(x)\,dx=-\int_b^a f(x)\,dx$

③ $\int_a^b f(x)\,dx=\int_a^b f(t)\,dt$

④ $\int_a^b kf(x)\,dx=k\int_a^b f(x)\,dx$ (단, k는 상수)

⑤ $\int_a^b f(x)\,dx\pm\int_a^b g(x)\,dx=\int_a^b \{f(x)\pm g(x)\}dx$ (복호동순)

⑥ $\int_a^c f(x)\,dx+\int_c^b f(x)\,dx=\int_a^b f(x)\,dx$ ⬅ a, b, c의 대소에 관계없이 성립한다.

정답과 풀이 053쪽

유형 02 정적분의 성질을 활용한 계산(1)

02 다음 정적분을 구하여라.

(1) $\int_2^2 2x\,dx$

(2) $\int_{-1}^{-1} 3x^4\,dx$

(3) $\int_3^3 (6x^2+2x-3)\,dx$

(4) $\int_{10}^{10} (x-1)^{10}\,dx$

풍쌤 POINT

아래끝, 위끝이 같으면 정적분이 0이다.

유형 03 정적분의 성질을 활용한 계산(2)

03 다음 정적분을 구하여라.

(1) $\int_3^{-1} 4x^3\,dx$

> 풀이 $\int_3^{-1} 4x^3\,dx=-\int_{-1}^3 4x^3\,dx=-\Big[x^4\Big]_{-1}^3$
>
> $=-(81-1)=$____

(2) $\int_2^1 (8x-2)\,dx$

(3) $\int_0^{-1} (9x^2+10x+1)\,dx$

(4) $\int_1^{-2} (x^3-3x+4)\,dx$

풍쌤 POINT

아래끝과 위끝을 바꾸면 −부호가 생긴다.

유형 04 정적분의 성질을 활용한 계산(3)

04 다음 정적분을 구하여라.

(1) $\int_0^1 (2x-x^2)dx+\int_0^1 (2x+x^2)dx$

> 풀이 $\int_0^1 (2x-x^2)dx+\int_0^1 (2x+x^2)dx$

$=\int_0^1 \{(2x-x^2)+(2x+x^2)\}dx$

$=\int_0^1 4x\,dx=\left[2x^2\right]_0^1=$__

(2) $\int_1^2 (x^2+3x)dx-\int_1^2 (4x^2+3x-1)dx$

(3) $\int_0^3 (x^2+4)dx+2\int_0^3 (x^2-x-2)dx$

(4) $\int_{-1}^2 (3x^3-x^2-x)dx+\int_{-1}^2 (t^3-5t^2+t)dt$

(5) $\int_{-2}^1 (t-1)^2dt-\int_{-2}^1 (x+1)^2dx$

(6) $\int_3^4 \frac{x^2}{x-1}dx-\int_3^4 \frac{1}{x-1}dx$

(7) $\int_{-2}^3 (x^2-5x)dx-\int_3^{-2} (2x^2+5x)dx$

(8) $\int_0^1 (5x^3-15x^2+2x)dx+\int_1^0 (x^3-2x)dx$

풍쌤 POINT

① 변수를 바꾸어도 정적분은 같으므로 같은 변수로 통일한다.

② 두 정적분의 구간이 같으면 함수를 합칠 수 있다.
아래끝, 위끝의 순서가 다르면 구간이 같아지도록 하여 함수를 합친다.

유형 05 정적분의 성질을 활용한 계산 (4)

정답과 풀이 053쪽

05 다음 정적분을 구하여라.

(1) $\int_{1}^{2}(6x+5)dx+\int_{2}^{4}(6x+5)dx$

> 풀이 $\int_{1}^{2}(6x+5)dx+\int_{2}^{4}(6x+5)dx$

$=\int_{1}^{4}(6x+5)dx$

$=\Big[3x^2+5x\Big]_{1}^{4}=$ ____

(2) $\int_{0}^{1}(3x^2+2x-4)dx+\int_{1}^{2}(3x^2+2x-4)dx$

(3) $\int_{-2}^{1}(t^3-t)dt+\int_{1}^{2}(x^3-x)dx$

(4) $\int_{-1}^{1}(4x^3-2)dx+\int_{1}^{2}(4x^3-2)dx+\int_{2}^{3}(4x^3-2)dx$

(5) $\int_{0}^{2}(x+1)^2dx+\int_{2}^{3}(x+1)^2dx$

(6) $\int_{1}^{2}(x-2)^2dx+\int_{2}^{4}(t-2)^2dt$

(7) $\int_{-1}^{0}(1-3x^2)dx-\int_{1}^{0}(1-3x^2)dx$

(8) $\int_{1}^{2}(6x^2+12x-7)dx-\int_{3}^{2}(6x^2+12x-7)dx$

풍쌤 POINT

두 정적분의 함수가 같으면 구간을 합칠 수 있다.

유형 06 구간에 따라 다르게 정의된 함수의 정적분

06 다음 정적분을 구하여라.

(1) 함수 $f(x)=\begin{cases} 2x+3 & (x\le 0) \\ -3x^2+3 & (x>0) \end{cases}$일 때,

$\int_{-1}^{1} f(x)dx$

> 풀이 $\int_{-1}^{1} f(x)dx=\int_{-1}^{0} f(x)dx+\int_{0}^{1} f(x)dx$
> $=\int_{-1}^{0}(2x+3)dx+\int_{0}^{1}(-3x^2+3)\,dx$
> $=\Big[x^2+3x\Big]_{-1}^{0}+\Big[-x^3+3x\Big]_{0}^{1}$
> $=$__

(2) 함수 $f(x)=\begin{cases} x+2 & (x\le 1) \\ -x^2+4 & (x>1) \end{cases}$일 때, $\int_{0}^{2} f(x)dx$

(3) 함수 $f(x)=\begin{cases} \frac{1}{2}x-1 & (x\le 2) \\ 3x-6 & (x>2) \end{cases}$일 때, $\int_{1}^{3} f(x)dx$

07 함수 $y=f(x)$의 그래프가 오른쪽 그림과 같을 때, 다음 물음에 답하여라.

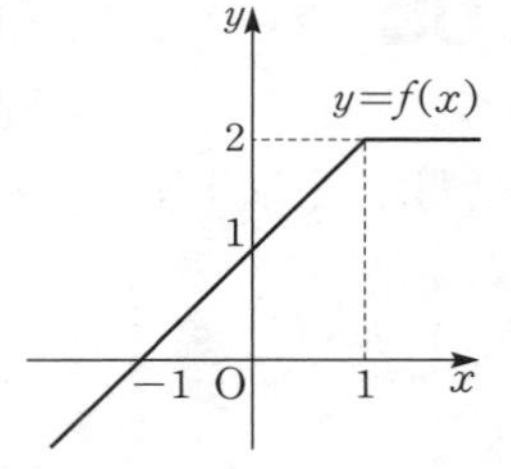

(1) 함수 $f(x)$를 구하여라.

> 풀이 두 점 $(-1,\,0)$, $(0,\,1)$을 지나는 직선의 방정식은
> $y-1=\frac{1-0}{0-(-1)}(x-0)$ $\quad\therefore y=$_____
> $\therefore f(x)=\begin{cases} \_\_\_\_ & (x\le 1) \\ 2 & (x>1) \end{cases}$

(2) $\int_{0}^{2} xf(x)dx$를 구하여라.

> 풀이 $\int_{0}^{2} xf(x)dx=\int_{0}^{1}(x^2+x)dx+\int_{1}^{2} 2x\,dx$
> $=\Big[\frac{1}{3}x^3+\frac{1}{2}x^2\Big]_{0}^{1}+\Big[x^2\Big]_{1}^{2}$
> $=$____

08 함수 $y=f(x)$의 그래프가 오른쪽 그림과 같을 때, 다음 물음에 답하여라.

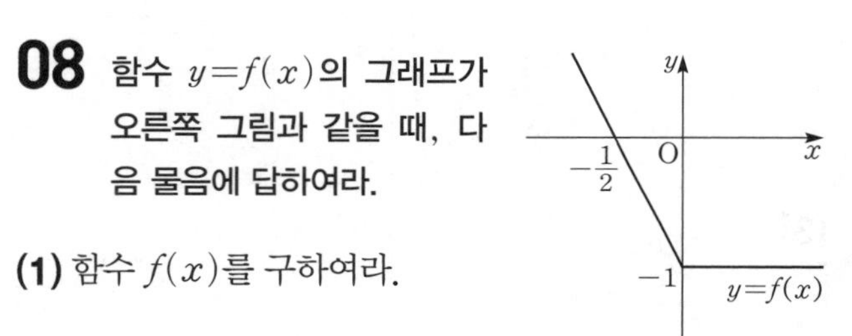

(1) 함수 $f(x)$를 구하여라.

(2) $\int_{-1}^{1} xf(x)dx$를 구하여라.

풍쌤 POINT

① 함수 $f(x)=\begin{cases} g(x) & (x\le b) \\ h(x) & (x>b) \end{cases}$에 대하여 $a<b<c$일 때,

$$\int_{a}^{c} f(x)dx=\int_{a}^{b} g(x)dx+\int_{b}^{c} h(x)dx$$

② 그래프가 주어질 때, 그래프의 꺾인 점을 기준으로 구간을 나누고 각 구간에서 함수의 식을 찾아 정적분을 구한다.

유형 07 절댓값 기호가 있는 함수의 정적분

정답과 풀이 055쪽

09 다음 정적분을 구하여라.

(1) $\int_{0}^{3}|x-1|dx$

> 풀이 $f(x)=|x-1|$로 놓으면

$$f(x)=\begin{cases}-x+1 & (x<1)\\ x-1 & (x\ge1)\end{cases}$$

$$\therefore \int_{0}^{3}|x-1|dx$$

$$=\int_{0}^{1}(-x+1)dx+\int_{1}^{3}(x-1)dx$$

$$=\left[-\frac{1}{2}x^2+x\right]_0^1+\left[\frac{1}{2}x^2-x\right]_1^3$$

$=$ ____

y, $y=f(x)$, O, 1, 3, x

(2) $\int_{-1}^{3}|x-2|dx$

(3) $\int_{1}^{4}|2x-6|dx$

(4) $\int_{-2}^{1}|x^2-1|dx$

(5) $\int_{0}^{3}|x^2-2x|dx$

(6) $\int_{-1}^{2}|x^2-4x+3|dx$

풍쌤 POINT

절댓값 기호가 있는 함수를 정적분하려면 절댓값 기호 안을 0으로 하는 수를 기준으로 구간을 나누어 생각한다.

짝함수와 홀함수의 정적분

1 짝함수와 홀함수의 정적분

① 함수 $f(x)$가 짝함수이면 $\int_{-a}^{a} f(x)dx=2\int_{0}^{a} f(x)dx$

② 함수 $f(x)$가 홀함수이면 $\int_{-a}^{a} f(x)dx=0$

> 짝함수 ➡ $f(-x)=f(x)$
> 홀함수 ➡ $f(-x)=-f(x)$

유형 08 짝함수와 홀함수의 정적분

정답과 풀이 056쪽

10 다음 정적분을 구하여라.

(1) $\int_{-1}^{1} (-10x^4+1)dx$

> 풀이 $\int_{-1}^{1} (-10x^4+1)dx=2\int_{0}^{1} (-10x^4+1)dx$
> $=2\Big[-2x^5+x\Big]_0^1$
> $=$____

(2) $\int_{-4}^{4} (2x^5-3x)dx$

(3) $\int_{-1}^{1} (x^3+9x^2+7x)dx$

(4) $\int_{-2}^{2} (3x^5-5x^4+4x^3+6x^2+2x)dx$

(5) $\int_{-3}^{3} (x^7-2x^5-4x^3+3x^2-x+1)dx$

(6) $\int_{-2}^{1} (-2x^5+15x^4-x)dx+\int_{1}^{2} (-2x^5+15x^4-x)dx$

(7) $\int_{-1}^{0} (5x^4+3x^3-x^2+9x+2)dx-\int_{1}^{0} (5x^4+3x^3-x^2+9x+2)dx$

풍쌤 POINT

차수가 짝수인 항과 홀수인 항으로 각각 묶는다.

① 차수가 짝수인 항만으로 이루어진 다항함수
➡ $\int_{-a}^{a} f(x)dx=2\int_{0}^{a} f(x)dx$

② 차수가 홀수인 항만으로 이루어진 다항함수
➡ $\int_{-a}^{a} f(x)dx=0$

04

주기함수의 정적분

❶ 주기함수의 정적분

함수 $f(x)$의 주기가 T일 때

① 아래끝과 위끝에 각각 주기만큼 더하면 정적분의 값은 변하지 않는다.

$$\int_a^b f(x)dx = \int_{a+T}^{b+T} f(x)dx$$

② 한 주기의 정적분은 항상 같다.

$$\int_a^{a+T} f(x)dx = \int_b^{b+T} f(x)dx$$

› 주기가 p인 함수

➡ $f(x)=f(x+p)$

➡ $f\left(x-\frac{p}{2}\right)=f\left(x+\frac{p}{2}\right)$

유형 09 주기함수의 정적분

정답과 풀이 057쪽

11 다음을 구하여라.

(1) 함수 $f(x)$가 다음 조건을 만족시킬 때, $\int_0^5 f(x)dx$의 값을 구하여라.

> (가) $-1\le x\le 1$일 때, $f(x)=-x^2+1$
> (나) $f(x)=f(x+2)$

› 풀이 조건 (나)에서 $f(x)$는 주기가 ___인 함수이므로

$$\int_{-1}^1 f(x)dx=\int_1^3 f(x)dx=\int_3^5 f(x)dx \quad \cdots\cdots ㉠$$

이때 $f(x)$가 짝함수이므로

$$\int_{-1}^1 f(x)dx=2\int_0^1 f(x)dx \quad \cdots\cdots ㉡$$

㉠, ㉡에 의하여

$$\begin{aligned}\int_0^5 f(x)dx&=\int_0^1 f(x)dx+\int_1^3 f(x)dx+\int_3^5 f(x)dx\\&=5\int_0^1 f(x)dx\\&=5\int_0^1(-x^2+1)dx\\&=5\left[-\frac{1}{3}x^3+x\right]_0^1\\&=\_\_\_\end{aligned}$$

(2) 함수 $f(x)$가 다음 조건을 만족시킬 때, $\int_0^{10} f(x)dx$의 값을 구하여라.

> (가) $-2\le x\le 2$일 때, $f(x)=4-x^2$
> (나) $f(x)=f(x+4)$

(3) 함수 $f(x)$가 다음 조건을 만족시킬 때, $\int_{-4}^4 f(x)dx$의 값을 구하여라.

> (가) $0\le x\le 2$일 때, $f(x)=-x^2+2x$
> (나) $f(x)=f(x+2)$

풍쌤 POINT

정적분을 주기에 맞게 구간을 나누고 반복되는 구간의 개수를 파악한다. 주기함수의 경우 구간의 시작점과 관계없이 한 주기의 정적분은 항상 같다.

정적분을 포함한 등식의 풀이법

1 정적분으로 정의된 함수의 미분

① $\dfrac{d}{dx}\displaystyle\int_a^x f(t)dt=f(x)$

② $\dfrac{d}{dx}\displaystyle\int_x^{x+a} f(t)dt=f(x+a)-f(x)$

2 정적분을 포함한 등식의 풀이법

① 적분구간이 상수로 주어진 경우: $A=B+\displaystyle\int_a^b f(t)dt$ 꼴

➡ 정적분은 상수이므로 $\displaystyle\int_a^b f(t)dt=k$ (k는 상수)로 놓는다.

② 적분구간이 변수로 주어진 경우: $A=B+\displaystyle\int_a^x f(t)dt$ 꼴

➡ 양변을 x에 대하여 미분하고, 양변에 $x=a$를 대입한다.

› 함수 $f(x)$가 $\displaystyle\int_a^x f(t)dt=g(x)$ 를 만족시킬 때
① 양변에 $x=a$를 대입하면 $\displaystyle\int_a^a f(t)dt=g(a)=0$
② 양변을 x에 대하여 미분하면 $f(x)=g'(x)$

유형 10 정적분으로 정의된 함수의 미분

12 다음을 구하여라.

(1) $\dfrac{d}{dx}\displaystyle\int_1^x (t^2+3t-2)dt$

(2) $\dfrac{d}{dx}\displaystyle\int_{-2}^x (2t^2-t+5)dt$

(3) $\dfrac{d}{dx}\displaystyle\int_3^x \left(t^2-\frac{1}{2}t^3\right)dt$

13 다음을 구하여라.

(1) $\dfrac{d}{dx}\displaystyle\int_x^{x+1} (3t^2-1)dt$

› 풀이 $\dfrac{d}{dx}\displaystyle\int_x^{x+1} (3t^2-1)dt=\{3(x+1)^2-1\}-(3x^2-1)$
$=$______

(2) $\dfrac{d}{dx}\displaystyle\int_x^{x+2} (-2t^2+5)dt$

(3) $\dfrac{d}{dx}\displaystyle\int_x^{x+1} (t-t^3)dt$

유형·11 적분구간이 상수로 주어진 경우 (1)

14 다음 등식을 만족시키는 다항함수 $f(x)$를 구하여라.

(1) $f(x)=4x+\int_0^2 f(x)dx$

> 풀이 $\int_0^2 f(x)dx=k$ (k는 상수)로 놓으면 $f(x)=4x+k$
>
> $\int_0^2 (4x+k)dx=k$, $\left[2x^2+kx\right]_0^2=k$
>
> $8+2k=k$ $\quad\therefore k=-8$
>
> $\therefore f(x)=$______

(2) $f(x)=6x^2-10x+\int_0^3 f(x)dx$

(3) $f(x)=3x^2+4x^3\int_0^2 f(x)dx$

(4) $f(x)=8x^2+\int_0^1 xf(x)dx$

풍쌤 POINT

적분구간이 상수로 주어진 경우의 풀이 순서 (1)

① $\int_a^b f(x)dx$는 상수이므로 $\int_a^b f(x)dx=k$로 놓는다.

② $f(x)$를 x, k에 대한 식으로 나타낸다.

③ ②의 식을 $\int_a^b f(x)dx=k$의 $f(x)$에 대입하여 k의 값을 구한다.

유형·12 적분구간이 상수로 주어진 경우 (2)

15 다음 등식을 만족시키는 다항함수 $f(x)$를 구하여라.

(1) $f(x)=5x+3+\int_0^3 f'(x)dx$

> 풀이 $\int_0^3 f'(x)dx=k$ (k는 상수) ······ ㉠
>
> 로 놓으면 $f(x)=5x+3+k$
>
> $f'(x)=5$를 ㉠에 대입하면
>
> $\int_0^3 5dx=k$, $\left[5x\right]_0^3=k$ $\quad\therefore k=15$
>
> $\therefore f(x)=$______

(2) $f(x)=x^3-2x+\int_0^2 f'(x)dx$

(3) $f(x)=2x^2+4\int_0^1 f'(x)dx$

(4) $f(x)=-3x^2+6x+\int_0^3 xf'(x)dx$

풍쌤 POINT

적분구간이 상수로 주어진 경우의 풀이 순서 (2)

① $\int_a^b f'(x)dx$는 상수이므로 $\int_a^b f'(x)dx=k$로 놓는다.

② $f(x)$를 x, k에 대한 식으로 나타내고 $f'(x)$를 구한다.

③ $\int_a^b f'(x)dx=k$의 $f'(x)$에 대입하여 k의 값을 구한다.

정답과 풀이 058쪽

유형 13 적분구간이 변수로 주어진 경우 (1)

16 다음 등식을 만족시키는 다항함수 $f(x)$를 구하여라. (단, a는 상수이다.)

(1) $\int_1^x f(t)dt=x^2-x+1-a$

> **풀이** 주어진 식의 양변에 $x=1$을 대입하면
> $0=1-1+1-a \qquad \therefore a=1$
> $\int_1^x f(t)dt=x^2-x$
> 양변을 x에 대하여 미분하면
> $f(x)=$______

(2) $\int_2^x f(t)dt=x^3+2ax^2-3x$

(3) $\int_3^x f(t)dt=5x^2+ax-27$

(4) $\int_1^x f(t)dt=-12x^3+3x^2+ax$

풍쌤 POINT

① 아래끝과 위끝이 같도록 하는 x의 값을 양변에 대입하여 $\int_a^a f(t)dt=0$임을 이용한다.

② 양변을 x에 대하여 미분하여 $\frac{d}{dx}\int_a^x f(t)dt=f(x)$임을 이용한다.

유형 14 적분구간이 변수로 주어진 경우 (2)

17 다음 등식을 만족시키는 다항함수 $f(x)$를 구하여라.

(1) $xf(x)=6x^3-2x^2+\int_1^x f(t)dt$

> **풀이** 양변을 x에 대하여 미분하면
> $f(x)+xf'(x)=18x^2-4x+f(x)$
> $xf'(x)=18x^2-4x$
> 이 식이 모든 실수 x에 대하여 성립하므로
> $f'(x)=18x-4$
> $\therefore f(x)=\int(18x-4)dx=9x^2-4x+C \qquad \cdots\cdots ㉠$
> 주어진 식의 양변에 $x=1$을 대입하면
> $1\times f(1)=6-2+0 \qquad \therefore f(1)=4$
> ㉠에서 $f(1)=9-4+C=4 \qquad \therefore C=-1$
> $C=-1$을 ㉠에 대입하면
> $f(x)=$__________

(2) $xf(x)=-3x^4+x^2+\int_2^x f(t)dt$

(3) $x^2f(x)=2x^4+x^3+2\int_3^x tf(t)dt$

06

정적분으로 정의된 함수의 극한

1 정적분으로 정의된 함수의 극한

① $\lim_{x \to a} \frac{1}{x-a}\int_a^x f(t)dt = f(a)$

② $\lim_{h \to 0} \frac{1}{h}\int_a^{a+h} f(t)dt = f(a)$

유형 15 정적분으로 정의된 함수의 극한 (1)

정답과 풀이 059쪽

18 다음 극한값을 구하여라.

(1) 함수 $f(x)=2x^2-x+3$일 때, $\lim_{x \to 1} \frac{1}{x-1}\int_1^x f(t)dt$의 값

> 풀이 $\int f(t)dt = F(t)+C$로 놓으면
>
> $\int_1^x f(t)dt = \Big[F(t)\Big]_1^x = F(x)-F(1)$이므로
>
> $\lim_{x \to 1} \frac{1}{x-1}\int_1^x f(t)dt = \lim_{x \to 1} \frac{F(x)-F(1)}{x-1}$
>
> $= F'(1) = f(1) = $ __

(2) 함수 $f(x)=-x^2+5x$일 때, $\lim_{x \to 3} \frac{1}{x-3}\int_3^x f(t)dt$의 값

(3) 함수 $f(x)=x^3+3x^2-2x$일 때, $\lim_{x \to 2} \frac{1}{x^2-4}\int_2^x f(t)dt$의 값

19 다음 극한값을 구하여라.

(1) $\lim_{x \to 3} \frac{1}{x-3}\int_3^x (t^3-4t-2)dt$의 값

(2) $\lim_{x \to 2} \frac{1}{x-2}\int_2^x (t^3-3t^2+t+7)dt$의 값

(3) $\lim_{x \to 1} \frac{1}{x^2-1}\int_1^x (6t^2-4t+1)dt$의 값

풍쌤 POINT

함수 $f(t)$의 한 부정적분을 $F(t)$라고 하면

$$\lim_{x \to a} \frac{1}{x-a}\int_a^x f(t)dt = \lim_{x \to a} \frac{\Big[F(t)\Big]_a^x}{x-a} = \lim_{x \to a} \frac{F(x)-F(a)}{x-a}$$

$$= F'(a) = f(a)$$

유형 16 정적분으로 정의된 함수의 극한 (2)

20 다음 극한값을 구하여라.

(1) 함수 $f(x)=3x^2-5x$일 때, $\lim_{h \to 0} \frac{1}{h}\int_{1}^{1+2h} f(x)dx$의 값

> 풀이 $\int f(x)dx=F(x)+C$로 놓으면
>
> $\int_{1}^{1+2h} f(x)dx=\Big[F(x)\Big]_{1}^{1+2h}=F(1+2h)-F(1)$
>
> 이므로
>
> $$\lim_{h \to 0} \frac{1}{h}\int_{1}^{1+2h} f(x)dx=\lim_{h \to 0} \frac{F(1+2h)-F(1)}{h}$$
> $$=\lim_{h \to 0} \frac{F(1+2h)-F(1)}{2h}\times 2$$
> $$=2F'(1)=2f(1)=\_\_\_\_$$

(2) 함수 $f(x)=5x^3+x^2-2$일 때, $\lim_{h \to 0} \frac{1}{h}\int_{2}^{2+3h} f(x)dx$의 값

(3) 함수 $f(x)=(x+1)^2$일 때, $\lim_{h \to 0} \frac{1}{h}\int_{3}^{3-2h} f(x)dx$의 값

21 다음 극한값을 구하여라.

(1) $\lim_{h \to 0} \frac{1}{h}\int_{3}^{3+h} (-x^2+3x)dx$의 값

(2) $\lim_{h \to 0} \frac{1}{h}\int_{1}^{1+4h} (2x^3-7x^2-x)dx$의 값

(3) $\lim_{h \to 0} \frac{1}{h}\int_{1-h}^{1+h} (x^4+6x^3)dx$의 값

풍쌤 POINT

함수 $f(x)$의 한 부정적분을 $F(x)$라고 하면

$$\lim_{h \to 0} \frac{1}{h}\int_{a}^{a+h} f(x)dx=\lim_{h \to 0} \frac{\int_{a}^{a+h} f(x)dx}{h}=\lim_{h \to 0} \frac{\Big[F(x)\Big]_{a}^{a+h}}{h}$$
$$=\lim_{h \to 0} \frac{F(a+h)-F(a)}{h}=F'(a)$$
$$=f(a)$$

유형 17 정적분으로 정의된 함수의 극대, 극소

정답과 풀이 059쪽

22 함수 $f(x)=\int_0^x (t^2+t-2)dt$에 대하여 다음을 구하여라.

(1) $f'(x)$를 구하여라.

> 풀이 주어진 식의 양변을 x에 대하여 미분하면
> $f'(x)=$______

(2) $f'(x)=0$인 x의 값을 구하여라.

> 풀이 $f'(x)=0$에서
> $x^2+x-2=0$에서
> $(x+2)(x-1)=0$
> $\therefore x=$____ 또는 $x=1$

(3) 다음 함수 $f(x)$의 증가와 감소를 나타낸 표를 완성하여라.

x	$\cdots$		$\cdots$		$\cdots$
$f'(x)$	$+$	0	$-$	0	$+$
$f(x)$	↗	극대	↘	극소	↗

(4) 함수 $f(x)$의 극댓값을 구하여라.

> 풀이 함수 $f(x)$는 $x=$____에서 극대이므로 극댓값은
> $f(-2)=\int_0^{-2}(t^2+t-2)dt$
> $=\left[\frac{1}{3}t^3+\frac{1}{2}t^2-2t\right]_0^{-2}$
> $=$____

(5) 함수 $f(x)$의 극솟값을 구하여라.

23 함수 $f(x)$의 극값을 구하여라.

(1) $f(x)=\int_0^x (t^2-3t-4)dt$

(2) $f(x)=\int_1^x (-t^2+2t+3)dt$

(3) $f(x)=\int_{-1}^x (6t^3-12t^2)dt$

풍쌤 POINT

정적분으로 정의된 함수 $f(x)=\int_a^x g(t)dt$의 극값은 다음과 같은 순서로 구한다.

① 양변을 x에 대하여 미분하여 $f'(x)$를 구한다.
② $f'(x)=0$을 만족시키는 x의 값을 구한다.
③ ②의 x의 값의 좌우에서 $f'(x)$의 부호를 조사하여 함수 $f(x)$의 증가와 감소를 표로 만든다.

· 중단원 점검문제 ·

01

$\int_{-1}^{2} 4x^3 dx + \int_{1}^{3} (12x-1) dx$를 구하여라.

02

$\int_{-1}^{-1} (3x^4-2x^2) dx - \int_{0}^{-1} (6x^2-2x+5) dx$를 구하여라.

03

$\int_{0}^{2} (3x^3+2x^2-2) dx - \int_{0}^{2} (x^3-x^2+1) dx$를 구하여라.

04

$\int_{-2}^{1} (4x^3-6x) dx + \int_{1}^{3} (4t^3-6t) dt$를 구하여라.

05

$\int_{0}^{1} (x-1)^2 dx - \int_{2}^{1} (x-1)^2 dx$를 구하여라.

06

함수 $f(x) = \begin{cases} x-1 & (x \le 1) \\ -x^2+1 & (x > 1) \end{cases}$일 때, $\int_{-1}^{2} f(x) dx$를 구하여라.

07

$\int_{0}^{3} |x^2-4| dx$를 구하여라.

08

$\int_{-1}^{1} (-x^5+x^4-x^3+x^2-x) dx$를 구하여라.

09

함수 $f(x)$가 다음 조건을 만족시킬 때, $\int_0^{15} f(x)dx$의 값을 구하여라.

> (가) $-3 \le x \le 3$일 때, $f(x) = -x^2+9$
> (나) $f(x) = f(x+6)$

10

다항함수 $f(x)$가 $f(x) = 4x^3 - 2x + 5\int_0^2 f(x)dx$를 만족시킬 때, $f(1)$의 값을 구하여라.

11

다항함수 $f(x)$가 $f(x) = -9x^2 + x + \int_0^1 xf'(x)dx$를 만족시킬 때, 함수 $f(x)$를 구하여라.

12

다항함수 $f(x)$가 $\int_3^x f(t)dt = x^3 - ax^2 + 3x$를 만족시킬 때, $f(-1)$의 값을 구하여라. (단, a는 상수이다.)

13

다항함수 $f(x)$가 $x^2 f(x) = 5x^4 - 4x^3 + 2\int_1^x tf(t)dt$를 만족시킬 때, 함수 $f(x)$를 구하여라.

14

함수 $f(x) = 3x^4 - 2x^2 + 7$일 때,

$\lim_{x \to -1} \frac{1}{x^2-1} \int_{-1}^x f(t)dt$의 값을 구하여라.

15

$\lim_{h \to 0} \frac{1}{h} \int_2^{2+h} \left(\frac{1}{2}x^2 + 5x - 1 \right) dx$의 값을 구하여라.

16

함수 $f(x) = \int_0^x (t+2)(t-3)dt$의 극값을 구하여라.

01

곡선과 x축 사이의 넓이

1 곡선과 x축 사이의 넓이

함수 $y=f(x)$가 닫힌구간 $[a, b]$에서 연속일 때, 곡선 $y=f(x)$와 x축 및 두 직선 $x=a$, $x=b$로 둘러싸인 부분의 넓이 S는

$$S=\int_a^b |f(x)|dx$$

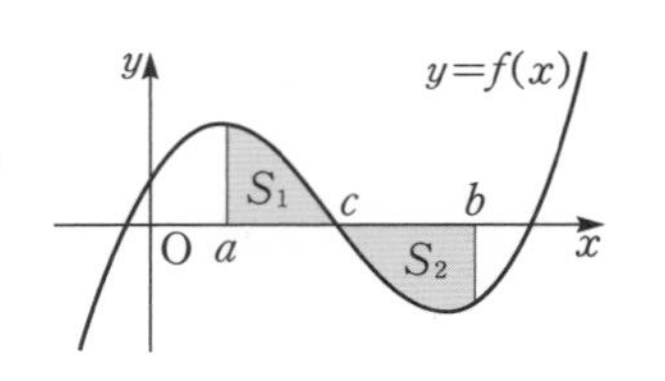

› $S_1=\int_a^c f(x)dx$,

$S_2=-\int_c^b f(x)dx$

$\therefore S=S_1+S_2$

유형·01 곡선과 x축 사이의 넓이 (1)

01 곡선 $y=x^2-2x$와 x축으로 둘러싸인 부분의 넓이 S를 구하려고 한다. 다음 물음에 답하여라.

(1) 곡선과 x축의 교점의 x좌표를 구하여라.

› 풀이 $x^2-2x=0$에서 $x(x-2)=0$
따라서 $x=0$ 또는 $x=$___

(2) 넓이를 구하는 구간에서 y의 값의 부호를 구하여라.

› 풀이 구간 ______에서 $y\le 0$이다.

(3) 넓이 S를 구하여라.

› 풀이 $S=-\int_0^2 (x^2-2x)dx$

$=-\left[\frac{1}{3}x^3-x^2\right]_0^2$

$=$___

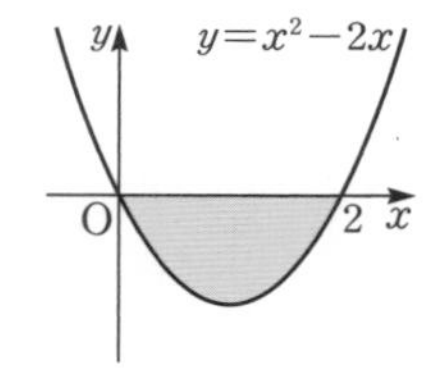

02 다음 곡선과 x축으로 둘러싸인 부분의 넓이 S를 구하여라.

(1) $y=x^2-5x+4$

(2) $y=-x^2+2x+3$

풍쌤 POINT

① 곡선이 x축 위쪽에 있는 경우 ➡ (넓이)=(정적분)

② 곡선이 x축 아래쪽에 있는 경우 ➡ (넓이)=−(정적분)

유형 02 곡선과 x축 사이의 넓이 (2)

03 곡선 $y=x(x-2)(x-3)$과 x축으로 둘러싸인 부분의 넓이 S를 구하려고 한다. 다음 물음에 답하여라.

(1) 곡선과 x축의 교점의 x좌표를 구하여라.

> 풀이 $x(x-2)(x-3)=0$
> $\therefore x=0$ 또는 $x=2$ 또는 $x=$___

(2) 넓이를 구하는 구간 중에서 $y\geq 0$, $y\leq 0$인 구간을 구하여라.

> 풀이 구간 ______에서 $y\geq 0$, 구간 ______에서 $y\leq 0$이다.

(3) 넓이 S를 구하여라.

> 풀이 $S=\int_0^2 (x^3-5x^2+6x)dx$
> $-\int_2^3 (x^3-5x^2+6x)dx$
> $=\left[\frac{1}{4}x^4-\frac{5}{3}x^3+3x^2\right]_0^2$
> $-\left[\frac{1}{4}x^4-\frac{5}{3}x^3+3x^2\right]_2^3$
> $=$___

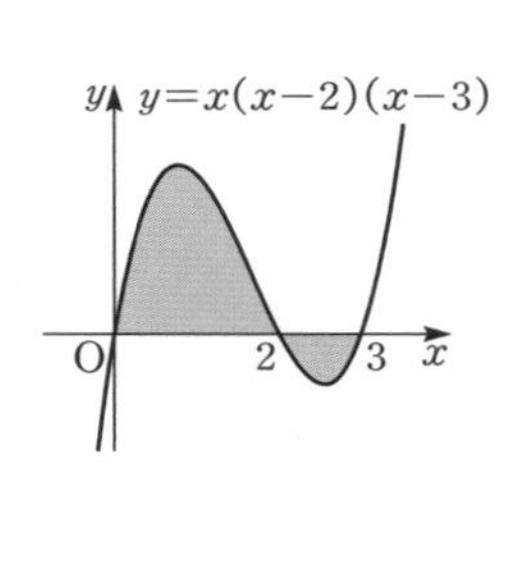

04 다음 곡선과 x축으로 둘러싸인 부분의 넓이 S를 구하여라.

(1) $y=-x^3+x$

(2) $y=4x^3-12x^2+8x$

풍쌤 POINT
함수 $y=f(x)$의 그래프의 x절편을 구한 후 $f(x)$의 값이 양수인 구간과 음수인 구간으로 나누어 넓이를 구한다.

유형 03 곡선과 x축 사이의 넓이 (3)

05 곡선 $y=x^2-4x$와 x축 및 두 직선 $x=-1$, $x=2$로 둘러싸인 부분의 넓이 S를 구하여라.

(1) 곡선과 x축의 교점의 x좌표를 구하여라.

> 풀이 $x^2-4x=0$에서 $x(x-4)=0$
> $\therefore x=0$ 또는 $x=$___

(2) 넓이를 구하는 구간 중에서 $y\geq 0$, $y\leq 0$인 구간을 구하여라.

> 풀이 구간 _______에서 $y\geq 0$, 구간 ______에서 $y\leq 0$이다.

(3) 넓이 S를 구하여라.

> 풀이 $S=\int_{-1}^0 (x^2-4x)dx$
> $-\int_0^2 (x^2-4x)dx$
> $=\left[\frac{1}{3}x^3-2x^2\right]_{-1}^0$
> $-\left[\frac{1}{3}x^3-2x^2\right]_0^2$
> $=$___

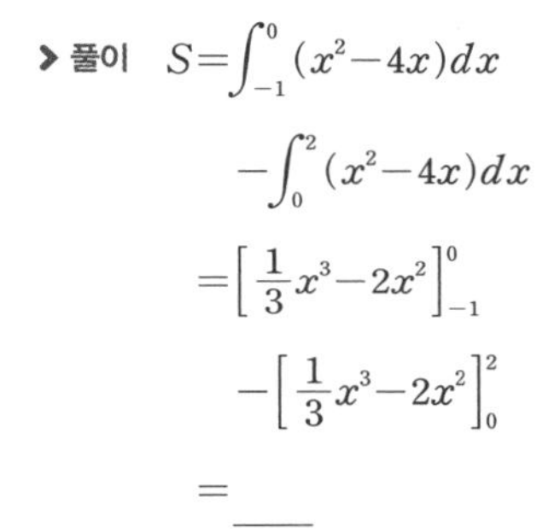

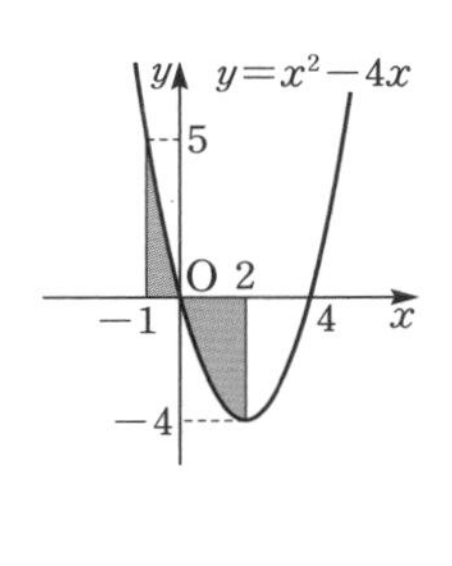

06 다음 넓이 S를 구하여라.

(1) 곡선 $y=-x^2+2x$와 x축 및 두 직선 $x=1$, $x=3$으로 둘러싸인 부분의 넓이 S

(2) 곡선 $y=x^2+3x+2$와 x축 및 두 직선 $x=-2$, $x=0$으로 둘러싸인 부분의 넓이 S

02

곡선과 y축 사이의 넓이

1 곡선과 y축 사이의 넓이

닫힌구간 $[c, d]$에서 연속인 곡선 $x=g(y)$와 y축 및 두 직선 $y=c$, $y=d$로 둘러싸인 부분의 넓이 S는

$$S=\int_c^d |g(y)|dy$$

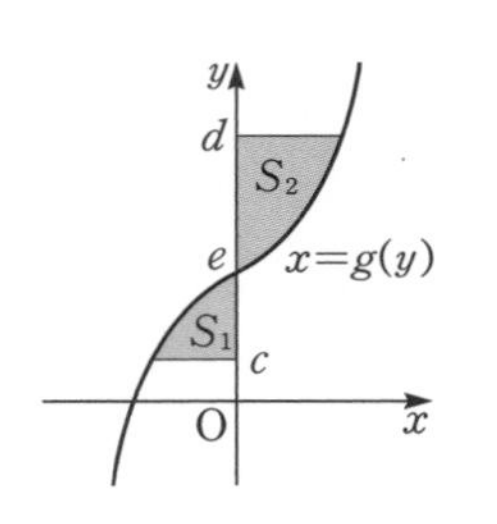

› $S_1=-\int_c^e g(y)dy$,

$S_2=\int_e^d g(y)dy$

$\therefore S=S_1+S_2$

정답과 풀이 064쪽

유형·04 곡선과 y축 사이의 넓이 (1)

07 다음 넓이 S를 구하여라.

(1) 곡선 $x=y^2$과 y축 및 직선 $y=1$로 둘러싸인 부분의 넓이 S

› 풀이 ________에서 $x\geq0$이므로

$S=\int_0^1 y^2dy=\left[\frac{1}{3}y^3\right]_0^1$

$=$ ___

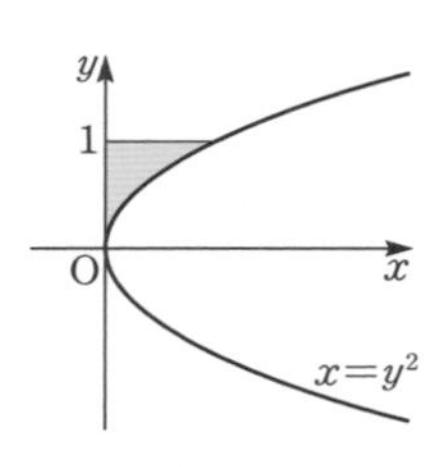

(2) 곡선 $x=y^2-1$과 y축 및 직선 $y=1$, $y=2$로 둘러싸인 부분의 넓이 S

(3) 곡선 $x=-y^2+2y$와 y축 및 직선 $y=2$, $y=3$으로 둘러싸인 부분의 넓이 S

유형·05 곡선과 y축 사이의 넓이 (2)

08 다음 넓이 S를 구하여라.

(1) 곡선 $x=y^2-y$와 y축 및 직선 $y=2$로 둘러싸인 부분의 넓이 S

› 풀이 $y^2-y=0$에서 $y(y-1)=0$

$\therefore y=0$ 또는 $y=1$

$0\leq y\leq1$에서 $x\leq0$,

$1\leq y\leq2$에서 $x\geq0$이므로

$S=-\int_0^1 (y^2-y)dy$

$+\int_1^2 (y^2-y)dy$

$=-\left[\frac{1}{3}y^3-\frac{1}{2}y^2\right]_0^1+\left[\frac{1}{3}y^3-\frac{1}{2}y^2\right]_1^2=$ ___

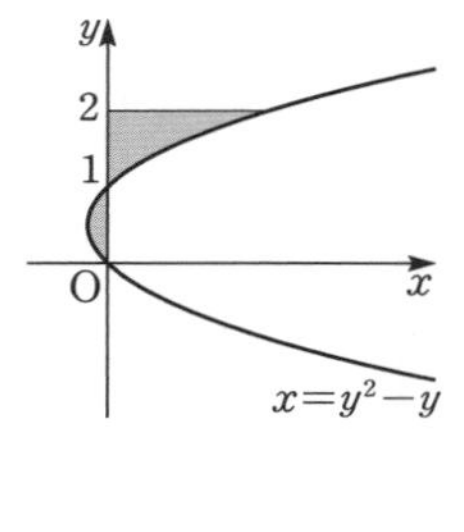

(2) 곡선 $x=-y^2+4$와 y축 및 직선 $y=3$으로 둘러싸인 부분의 넓이 S

풍쌤 POINT

함수 $x=g(y)$의 그래프의 y절편을 구한 후 $g(y)$의 값이 양수인 구간과 음수인 구간으로 나누어 넓이를 구한다.

03

두 곡선 사이의 넓이

❶ 두 곡선 사이의 넓이

닫힌구간 $[a, b]$에서 연속인 두 곡선 $y=f(x)$와 $y=g(x)$ 및 두 직선 $x=a$, $x=b$로 둘러싸인 부분의 넓이 S는

$$S=\int_a^b |f(x)-g(x)|dx$$

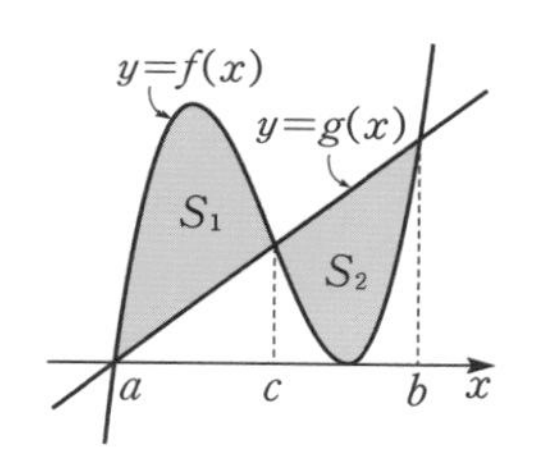

› $S_1=\int_a^c \{f(x)-g(x)\}dx$,
$S_2=\int_c^b \{g(x)-f(x)\}dx$
$\therefore S=S_1+S_2$

유형·06 곡선과 직선 사이의 넓이 (1)

정답과 풀이 065쪽

09 다음 넓이 S를 구하여라.

(1) 곡선 $y=x^2$과 직선 $y=x$로 둘러싸인 부분의 넓이 S

› **풀이** 곡선과 직선의 교점의 x좌표는
$x^2=x$에서
$x^2-x=0$, $x(x-1)=0$
$\therefore x=0$ 또는 $x=$___
$\therefore S=\int_0^1 (x-x^2)dx$
$=\left[\frac{1}{2}x^2-\frac{1}{3}x^3\right]_0^1=$___

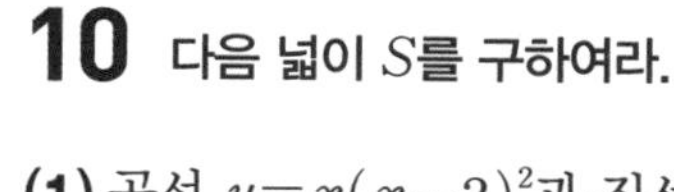

(2) 곡선 $y=x^2+2x$와 직선 $y=x+2$로 둘러싸인 부분의 넓이S

(3) 곡선 $y=x^2+x-3$과 직선 $y=2x-1$로 둘러싸인 부분의 넓이 S

10 다음 넓이 S를 구하여라.

(1) 곡선 $y=x(x-2)^2$과 직선 $y=x$로 둘러싸인 부분의 넓이 S

(2) 곡선 $y=-x^3+x^2+x$와 직선 $y=-x$로 둘러싸인 부분의 넓이 S

풍쌤 POINT

곡선과 직선의 교점의 x좌표를 기준으로 구간을 나누어 정적분을 구한다.
➡ {(위쪽의 식)−(아래쪽의 식)}을 정적분한다.

유형·07 곡선과 직선 사이의 넓이 (2)

11 다음 넓이 S를 구하여라.

(1) 곡선 $x=y^2$과 직선 $x=2y$로 둘러싸인 부분의 넓이 S

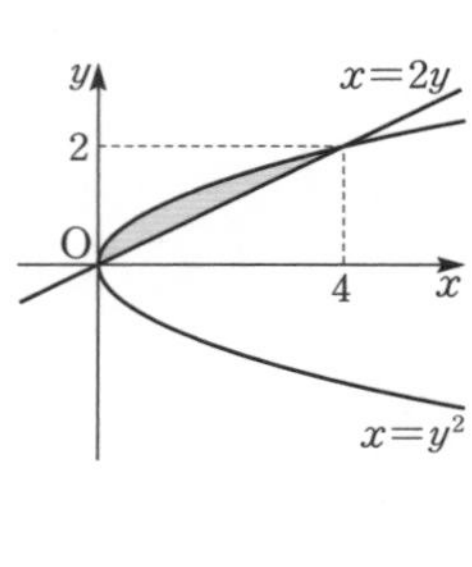

> **풀이** 곡선과 직선의 교점의 y좌표는
> $y^2=2y$에서 $y^2-2y=0$
> $y(y-2)=0$
> $\therefore y=0$ 또는 $y=$__
> $S=\int_0^2 (2y-y^2)dy$
> $=\left[y^2-\frac{1}{3}y^3\right]_0^2$
> $=$___

(2) 곡선 $x=y^2+1$과 직선 $x=y+3$으로 둘러싸인 부분의 넓이 S

(3) 곡선 $x=-y^2+2y$와 직선 $x=-y$로 둘러싸인 부분의 넓이 S

풍쌤 POINT

곡선과 직선의 교점의 y좌표를 기준으로 구간을 나누어 정적분을 구한다.

➡ {(오른쪽의 식)−(왼쪽의 식)}을 정적분한다.

유형·08 두 곡선 사이의 넓이

12 다음 넓이 S를 구하여라.

(1) 두 곡선 $y=x^2-1$, $y=-x^2+2x+3$으로 둘러싸인 부분의 넓이 S

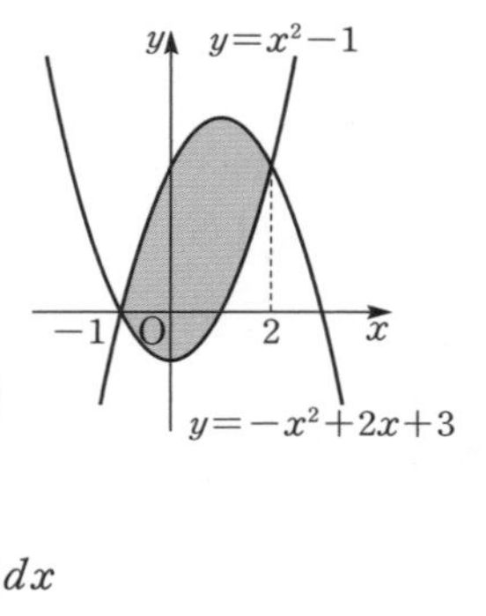

> **풀이** 두 곡선의 교점의 x좌표는
> $x^2-1=-x^2+2x+3$에서
> $2x^2-2x-4=0$
> $2(x+1)(x-2)=0$
> $\therefore x=-1$ 또는 $x=$__
> $\therefore S=\int_{-1}^2 \{(-x^2+2x+3)-(x^2-1)\}dx$
> $=\int_{-1}^2 (-2x^2+2x+4)dx$
> $=\left[-\frac{2}{3}x^3+x^2+4x\right]_{-1}^2$
> $=$__

(2) 두 곡선 $y=x^2-2x+3$, $y=-x^2+4x+11$로 둘러싸인 부분의 넓이 S

(3) 두 곡선 $y=x^3-2x^2$, $y=x^2-2x$로 둘러싸인 부분의 넓이 S

04

포물선 킬러 공식

❶ 포물선과 x축

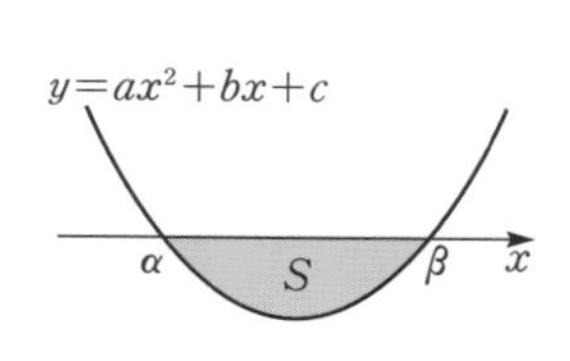

$\Rightarrow S=\left|\dfrac{a}{6}(\beta-\alpha)^3\right|$

❷ 포물선과 직선

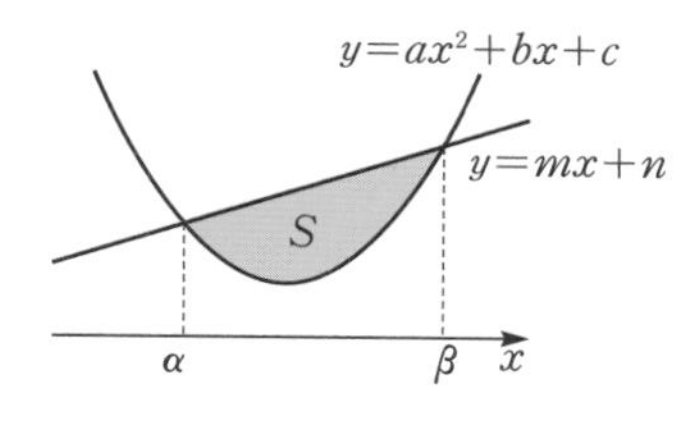

$\Rightarrow S=\left|\dfrac{a}{6}(\beta-\alpha)^3\right|$

❸ 포물선과 포물선

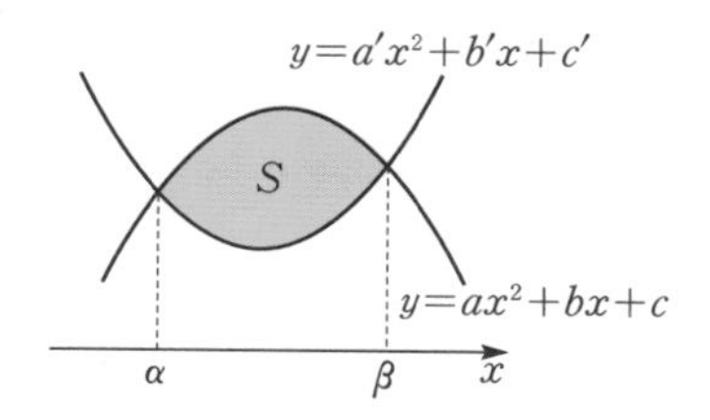

$\Rightarrow S=\left|\dfrac{a-a'}{6}(\beta-\alpha)^3\right|$

정답과 풀이 066쪽

유형 09 포물선과 x축 사이의 넓이

13 다음 포물선과 x축으로 둘러싸인 부분의 넓이 S를 구하여라.

(1) $y=x^2-4x$

> 풀이 포물선과 x축의 교점의 x좌표는
> $x^2-4x=0$에서 $x(x-4)=0$
> $\therefore x=0$ 또는 $x=4$
> $\therefore S=\left|\dfrac{a}{6}(\beta-\alpha)^3\right|=\dfrac{1}{6}(4-0)^3=$ ____

(2) $y=-x^2+9$

(3) $y=x^2-3x-4$

(4) $y=-3x^2+2x+1$

유형 10 포물선과 직선 사이의 넓이

14 다음 넓이 S를 구하여라.

(1) 포물선 $y=x^2+1$과 직선 $y=3x-1$로 둘러싸인 부분의 넓이 S

> 풀이 포물선과 직선의 교점의 x좌표는
> $x^2+1=3x-1$에서 $x^2-3x+2=0$
> $(x-1)(x-2)=0$ $\therefore x=1$ 또는 $x=2$
> $\therefore S=\left|\dfrac{a}{6}(\beta-\alpha)^3\right|=\dfrac{1}{6}(2-1)^3=$ ____

(2) 포물선 $y=-x^2+3x$와 직선 $y=-2x+4$로 둘러싸인 부분의 넓이 S

(3) 포물선 $y=2x^2-x-10$과 직선 $y=-3x+2$로 둘러싸인 부분의 넓이 S

정답과 풀이 066쪽

유형 11 두 포물선 사이의 넓이

15 다음 넓이 S를 구하여라.

(1) 두 포물선 $y=x^2-3x-2$, $y=-x^2+5x-8$로 둘러싸인 부분의 넓이 S

> **풀이** 두 포물선의 교점의 x좌표는
> $x^2-3x-2=-x^2+5x-8$에서 $2x^2-8x+6=0$
> $2(x-1)(x-3)=0$ $\therefore x=1$ 또는 $x=3$
> $\therefore S=\left|\frac{a-a'}{6}(\beta-\alpha)^3\right|=\frac{1-(-1)}{6}(3-1)^3$
> $=$___

(2) 두 포물선 $y=x^2+2x+5$, $y=-x^2-4x+1$로 둘러싸인 부분의 넓이 S

(3) 두 포물선 $y=3x^2+x$, $y=x^2-x$로 둘러싸인 부분의 넓이 S

(4) 두 포물선 $y=2x^2-x$, $y=-x^2+5x+9$로 둘러싸인 부분의 넓이 S

유형 12 포물선 킬러 공식의 활용

16 다음을 구하여라.

(1) 포물선 $y=-x^2+kx$와 x축으로 둘러싸인 부분의 넓이가 36일 때, 양수 k의 값

> **풀이** 포물선과 x축의 교점의 x좌표는
> $-x^2+kx=0$에서 $-x(x-k)=0$
> $\therefore x=0$ 또는 $x=k$
> 포물선과 x축으로 둘러싸인 부분의 넓이는
> $\left|\frac{a}{6}(\beta-\alpha)^3\right|=\left|-\frac{1}{6}(k-0)^3\right|=$___
> 이때 $\frac{1}{6}k^3=36$이므로 $k=$__

(2) 포물선 $y=x^2-2x$와 직선 $y=kx$로 둘러싸인 부분의 넓이가 $\frac{125}{6}$일 때, 양수 k의 값

(3) 포물선 $y=x^2-3x+3k$와 직선 $y=kx$로 둘러싸인 부분의 넓이가 $\frac{32}{3}$일 때, 상수 k의 값 (단, $k>3$)

풍쌤 POINT

포물선 킬러 공식의 활용 문제 푸는 순서

① 포물선 킬러 공식을 이용하여 넓이를 미지수에 대한 식으로 나타낸다.

② 주어진 넓이를 이용하여 미지수의 값을 구한다.

곡선과 x축으로 둘러싸인 두 부분의 넓이가 같을 조건

❶ 곡선과 x축으로 둘러싸인 두 부분의 넓이가 같을 조건

오른쪽 그림과 같은 곡선 $y=f(x)$와 x축으로 둘러싸인 두 부분의 넓이 S_1, S_2가 같을 때,

$$\int_a^c f(x)dx=0$$

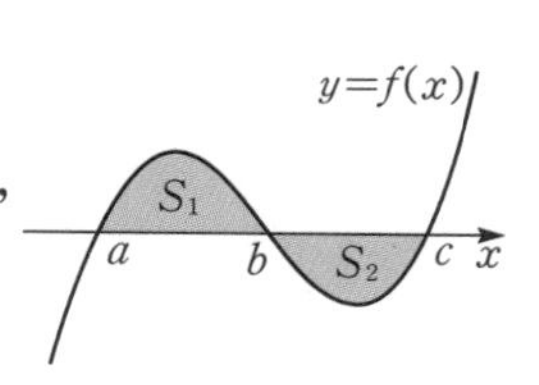

유형 13 곡선과 x축으로 둘러싸인 두 부분의 넓이

정답과 풀이 067쪽

17 다음을 구하여라.

(1) 오른쪽 그림과 같이 곡선 $y=x^2+2x$와 x축 및 직선 $x=k$로 둘러싸인 두 부분의 넓이가 같을 때, 상수 k의 값 (단, $k>0$)

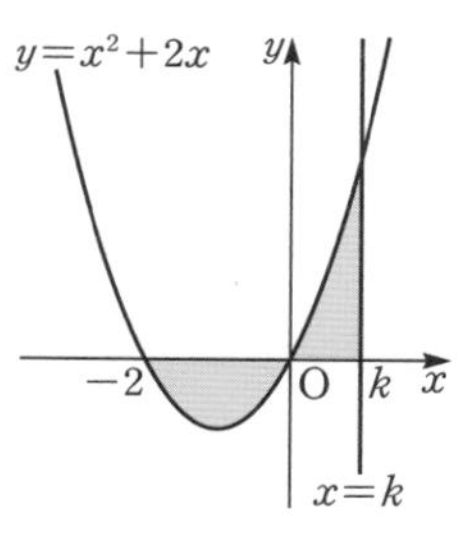

> 풀이 색칠한 두 부분의 넓이가 같으므로

$\int_{-2}^{k}(x^2+2x)dx=0$, $\left[\frac{1}{3}x^3+x^2\right]_{-2}^{k}=0$

$\frac{1}{3}k^3+k^2-\frac{4}{3}=0$, $k^3+3k^2-4=0$

$(k+2)^2(k-1)=0$ $\quad\therefore k=$ __ $(\because k>0)$

(2) 오른쪽 그림과 같이 곡선 $y=3x^2-6x$와 x축 및 직선 $x=k$로 둘러싸인 두 도형의 넓이가 같을 때, k의 값 (단, $k>2$)

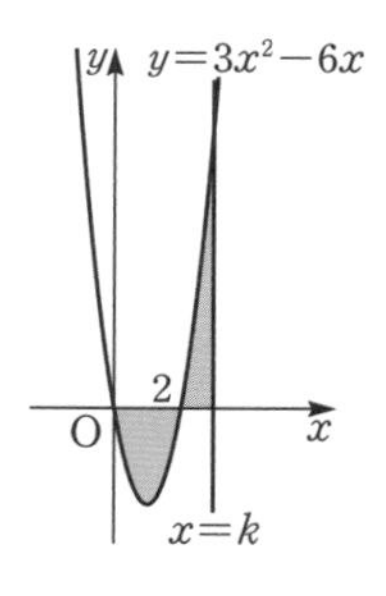

18 다음을 구하여라.

(1) 곡선 $y=x(x-k)(x-1)$과 x축으로 둘러싸인 두 부분의 넓이가 같을 때, 상수 k의 값 (단, $0<k<1$)

> 풀이 곡선과 x축의 교점의 x좌표는

$x(x-k)(x-1)=0$에서

$x=0$ 또는 $x=k$ 또는 $x=1$

$\int_0^1 x(x-k)(x-1)dx=0$

$\int_0^1 \{x^3-(k+1)x^2+kx\}dx=0$

$\left[\frac{1}{4}x^4-\frac{k+1}{3}x^3+\frac{k}{2}x^2\right]_0^1=0$

$\frac{1}{4}-\frac{k+1}{3}+\frac{k}{2}=0$ $\quad\therefore k=$ __

$y=x(x-k)(x-1)$, O, k, 1, x

(2) 곡선 $y=x(x-3)(x-k)$와 x축으로 둘러싸인 두 부분의 넓이가 같을 때, 상수 k의 값 (단, $k>3$)

풍쌤 POINT

x축의 위쪽과 아래쪽의 넓이가 같으면 전체 정적분은 0이다.

곡선과 접선으로 둘러싸인 부분의 넓이

1 곡선과 접선으로 둘러싸인 부분의 넓이

곡선과 접선으로 둘러싸인 부분의 넓이는 다음과 같은 순서로 구한다.

① 접선의 방정식을 구한다.

② 곡선과 접선의 교점의 x좌표를 구한다.

③ 넓이를 구한다.

› 곡선 $y=f(x)$ 위의 점 $(a,\ f(a))$에서의 접선의 방정식은 $y-f(a)=f'(a)(x-a)$

유형 14 곡선과 접선으로 둘러싸인 부분의 넓이

정답과 풀이 067쪽

19 다음 넓이 S를 구하여라.

(1) 곡선 $y=x^2$과 이 곡선 위의 점 $(1,\ 1)$에서의 접선 및 y축으로 둘러싸인 부분의 넓이 S

› 풀이 $f(x)=x^2$으로 놓으면 $f'(x)=2x$

이 곡선 위의 점 $(1,\ 1)$에서의 접선의 기울기는 $f'(1)=2$이고 접선의 방정식은

$y-1=2(x-1)$ $\quad \therefore y=2x-1$

$\therefore S=\int_0^1 \{x^2-(2x-1)\}dx$

$=\int_0^1 (x^2-2x+1)dx$

$=\left[\frac{1}{3}x^3-x^2+x\right]_0^1$

$=$ ____

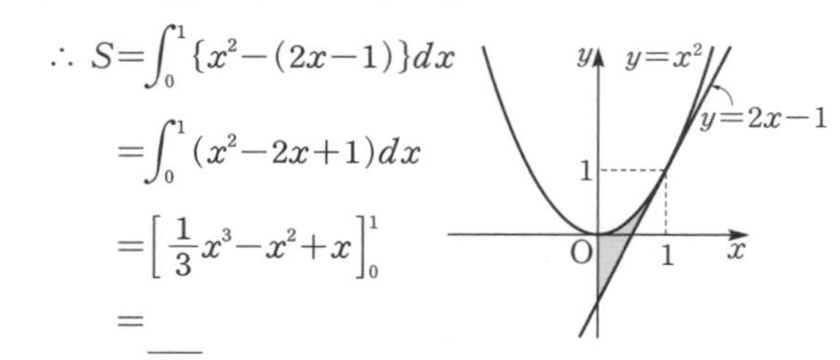

(2) 곡선 $y=\frac{1}{2}x^2+1$과 이 곡선 위의 점 $(-2,\ 3)$에서의 접선 및 y축으로 둘러싸인 부분의 넓이 S

20 다음 넓이 S를 구하여라.

(1) 곡선 $y=x^3$과 이 곡선 위의 점 $(-1,\ -1)$에서의 접선으로 둘러싸인 부분의 넓이 S

› 풀이 $f(x)=x^3$으로 놓으면 $f'(x)=3x^2$

이 곡선 위의 점 $(-1,\ -1)$에서의 접선의 기울기는 $f'(-1)=3$이고 접선의 방정식은

$y-(-1)=3\{x-(-1)\}$ $\quad \therefore y=3x+2$

곡선과 직선의 교점의 x좌표는

$x^3=3x+2$에서 $x^3-3x-2=0$

$(x+1)^2(x-2)=0$

$\therefore x=-1$ 또는 $x=2$

$\therefore S=\int_{-1}^2 \{(3x+2)-x^3\}dx$

$=\int_{-1}^2 (-x^3+3x+2)dx$

$=\left[-\frac{1}{4}x^4+\frac{3}{2}x^2+2x\right]_{-1}^2$

$=$ ____

(2) 곡선 $y=x^3-3x^2+x+2$와 이 곡선 위의 점 $(0,\ 2)$에서의 접선으로 둘러싸인 부분의 넓이 S

함수와 그 역함수의 그래프로 둘러싸인 부분의 넓이

❶ 함수와 그 역함수의 그래프로 둘러싸인 부분의 넓이

함수 $y=f(x)$와 그 역함수 $y=g(x)$의 그래프로 둘러싸인 부분의 넓이는 곡선 $y=f(x)$와 직선 $y=x$로 둘러싸인 부분의 넓이의 2배이다.

➡ $S=\int_{\alpha}^{\beta}\{f(x)-g(x)\}dx=2\int_{\alpha}^{\beta}|f(x)-x|dx$

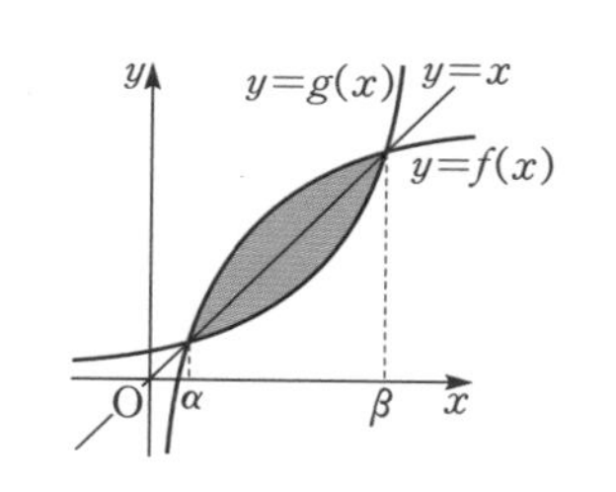

유형 15 역함수와 넓이

정답과 풀이 068쪽

21 다음 넓이 S를 구하여라.

(1) 함수 $f(x)=x^2(x>0)$의 역함수를 $g(x)$라고 할 때,두 곡선 $y=f(x)$, $y=g(x)$로 둘러싸인 부분의 넓이 S

> 풀이 곡선 $y=f(x)$와 직선 $y=x$의 교점의 x좌표는

$x^2=x$에서 $x^2-x=0$

$x(x-1)=0$

$\therefore x=0$ 또는 $x=$__

$\therefore S=2\int_0^1(x-x^2)dx$

$=2\left[\frac{1}{2}x^2-\frac{1}{3}x^3\right]_0^1$

$=$__

(2) 함수 $f(x)=\frac{1}{2}x^2(x>0)$의 역함수를 $g(x)$라고 할 때, 두 곡선 $y=f(x)$, $y=g(x)$로 둘러싸인 부분의 넓이 S

(3) 함수 $f(x)=\frac{1}{9}x^3\,(x>0)$의 역함수를 $g(x)$라고 할 때, 두 곡선 $y=f(x)$, $y=g(x)$로 둘러싸인 부분의 넓이 S

(4) 함수 $f(x)=x^3-3x^2+3x\ (x<1)$의 역함수를 $g(x)$라고 할 때, 두 곡선 $y=f(x)$, $y=g(x)$로 둘러싸인 부분의 넓이 S

풍쌤 POINT

함수 $y=f(x)$의 그래프와 직선 $y=x$ 사이의 넓이를 2배 하면 함수와 그 역함수의 그래프로 둘러싸인 부분의 넓이를 쉽게 구할 수 있다.

위치의 변화량과 움직인 거리

1 위치의 변화량과 움직인 거리

수직선 위를 움직이는 점 P의 시각 t에서의 속도를 $v(t)$, 위치를 $x(t)$라고 하면

① $t=a$에서 $t=b$까지 점 P의 위치의 변화량 ➡ $\int_a^b v(t)dt$

② $t=a$에서 $t=b$까지 점 P가 움직인 거리 ➡ $\int_a^b |v(t)|dt$

③ $t=a$에서 점 P의 위치 ➡ $x(a)=x(0)+\int_0^a v(t)dt$

> 실제로 움직인 거리는 항상 양수의 값을 갖지만 위치의 변화량은 양수 또는 음수가 모두 나올 수 있음에 주의한다.

유형 16 직선 운동에서의 위치와 움직인 거리

22 좌표가 1인 점에서 출발하여 수직선 위를 움직이는 점 P에 대하여 시각 t에서의 속도 $v(t)$가 $v(t)=2t-6$일 때, 다음 물음에 답하여라.

(1) 시각 $t=2$에서 $t=5$까지 점 P의 위치의 변화량

> 풀이 $\int_2^5 (2t-6)dt=\left[t^2-6t\right]_2^5=$__

(2) 시각 $t=2$에서 $t=5$까지 점 P가 실제로 움직인 거리

> 풀이 $\int_2^5 |2t-6|dt$
> $=\int_2^3 (-2t+6)dt+\int_3^5 (2t-6)dt$
> $=\left[-t^2+6t\right]_2^3+\left[t^2-6t\right]_3^5$
> $=$__

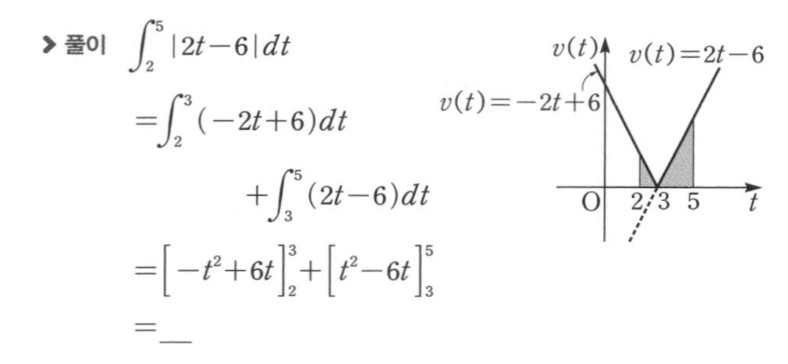

(3) 시각 $t=4$일 때의 점 P의 위치

> 풀이 시각 $t=0$일 때 점 P의 위치가 1이므로 $t=4$일 때의 점 P의 위치는
> $1+\int_0^4 (2t-6)dt=1+\left[t^2-6t\right]_0^4=$____

23 원점을 출발하여 수직선 위를 움직이는 점 P에 대하여 시각 t에서의 속도 $v(t)$가 $v(t)=3t-t^2$일 때, 다음 물음에 답하여라.

(1) 시각 $t=1$에서 $t=4$까지 점 P의 위치의 변화량

(2) 시각 $t=1$에서 $t=4$까지 점 P가 실제로 움직인 거리

(3) 시각 $t=2$일 때의 점 P의 위치

풍쌤 POINT

(1) (위치의 변화량)=(속도의 정적분)
(2) (움직인 거리)=(|속도|의 정적분)
(3) (위치)=(출발점의 위치)+(위치의 변화량)

유형 17 상하 운동에서의 위치와 움직인 거리

정답과 풀이 069쪽

24 지상 30 m의 높이에서 처음 속도 49 m/초로 똑바로 위로 발사한 물체의 t초 후의 속도가 $v(t)=49-9.8t$(m/초)일 때, 다음을 구하여라.

(1) 발사 후 10초가 지났을 때, 지상으로부터의 높이

> 풀이 처음 높이는 30 m이므로 $t=10$(초)일 때의 높이는

$$30+\int_0^{10}(49-9.8t)dt=30+\left[49t-4.9t^2\right]_0^{10}$$
$$=\_\_\_(\text{m})$$

(2) 최고점에 도달했을 때, 지상으로부터의 높이

> 풀이 최고점에 도달했을 때는
$v(t)=49-9.8t=0$에서 $t=\_\_$(초)
따라서 $t=5$(초)일 때의 높이를 구하면 되므로

$$30+\int_0^{5}(49-9.8t)dt=30+\left[49t-4.9t^2\right]_0^{5}$$
$$=\_\_\_\_(\text{m})$$

(3) 발사 후 10초 동안 움직인 거리

> 풀이

$$\int_0^{10}|49-9.8t|dt$$
$$=\int_0^{5}(49-9.8t)dt-\int_5^{10}(49-9.8t)dt$$
$$=\left[49t-4.9t^2\right]_0^{5}-\left[49t-4.9t^2\right]_5^{10}$$
$$=\_\_\_\_(\text{m})$$

25 지상 10 m 높이의 건물 옥상에서 20 m/초의 속도로 똑바로 위로 쏘아 올린 물체의 t초 후의 속도 $v(t)$가 $v(t)=20-10t$(m/초)일 때, 다음을 구하여라.

(1) 발사 후 3초가 지났을 때, 지상으로부터의 높이

(2) 최고점에 도달했을 때, 지상으로부터의 높이

(3) 발사 후 3초 동안 움직인 거리

26 지상 50 m 높이의 건물 옥상에서 25 m/초의 속도로 똑바로 위로 쏘아 올린 물체의 t초 후의 속도 $v(t)$가 $v(t)=25-5t$(m/초)일 때, 다음을 구하여라.

(1) 발사 후 6초가 지났을 때, 지상으로부터의 높이

(2) 최고점에 도달했을 때, 지상으로부터의 높이

(3) 발사 후 6초 동안 움직인 거리

풍쌤 POINT

위로 던져진 물체는 최대 높이에서 멈춘 후 다시 밑으로 떨어지게 된다. 즉, 최대 높이에서 $v(t)=0$임을 이용한다.

속도의 그래프

1 속도의 그래프

오른쪽 그림과 같이 속도 $v(t)$의 그래프가 주어지고, 각 부분의 넓이를 S_1, S_2라고 할 때, $t=a$에서 $t=b$까지

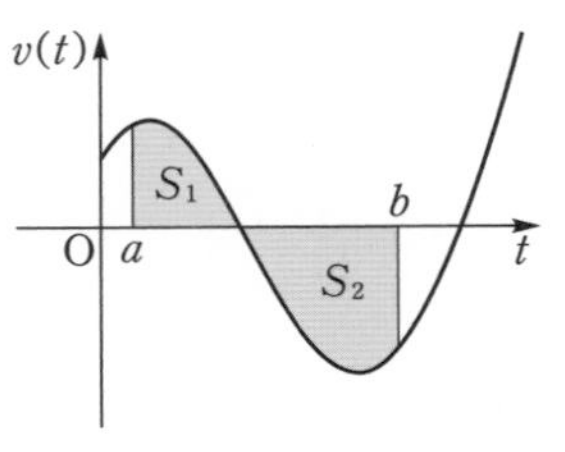

① 위치의 변화량: $\int_a^b v(t)dt=S_1-S_2$ ➡ 정적분의 값

② 움직인 거리: $\int_a^b |v(t)|dt=S_1+S_2$ ➡ 넓이의 합

유형 18 속도의 그래프

정답과 풀이 070쪽

27 원점을 출발하여 수직선 위를 움직이는 점 P의 시각 t에서의 속도 $v(t)$의 그래프가 오른쪽 그림과 같을 때, 다음을 구하여라.

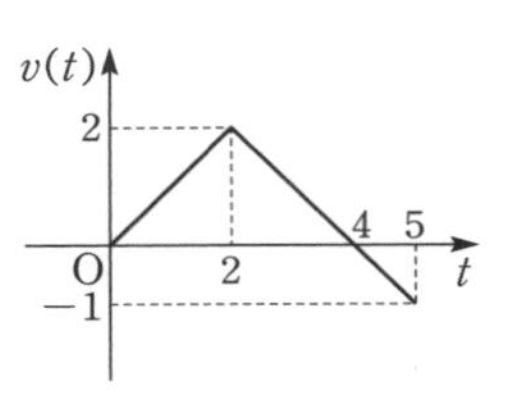

(1) 운동 방향을 바꿀 때까지 점 P가 실제로 움직인 거리

> **풀이** 시각 $t=4$일 때 운동 방향을 바꾸므로 이때까지 움직인 거리는
>
> $\int_0^4 v(t)dt=\frac{1}{2}\times4\times2=$___

(2) 시각 $t=0$에서 $t=5$까지 점 P가 실제로 움직인 거리

> **풀이** 실제로 움직인 거리는 속도의 그래프와 t축 사이의 넓이와 같으므로
>
> $\int_0^5 |v(t)|dt=\int_0^4 |v(t)|dt+\int_4^5 |v(t)|dt$
>
> $=\frac{1}{2}\times4\times2+\frac{1}{2}\times1\times1=$___

(3) 시각 $t=5$일 때의 점 P의 위치

> **풀이** 출발점의 위치가 0이므로 시각 $t=5$일 때의 점 P의 위치는
>
> $0+\int_0^5 v(t)dt=\int_0^4 v(t)dt+\int_4^5 v(t)dt$
>
> $=\frac{1}{2}\times4\times2+\left(-\frac{1}{2}\times1\times1\right)=$___

28 원점을 출발하여 수직선 위를 움직이는 점 P의 시각 t에서의 속도 $v(t)$의 그래프가 오른쪽 그림과 같을 때, 다음을 구하여라.

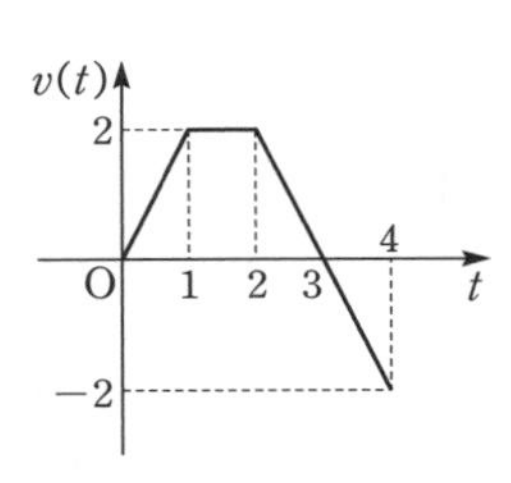

(1) 운동 방향을 바꿀 때까지 점 P가 실제로 움직인 거리

(2) 시각 $t=0$에서 $t=4$까지 점 P가 실제로 움직인 거리

(3) 시각 $t=4$일 때의 점 P의 위치

풍쌤 POINT

$v(t)>0$이면 점 P는 양의 방향으로 움직이고

$v(t)<0$이면 점 P는 음의 방향으로 움직인다.

· 중단원 점검문제 ·

정답과 풀이 070쪽

01

곡선 $y=-x^2-x+2$와 x축으로 둘러싸인 부분의 넓이를 구하여라.

02

곡선 $y=x(x+1)(x-2)$와 x축으로 둘러싸인 부분의 넓이를 구하여라.

03

곡선 $x=3y^2+6y$와 y축 및 직선 $y=2$로 둘러싸인 부분의 넓이를 구하여라.

04

곡선 $y=-x^2$과 직선 $y=-2x-3$으로 둘러싸인 부분의 넓이를 구하여라.

05

곡선 $y=x^2-3x$와 두 직선 $y=x$, $x=-1$로 둘러싸인 부분의 넓이를 구하여라.

06

곡선 $y=x(x-3)^2$과 직선 $y=x$로 둘러싸인 부분의 넓이를 구하여라.

07

두 곡선 $y=-x^3+x^2+2x$, $y=x^2-2x$로 둘러싸인 부분의 넓이를 구하여라.

08

포물선 $y=-2x^2+3x+6$과 직선 $y=-x-10$으로 둘러싸인 부분의 넓이를 구하여라.

09

두 포물선 $y=2x^2-3x$, $y=-x^2+9x-9$로 둘러싸인 부분의 넓이를 구하여라.

10

포물선 $y=x^2-4x$와 직선 $y=kx$로 둘러싸인 부분의 넓이가 36일 때, 양수 k의 값을 구하여라.

11

곡선 $y=x(x-2)(x-k)$와 x축으로 둘러싸인 두 부분의 넓이가 같을 때, 상수 k의 값을 구하여라. (단, $k>2$)

12

곡선 $y=x^2-x+2$와 이 곡선 위의 점 $(1,\ 2)$에서의 접선 및 y축으로 둘러싸인 부분의 넓이를 구하여라.

13

함수 $f(x)=\frac{1}{4}x^3\ (x>0)$의 역함수를 $g(x)$라고 할 때, 두 곡선 $y=f(x)$, $y=g(x)$로 둘러싸인 부분의 넓이를 구하여라.

14

원점을 출발하여 수직선 위를 움직이는 점 P에 대하여 시각 t에서의 속도 $v(t)$가 $v(t)=4-t$일 때, 시각 $t=0$에서 $t=5$까지 점 P가 실제로 움직인 거리를 구하여라.

15

어떤 물로켓을 지면에서 똑바로 위로 발사하였을 때, 이 물로켓의 t초 후의 속도는 $v(t)=-t^2+12t+45$(m/초)이다. 이 물로켓이 최고점에 도달했을 때, 지면으로부터의 높이를 구하여라.

16

원점을 출발하여 수직선 위를 7초 동안 움직인 점 P의 t초 후의 속도 $v(t)$의 그래프가 오른쪽 그림과 같다. 7초 동안 점 P가 실제로 움직인 거리를 구하여라.

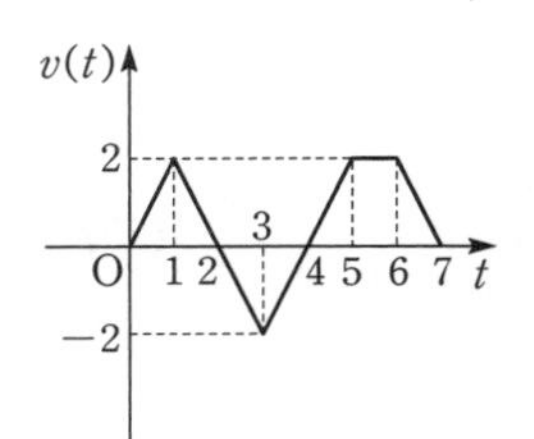

Ⅰ 함수의 극한과 연속

Ⅰ-1 | 함수의 극한 006~027쪽

01 (1) 0 (2) 3

02 (1) 4 (2) 0

03 (1) 5 (2) 1

04 (1) -2 (2) -2

05 (1) 2 (2) 1 (3) $\sqrt{2}$ (4) 3 (5) 1

06 (1) 2 (2) -2 (3) $\frac{1}{4}$

07 (1) 3 (2) $-\frac{1}{5}$

08 (1) ∞ (2) $-\infty$ (3) ∞ (4) ∞ (5) $-\infty$

09 (1) ∞ (2) $-\infty$ (3) ∞ (4) ∞ (5) $-\infty$ (6) ∞ (7) ∞ (8) $-\infty$ (9) $-\infty$

10 (1) 0 (2) 0

11 (1) 1 (2) 1

12 (1) 0 (2) 1 (3) 0 (4) -2

13 (1) ∞ (2) $-\infty$

14 (1) $-\infty$ (2) $-\infty$

15 $-\infty$

16 (1) ∞ (2) $-\infty$ (3) ∞ (4) $-\infty$ (5) ∞ (6) ∞

17 (1) 0 (2) 0 (3) 0 (4) 2 (5) 1
(6) 극한이 존재하지 않는다.
(7) 2 (8) 2 (9) 2

18 (1) -1 (2) -1 (3) -1 (4) -1 (5) 2
(6) 극한이 존재하지 않는다.

19 (1) 1 (2) -1 (3) 극한이 존재하지 않는다.

20 (1) 1 (2) 1 (3) 1

21 (1) -1 (2) -2 (3) 극한이 존재하지 않는다.

22 (1) 극한이 존재하지 않는다.
(2) 극한이 존재하지 않는다.
(3) 극한이 존재하지 않는다.

23 (1) -1 (2) 1 (3) 극한이 존재하지 않는다.

24 (1) -1 (2) 1 (3) 극한이 존재하지 않는다.

25 (1) 6 (2) -3 (3) 7 (4) -10 (5) $-\frac{2}{5}$

26 (1) 0 (2) -22 (3) -120 (4) 36 (5) 2

27 (1) 8 (2) 9 (3) -1 (4) 1 (5) $-\frac{1}{3}$ (6) $\frac{1}{3}$

28 (1) 11 (2) -1 (3) 18 (4) 13 (5) 4 (6) 2

29 (1) -40 (2) 12 (3) 2 (4) -2 (5) $\frac{1}{2}$ (6) $-\frac{1}{5}$

30 (1) 7 (2) 22 (3) 6 (4) -8 (5) 4

31 (1) -3 (2) $\frac{1}{7}$ (3) -2 (4) $\frac{1}{6}$ (5) -5 (6) $\frac{3}{5}$
(7) 3 (8) 3

32 (1) 2 (2) $\frac{1}{6}$ (3) 32 (4) $-\frac{1}{2}$ (5) $\frac{1}{4}$ (6) $-\frac{2}{3}$
(7) 4 (8) 36 (9) $\frac{1}{4}$ (10) $2\sqrt{10}$

33 (1) 4 (2) 2 (3) $\frac{3}{2}$ (4) $-\frac{3}{2}$ (5) 2 (6) 4 (7) -3 (8) 2

34 (1) 0 (2) 0 (3) 0 (4) 0 (5) 0

35 (1) ∞ (2) ∞ (3) ∞ (4) ∞ (5) ∞

36 (1) ∞ (2) ∞ (3) $-\infty$ (4) ∞ (5) ∞

37 (1) $-\frac{3}{2}$ (2) 1 (3) 0 (4) $-\frac{7}{2}$ (5) 0 (6) 0
(7) -2 (8) $\frac{5}{2}$

38 (1) 2 (2) $-\frac{1}{2}$ (3) -2 (4) $\frac{1}{3}$ (5) 1

39 (1) -1 (2) $\frac{1}{4}$ (3) $-\frac{1}{9}$ (4) -2 (5) $\frac{1}{6}$

40 (1) $-\frac{1}{2}$ (2) $\frac{1}{2}$ (3) $\frac{1}{2}$ (4) $-\frac{1}{8}$

41 (1) 8 (2) 1 (3) 5

42 (1) $b=-a-1$ (2) $a=1$, $b=-2$

43 (1) $a=-2$, $b=-2$ (2) $a=7$, $b=6$
(3) $a=2\sqrt{2}$, $b=4$ (4) $a=1$, $b=-2$

44 (1) 4 (2) -6 (3) 3

45 (1) $b=3a-9$ (2) $a=-1$, $b=-12$

46 (1) $a=2$, $b=-8$ (2) $a=4$, $b=6$
(3) $a=2$, $b=2$ (4) $a=6$, $b=-2$

47 (1) 5 (2) 5 (3) 5

48 (1) 2 (2) 2 (3) 2

49 (1) 5 (2) 2 (3) 3 (4) $\frac{1}{4}$

중단원 점검문제 | Ⅰ-1. 함수의 극한 028-029쪽

01 -5

02 ∞

03 1

04 -3

05 $\lim_{x \to -2} f(x)$는 존재하지 않는다.

06 -2

07 30

08 $\frac{4}{3}$

09 12

10 -3

11 3 **12** 2 **13** $-\frac{1}{4}$ **14** -54

15 -2 **16** 2

I-2 함수의 연속 030~037쪽

01 (1) 불연속, ㄴ (2) 연속 (3) 불연속, ㄱ

02 (1) 연속 (2) 연속 (3) 불연속 (4) 불연속 (5) 불연속

03 (1) 연속 (2) 연속 (3) 불연속 (4) 연속 (5) 불연속

04 (1) -2 (2) 10 (3) 7

05 (1) $a=-2,\ b=3$ (2) $a=4,\ b=6$ (3) $a=-2,\ b=\frac{1}{4}$

06 (1) $(1,\ 4]$ (2) $[-2,\ 3]$ (3) $(-\infty,\ 5)$ (4) $[-3,\ \infty)$

07 (1) $[1,\ \infty)$ (2) $(-\infty,\ \infty)$
(3) $(-\infty,\ -1)\cup(-1,\ \infty)$ (4) $[-2,\ 2]$

08 (1) $(-\infty,\ 0)\cup(0,\ \infty)$ (2) $(-\infty,\ \infty)$
(3) $(-\infty,\ \infty)$ (4) $(-\infty,\ 9]$
(5) $(-\infty,\ 2)\cup(2,\ \infty)$
(6) $(-\infty,\ -1)\cup(-1,\ 1)\cup(1,\ \infty)$

09 (1) -3 (2) 6 (3) -2 (4) -1

10 (1) ○ (2) ○ (3) ○ (4) × (5) ×

11 (1) $(-\infty,\ \infty)$ (2) $(-\infty,\ \infty)$ (3) $(-\infty,\ \infty)$
(4) $(-\infty,0)\cup(0,4)\cup(4,\infty)$

12 (1) 최댓값: 3, 최솟값: 0 (2) 최댓값: 1, 최솟값은 없다.

13 (1) 최댓값: 4, 최솟값: 0 (2) 최댓값은 없다., 최솟값: 0

14 (1) 최댓값: 5, 최솟값: -4 (2) 최댓값: 5, 최솟값은 없다.
(3) 최댓값: 2, 최솟값: 1 (4) 최댓값은 없다., 최솟값: 4

15 (가) 연속 (나) 연속 (다) 사잇값의 정리

16 풀이 참조 **17** 풀이 참조

18 (가) $<$ (나) 사잇값의 정리 (다) 실근

19 풀이 참조

중단원 점검문제 | I-2. 함수의 연속 038쪽

01 불연속 **02** 12

03 $(-\infty,\ 3]$ **04** 1

05 $\left(-\infty,\ \frac{1}{2}\right)\cup\left(\frac{1}{2},\ \infty\right)$ **06** $\frac{4}{3}$

07 풀이 참조 **08** ㄴ

Ⅱ 미분

Ⅱ-1 미분계수와 도함수 040~053쪽

01 (1) 2 (2) 3 (3) $2a+\Delta x$

02 (1) -3 (2) 1 (3) $-2a-h+2$

03 (1) 5 (2) -18 **04** (1) -2 (2) 8 (3) -4

05 (1) 2 (2) -1 (3) -1 (4) 4

06 (1) -1 (2) -12 (3) -2 (4) -23

07 (1) 2 (2) -10 (3) -5 (4) 2 (5) 3

08 (1) 3 (2) 2 (3) 4 **09** (1) 1 (2) -8 (3) 1

10 (1) $2f'(a)$ (2) $-3f'(a)$ (3) $2f'(a)$ (4) 0

11 (1) 6 (2) -4 **12** (1) 15 (2) 3

13 (1) $2f'(a)$ (2) $f'(a)$ **14** (1) -16 (2) 2

15 (1) 1 (2) $\frac{2}{3}$ (3) $\frac{1}{2}$ (4) 4 (5) 2

16 (1) $\frac{3}{4}$ (2) $\frac{1}{4}$ (3) $\frac{5}{8}$ (4) 20 (5) $\frac{32}{3}$

17 (1) $f(a)-af'(a)$ (2) $2af(a)-a^2f'(a)$

18 (1) -10 (2) -33 **19** (1) × (2) × (3) ○

20 (1) 연속이지만 미분가능하지 않다.
(2) 연속이지만 미분가능하지 않다.
(3) 연속이고 미분가능하다.

21 (1) $f'(x)=2$ (2) $f'(x)=0$
(3) $f'(x)=2x-1$ (4) $f'(x)=-3x^2$

22 (1) $f'(x)=-2x$ (2) -2

23 (1) -5 (2) 9 (3) 12

24 (1) $y'=3x^2$ (2) $y'=5x^4$ (3) $y'=8x^7$
(4) $y'=10x^9$ (5) $y'=26x^{25}$

25 (1) $y'=0$ (2) $y'=0$ (3) $y'=0$ (4) $y'=0$

26 (1) $y'=-15x^2$ (2) $y'=4x^5$
(3) $y'=2$ (4) $y'=-4$
(5) $y'=12x$ (6) $y'=-2x+5$
(7) $y'=3x^2-4x$ (8) $y'=6x^2-8x+3$
(9) $y'=4x^3+6x$ (10) $y'=-4x^3-14x+2$
(11) $y'=10x^4-9x^2-10x$ (12) $y'=-15x^4+16x+2$

27 (1) $y'=x^3+x^2+x-1$ (2) $y'=4x^4-3x^3+2x^2$

28 (1) 6 (2) -1 (3) 5 (4) 16

29 (1) $y'=15x^2-10x-3$
(2) $y'=12x-7$
(3) $y'=-30x^4-8x^3$
(4) $y'=4x^3-3x^2+16x-6$
(5) $y'=10x^4-12x^3-8x+6$
(6) $y'=7x^6-16x^3-3x^2$

30 (1) $y'=15x^2-4x-13$
(2) $y'=18x^2+38x+1$
(3) $y'=4x^3-3x^2+2x-1$

31 (1) $y'=9(3x-1)^2$
(2) $y'=5(x+2)^4$
(3) $y'=4x^3-6x^2+6x-2$

32 (1) 13 (2) 5 (3) 4

33 (1) -10 (2) 10 (3) -13

34 (1) $a=10,\ b=-5$ (2) $a=2,\ b=0$
(3) $a=\frac{3}{2},\ b=\frac{1}{2}$ (4) $a=5,\ b=-7$

35 (1) $-3x+5$ (2) $5x-4$ (3) $-10x-4$ (4) $9x+7$

36 (1) $a=-7,\ b=6$ (2) $a=-32,\ b=48$
(3) $a=-2,\ b=16$ (4) $a=-4,\ b=16$

중단원 점검문제 | Ⅱ-1. 미분계수와 도함수 054-055쪽

01 -8 **02** 1 **03** 10 **04** $6f'(a)$

05 -3 **06** $-\frac{1}{2}$ **07** -8

08 연속이지만 미분가능하지 않다.

09 (1) $f'(x)=-4x$ (2) $f'(x)=-4x$

10 $y'=20x^3-9x^2+12x-4$

11 $y'=12x(2x^2-3)^2$ **12** 1

13 15 **14** -1 **15** $-5x-12$ **16** -4

Ⅱ-2 | 도함수의 활용 056~085쪽

01 (1) $y=-2x-1$ (2) $y=2x+5$ (3) $y=4x$

02 (1) $y=\frac{1}{4}x+\frac{29}{4}$ (2) $y=\frac{1}{5}x-\frac{6}{5}$ (3) $y=-\frac{1}{3}x-7$

03 (1) $(2,\ 3)$ (2) $y=-x+5$

04 (1) $(-1,\ -3),\ (1,\ 3)$ (2) $y=5x+2,\ y=5x-2$

05 (1) $y=3x-2$ (2) $y=-2x-5$
(3) $y=-3x-4$ (4) $y=x-\frac{16}{3},\ y=x+\frac{16}{3}$

06 (1) 2 (2) $(-1,\ 2)$ (3) $y=2x+4$

07 (1) $y=-x-16$ (2) $y=-2x+6$ (3) $y=3x+4,\ y=3x$

08 (1) 4 (2) $(2,\ 6)$ (3) $y=4x-2$

09 (1) $y=-x+2$ (2) $y=3x-16,\ y=3x+16$

10 (1) $y=-x-3,\ y=3x-3$ (2) $y=2x+1,\ y=-2x+9$
(3) $y=-7x,\ y=x$ (4) $y=3x-1$
(5) $y=x+1$

11 (1) $a=-2,\ b=1$ (2) $a=3,\ b=0$ (3) $a=-2,\ b=6$

12 (1) $a=-5,\ b=3$ (2) $a=-1,\ b=-3$
(3) $a=4,\ b=-9$

13 (1) $\frac{3}{2}$ (2) 2 (3) 1 (4) $\frac{\sqrt{3}}{3}$ (5) $-\frac{5}{3}$ (6) 0

14 (1) $\frac{1}{2}$ (2) $\frac{5}{2}$ (3) 2 (4) $\sqrt{3}$ (5) 1 (6) $-\frac{4}{3}$

15 (1) 증가 (2) 감소 (3) 증가 (4) 감소

16 (1) 증가 (2) 감소 (3) 증가 (4) 증가

17 (1) 구간 $(-\infty,\ 0],\ [2,\ \infty)$에서 증가,
구간 $[0,\ 2]$에서 감소
(2) 구간 $[2,\ \infty)$에서 증가, 구간 $(-\infty,\ 2]$에서 감소
(3) 구간 $(-\infty,\ 1]$에서 증가, 구간 $[1,\ \infty)$에서 감소
(4) 구간 $(-\infty,\ -1],\ [2,\ \infty)$에서 증가,
구간 $[-1,\ 2]$에서 감소
(5) 구간 $[0,\ 6]$에서 증가,
구간 $(-\infty,\ 0],\ [6,\ \infty)$에서 감소
(6) 구간 $(-\infty,\ \infty)$에서 증가
(7) 구간 $[-1,\ 0],\ [1,\ \infty)$에서 증가,
구간 $(-\infty,\ -1],\ [0,\ 1]$에서 감소
(8) 구간 $(-\infty,\ 1]$에서 증가, 구간 $[1,\ \infty)$에서 감소

18 (1) $0\le a\le\frac{1}{3}$ (2) $-3\le a\le 0$ (3) $-12\le a\le 0$

19 (1) $a\le 3$ (2) $a\le -24$ (3) $a\ge 33$

20 (1) 극댓값: 3, 극솟값: -2
(2) 극댓값: 9, 극솟값: 3
(3) 극댓값: 없다., 극솟값: 0

21 (1) $b,\ f$ (2) $d,\ g$

22 (1) $f'(x)=3x^2-12x+9$ (2) $x=1$ 또는 $x=3$
(3) 풀이 참조 (4) 극댓값: 4, 극솟값: 0

23 (1) $f'(x)=4x^3-4x^2$ (2) $x=0$ 또는 $x=1$
(3) 풀이 참조 (4) 극댓값: 없다., 극솟값: $-\frac{7}{3}$

24 (1) 극댓값: 8, 극솟값: -24
(2) 극댓값: 4, 극솟값: 0
(3) 극댓값: 3, 극솟값: -5
(4) 극댓값: 0, 극솟값: -1

25 (1) 극댓값: 2, 극솟값: 없다.
(2) 극댓값: 없다., 극솟값: $\frac{53}{32}$
(3) 극댓값: $\frac{11}{16}$, 극솟값: 없다.
(4) 극값을 갖지 않는다.

26 (1) $a=1$, $b=4$ (2) $a=-6$, $b=-4$
(3) $a=0$, $b=3$ (4) $a=3$, $b=-12$

27 풀이 참조 **28** 풀이 참조

29 (1) $a<-\sqrt{3}$ 또는 $a>\sqrt{3}$ (2) $a>-3$
(3) $a<-6$ 또는 $a>0$ (4) $a<0$ 또는 $a>1$

30 (1) $-9\le a\le 0$ (2) $a\le 0$ 또는 $a\ge 3$
(3) $-3\le a\le 0$ (4) $a\ge\frac{1}{6}$

31 풀이 참조 **32** 풀이 참조

33 (1) $-\frac{9}{8}<a<0$ 또는 $a>0$ (2) $a=0$ 또는 $a\le-\frac{9}{8}$

34 (1) $a<0$ 또는 $0<a<6$ (2) $a=0$ 또는 $a\ge 6$

35 (1) $a<-3$ 또는 $-3<a<-\frac{3}{4}$
(2) $a=-3$ 또는 $a\ge-\frac{3}{4}$

36 (1) $a<0$ 또는 $0<a<\frac{3}{2}$ (2) $a=0$ 또는 $a\ge\frac{3}{2}$

37 (1) 최댓값: 6, 최솟값: 2
(2) 최댓값: $\frac{5}{2}$, 최솟값: -11
(3) 최댓값: 3, 최솟값: -29
(4) 최댓값: 18, 최솟값: -2
(5) 최댓값: 7, 최솟값 : -25
(6) 최댓값: 10, 최솟값: 1

38 (1) 12 (2) 2 (3) $a=\frac{1}{3}$, $b=3$

39 (1) $0<x<2\sqrt{3}$
(2) $S(x)=-2x^3+24x\,(0<x<2\sqrt{3})$
(3) 32

40 $12\sqrt{3}$

41 (1) $0<x<3$
(2) $V(x)=4x^3-24x^2+36x\,(0<x<3)$
(3) 16 cm^3

42 1024 cm^3

43 (1) 3 (2) 2 (3) 1 (4) 3 (5) 2 (6) 4

44 (1) 3 (2) 2 (3) 1

45 (1) $0<a<4$ (2) $a=0$ 또는 $a=4$
(3) $a<0$ 또는 $a>4$

46 (1) $-5<a<3$ (2) $a=-5$ 또는 $a=3$
(3) $a<-5$ 또는 $a>3$

47 (1) $-1<a<1$ (2) $a=\pm 1$
(3) $a<-1$ 또는 $a>1$

48 (1) $-27<a<5$ (2) $a=-27$ 또는 $a=5$
(3) $a<-27$ 또는 $a>5$

49 풀이 참조

50 (1) 1 (2) 4 **51** (1) -9 (2) -6

52 (1) 3 (2) 9 **53** (1) 7 (2) -18

54 (1) -1 (2) 속도: 1, 가속도: 2 (3) $\frac{3}{2}$

55 (1) $-\frac{17}{3}$ (2) 속도: -27, 가속도: -6 (3) 12

56 (1) -1 (2) 속도: 9, 가속도: -6 (3) 2

57 (1) -5 m/초 (2) $\frac{1}{2}$초, $\frac{45}{4}$ m (3) -15 m/초

58 (1) 10 m/초 (2) 2초, 80 m (3) -40 m/초

59 (1) 10 m/초 (2) 3초, 45 m (3) -30 m/초

60 (1) $\frac{dl}{dt}=2t-4$ (2) 2

61 (1) $\frac{dl}{dt}=4t+1$ (2) 9

62 (1) $\frac{dS}{dt}=8t+3$ (2) 11

63 (1) $\frac{dV}{dt}=3(t+3)^2$ (2) 75

중단원 점검문제 | Ⅱ-2. 도함수의 활용 086-088쪽

01 $y=-7x+13$ **02** $y=\frac{1}{3}x+\frac{16}{3}$

03 $y=2x+29$, $y=2x+2$

04 $y=-2x+5$ **05** $y=-x$, $y=3x-4$

06 -2 **07** 2 **08** 1 **09** -1

10 구간 $(-\infty, 1]$, $[2, \infty)$에서 증가, 구간 $[1, 2]$에서 감소

11 $0\le a\le 3$ **12** $a\le 9$

13 극댓값: $-\frac{1}{2}$, 극솟값: -1 **14** 15

15 풀이 참조 **16** $0\le a\le 6$

17 $a<0$ 또는 $0<a<\frac{9}{8}$ **18** 최댓값: 7, 최솟값: -20

19 5 **20** 2

21 풀이 참조 **22** 속도: 4, 가속도: 12

23 1초, 35 m **24** 17

Ⅲ 적분

Ⅲ-1 | 부정적분 090~096쪽

01 (1) $f(x)=3$ (2) $f(x)=2x-4$
(3) $f(x)=-x+5$ (4) $f(x)=3x^2-4x+7$

02 (1) x^2+C (2) $9x+C$ (3) $-x^3+C$ (4) $2x^4+C$

03 (1) $5x+C$ (2) $-\frac{1}{2}x+C$ (3) $\frac{1}{3}x^3+C$
(4) $\frac{1}{6}x^6+C$ (5) $\frac{1}{11}x^{11}+C$

04 (1) $2x^2+C$ (2) x^3+C (3) $-3x^4+C$
(4) $\frac{1}{25}x^5+C$ (5) x^8+C

05 (1) x^3-x^2+3x+C (2) $4x^2-7x+C$
(3) $5x^3+3x^2+C$ (4) $\frac{1}{2}x^4+\frac{1}{2}x^3+C$
(5) $-\frac{1}{7}x^7+2x^6+C$ (6) x^4-x^3+x+C
(7) $2x^5+x^2-5x+C$ (8) $\frac{1}{15}x^5-4x^4-2x^2+C$
(9) $\frac{1}{4}x^4-\frac{1}{3}x^3+\frac{1}{2}x^2-x+C$
(10) $x^{10}-x^9+x^8-x^7+C$

06 (1) x^3+12x^2+C (2) $3x^4-\frac{2}{3}x^3+C$
(3) $2x^5+5x^4-10x^3+C$ (4) $\frac{2}{3}x^3-\frac{5}{2}x^2+3x+C$
(5) x^3-x^2-8x+C (6) $\frac{1}{4}x^4-\frac{9}{2}x^2+C$
(7) $\frac{1}{5}x^5-\frac{4}{3}x^3+C$ (8) $3x^3+3x^2+x+C$
(9) $\frac{1}{4}x^4-x^3+\frac{3}{2}x^2-x+C$ (10) $\frac{1}{4}x^4+\frac{8}{3}x^3+8x^2+C$

07 (1) $\frac{1}{4}x^4-x+C$ (2) $\frac{1}{4}x^4+8x+C$
(3) $\frac{1}{2}x^2+x+C$ (4) $\frac{1}{2}x^2-3x+C$
(5) $\frac{1}{3}x^3-\frac{1}{2}x^2+x+C$

08 (1) x^3+x^2+x+C (2) $-\frac{1}{4}x^4+2x^3-3x^2-8x+C$
(3) $2x^2+C$ (4) $\frac{1}{2}x^4+3x^2+C$
(5) $\frac{1}{2}x^2+2x+C$

09 (1) x^2-2x (2) x^2-2x+C

10 (1) $4x^3+7x^2-3$ (2) $4x^3+7x^2+C$

11 (1) $a=3,\ b=5,\ c=-6$ (2) $a=-1,\ b=-2,\ c=3$
(3) $a=4,\ b=-9,\ c=\frac{1}{3}$ (4) $a=-8,\ b=-4,\ c=3$

12 (1) $f(x)=6x-2$ (2) $f(x)=\frac{1}{2}x^2+8$
(3) $f(x)=3x-1$ (4) $f(x)=x+2$

13 (1) $f(x)=x^3+x^2-5x+2$
(2) $f(x)=2x^3-2x^2+x+3$
(3) $f(x)=2x^4-x^3-x^2-5$
(4) $f(x)=\frac{1}{3}x^3-\frac{1}{2}x^2-6x-10$

중단원 점검문제 | Ⅲ-1. 부정적분 097쪽

01 $2x^7+x^5-\frac{1}{2}x^4-\frac{3}{2}x^2+C$

02 $\frac{2}{3}x^3+\frac{1}{2}x^2-15x+C$

03 $\frac{1}{3}x^3+6x^2+36x+C$

04 $\frac{1}{3}x^3+x^2+4x+C$

05 $\frac{2}{3}x^3+18x+C$

06 5

07 $f(x)=x+5$

08 1

Ⅲ-2 | 정적분 098~111쪽

01 (1) 19 (2) -32 (3) 38 (4) -2
(5) 1 (6) $\frac{39}{2}$ (7) 63 (8) $-\frac{50}{3}$

02 (1) 0 (2) 0 (3) 0 (4) 0

03 (1) -80 (2) -10 (3) 1 (4) $-\frac{51}{4}$

04 (1) 2 (2) -6 (3) 18 (4) -3
(5) 6 (6) $\frac{9}{2}$ (7) 35 (8) -2

05 (1) 60 (2) 4 (3) 0 (4) 72
(5) 21 (6) 3 (7) 0 (8) 86

06 (1) 4 (2) $\frac{25}{6}$ (3) $\frac{5}{4}$

07 (1) $f(x)=\begin{cases} x+1 & (x\le 1) \\ 2 & (x>1) \end{cases}$ (2) $\frac{23}{6}$

08 (1) $f(x)=\begin{cases} -2x-1 & (x\le 0) \\ -1 & (x>0) \end{cases}$ (2) $-\frac{2}{3}$

09 (1) $\frac{5}{2}$ (2) 5 (3) 5 (4) $\frac{8}{3}$ (5) $\frac{8}{3}$ (6) $\frac{22}{3}$

10 (1) -2 (2) 0 (3) 6 (4) -32 (5) 60 (6) 192 (7) $\frac{16}{3}$

11 (1) $\frac{10}{3}$ (2) $\frac{80}{3}$ (3) $\frac{16}{3}$

12 (1) x^2+3x-2 (2) $2x^2-x+5$ (3) $x^2-\frac{1}{2}x^3$

13 (1) $6x+3$ (2) $-8x-8$ (3) $-3x^2-3x$

14 (1) $f(x)=4x-8$ (2) $f(x)=6x^2-10x-\frac{9}{2}$
(3) $f(x)=-\frac{32}{15}x^3+3x^2$ (4) $f(x)=8x^2+4$

15 (1) $f(x)=5x+18$ (2) $f(x)=x^3-2x+4$
(3) $f(x)=2x^2+8$ (4) $f(x)=-3x^2+6x-27$

16 (1) $f(x)=2x-1$ (2) $f(x)=3x^2-x-3$
(3) $f(x)=10x-6$ (4) $f(x)=-36x^2+6x+9$

17 (1) $f(x)=9x^2-4x-1$
(2) $f(x)=-4x^3+2x+6$
(3) $f(x)=4x^2+3x-24$

18 (1) 4 (2) 6 (3) 4

19 (1) 13 (2) 5 (3) $\frac{3}{2}$

20 (1) -4 (2) 126 (3) -32

21 (1) 0 (2) -24 (3) 14

22 (1) $f'(x)=x^2+x-2$ (2) $x=-2$ 또는 $x=1$
(3) -2, 1 (4) $\frac{10}{3}$ (5) $-\frac{7}{6}$

23 (1) 극댓값: $\frac{13}{6}$, 극솟값: $-\frac{56}{3}$
(2) 극댓값: $\frac{16}{3}$, 극솟값: $-\frac{16}{3}$
(3) 극댓값: 없다., 극솟값: $-\frac{27}{2}$

중단원 점검문제 | Ⅲ-2. 정적분 112-113쪽

01 61 **02** 8 **03** 10 **04** 50

05 $\frac{2}{3}$ **06** $-\frac{10}{3}$ **07** $\frac{23}{3}$ **08** $\frac{16}{15}$

09 90 **10** $-\frac{14}{3}$ **11** $f(x)=-9x^2+x-\frac{11}{2}$

12 14 **13** $f(x)=10x^2-12x+3$ **14** -4

15 11 **16** 극댓값: $\frac{22}{3}$, 극솟값: $-\frac{27}{2}$

Ⅲ-3 | 정적분의 활용 114~126쪽

01 (1) $x=0$ 또는 $x=2$ (2) $y\le 0$ (3) $\frac{4}{3}$

02 (1) $\frac{9}{2}$ (2) $\frac{32}{3}$

03 (1) $x=0$ 또는 $x=2$ 또는 $x=3$
(2) $y\ge 0$인 구간: $[0, 2]$, $y\le 0$인 구간: $[2, 3]$
(3) $\frac{37}{12}$

04 (1) $\frac{1}{2}$ (2) 2

05 (1) $x=0$ 또는 $x=4$
(2) $y\ge 0$인 구간: $[-1, 0]$, $y\le 0$인 구간: $[0, 2]$
(3) $\frac{23}{3}$

06 (1) 2 (2) 1

07 (1) $\frac{1}{3}$ (2) $\frac{4}{3}$ (3) $\frac{4}{3}$

08 (1) 1 (2) 13

09 (1) $\frac{1}{6}$ (2) $\frac{9}{2}$ (3) $\frac{9}{2}$

10 (1) $\frac{37}{12}$ (2) $\frac{37}{12}$

11 (1) $\frac{4}{3}$ (2) $\frac{9}{2}$ (3) $\frac{9}{2}$

12 (1) 9 (2) $\frac{125}{3}$ (3) $\frac{1}{2}$

13 (1) $\frac{32}{3}$ (2) 36 (3) $\frac{125}{6}$ (4) $\frac{32}{27}$

14 (1) $\frac{1}{6}$ (2) $\frac{9}{2}$ (3) $\frac{125}{3}$

15 (1) $\frac{8}{3}$ (2) $\frac{1}{3}$ (3) $\frac{1}{3}$ (4) 32

16 (1) 6 (2) 3 (3) 7

17 (1) 1 (2) 3

18 (1) $\frac{1}{2}$ (2) 6

19 (1) $\frac{1}{3}$ (2) $\frac{4}{3}$

20 (1) $\frac{27}{4}$ (2) $\frac{27}{4}$

21 (1) $\frac{1}{3}$ (2) $\frac{4}{3}$ (3) $\frac{9}{2}$ (4) $\frac{1}{2}$

22 (1) 3 (2) 5 (3) -7

23 (1) $\frac{3}{2}$ (2) $\frac{31}{6}$ (3) $\frac{10}{3}$

24 (1) 30 m (2) 152.5 m (3) 245 m

25 (1) 25 m (2) 30 m (3) 25 m

26 (1) 110 m (2) $\frac{225}{2}$ m (3) 65 m

27 (1) 4 (2) $\frac{9}{2}$ (3) $\frac{7}{2}$

28 (1) 4 (2) 5 (3) 3

중단원 점검문제 | Ⅲ-3. 정적분의 활용 127-128쪽

01 $\frac{9}{2}$ **02** $\frac{37}{12}$ **03** 24 **04** $\frac{32}{3}$

05 13 **06** 8 **07** 8 **08** 72

09 4 **10** 2 **11** 4 **12** $\frac{1}{3}$

13 2 **14** $\frac{17}{2}$ **15** 900 m **16** 8

고등 풍산자와 함께하면
개념부터 ~ 고난도 문제까지!

어떤 시험 문제도 익숙해집니다!

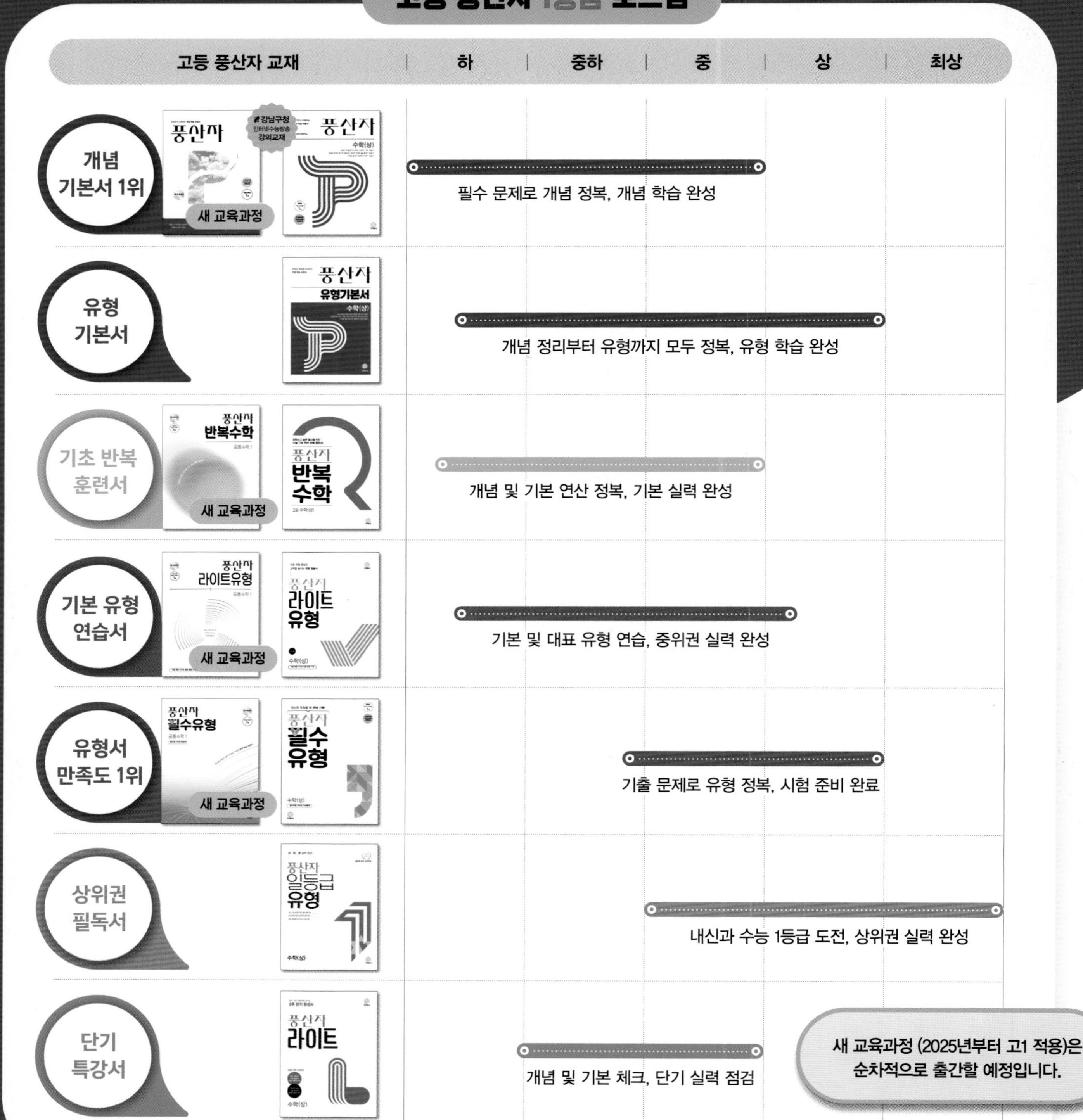

고등 풍산자 1등급 로드맵
고등 풍산자 교재
하
중하
중
상
최상
개념 기본서 1위
풍산자
강남구청 인터넷수능방송 강의교재
새 교육과정
풍산자 수학(상)
필수 문제로 개념 정복, 개념 학습 완성
유형 기본서
풍산자 유형기본서 수학(상)
개념 정리부터 유형까지 모두 정복, 유형 학습 완성
기초 반복 훈련서
풍산자 반복수학
새 교육과정
풍산자 반복 수학
개념 및 기본 연산 정복, 기본 실력 완성
기본 유형 연습서
풍산자 라이트유형
새 교육과정
풍산자 라이트 유형
기본 및 대표 유형 연습, 중위권 실력 완성
유형서 만족도 1위
풍산자 필수유형
새 교육과정
풍산자 필수 유형
기출 문제로 유형 정복, 시험 준비 완료
상위권 필독서
풍산자 일등급 유형
내신과 수능 1등급 도전, 상위권 실력 완성
단기 특강서
풍산자 라이트
개념 및 기본 체크, 단기 실력 점검
새 교육과정 (2025년부터 고1 적용)은
순차적으로 출간할 예정입니다.

정확하고 빠른 풀이를 위한
연산 반복 훈련서

풍산자 반복수학

수학Ⅱ

정답과 풀이

지학사

풍산자 반복수학

수학Ⅱ

정답과 풀이

I
함수의 극한과 연속

I-1 함수의 극한 006~027쪽

01 답 (1) 0 (2) 3

풀이 (1) x의 값이 -1에 한없이 가까워질 때, $f(x)$의 값은 $\underline{0}$에 한없이 가까워지므로

$\lim\limits_{x \to -1} f(x)=\underline{0}$

(2) x의 값이 2에 한없이 가까워질 때, $f(x)$의 값은 3에 한없이 가까워지므로

$\lim\limits_{x \to 2} f(x)=3$

02 답 (1) 4 (2) 0

03 답 (1) 5 (2) 1

04 답 (1) -2 (2) -2

풀이 모든 x의 값에 대하여 함숫값이 항상 -2이므로

(1) $\lim\limits_{x \to -2} f(x)=-2$

(2) $\lim\limits_{x \to 4} f(x)=-2$

05 답 (1) 2 (2) 1 (3) $\sqrt{2}$ (4) 3 (5) 1

풀이 (1) $f(x)=x+3$으로 놓으면 $y=f(x)$의 그래프는 오른쪽 그림과 같다.

$\therefore \lim\limits_{x \to -1} (x+3)=\underline{2}$

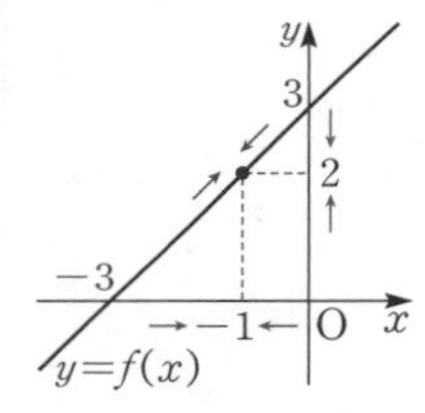

(2) $f(x)=-x^2+2$로 놓으면 $y=f(x)$의 그래프는 오른쪽 그림과 같다.

$\therefore \lim\limits_{x \to 1} (-x^2+2)=1$

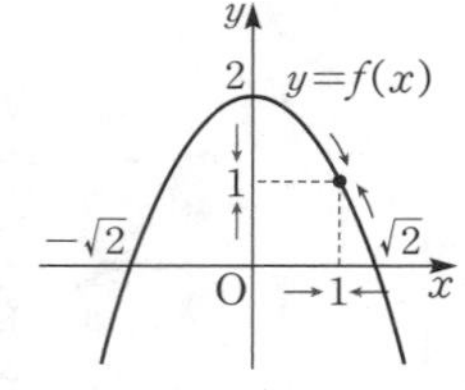

(3) $f(x)=\sqrt{x-1}$로 놓으면 $y=f(x)$의 그래프는 오른쪽 그림과 같다.

$\therefore \lim\limits_{x \to 3} \sqrt{x-1}=\sqrt{2}$

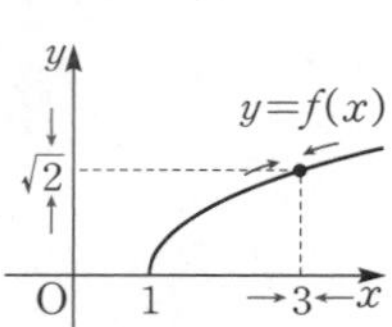

(4) $f(x)=1-\dfrac{2}{x}$로 놓으면 $y=f(x)$의 그래프는 오른쪽 그림과 같다.

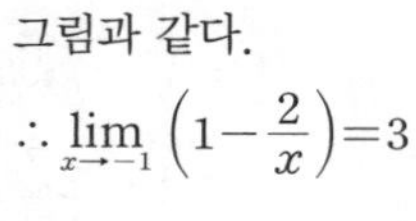
$\therefore \lim\limits_{x \to -1} \left(1-\dfrac{2}{x}\right)=3$

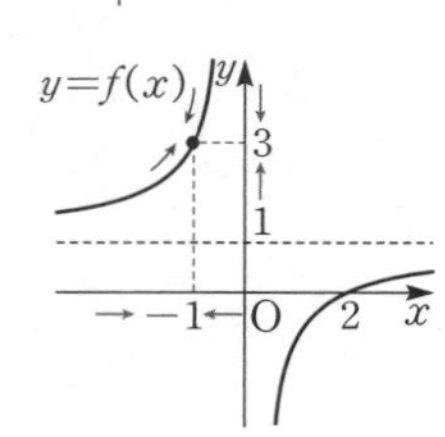

(5) $f(x)=\dfrac{1}{x+1}$로 놓으면 $y=f(x)$의 그래프는 오른쪽 그림과 같다.

$\therefore \lim\limits_{x \to 0} \dfrac{1}{x+1}=1$

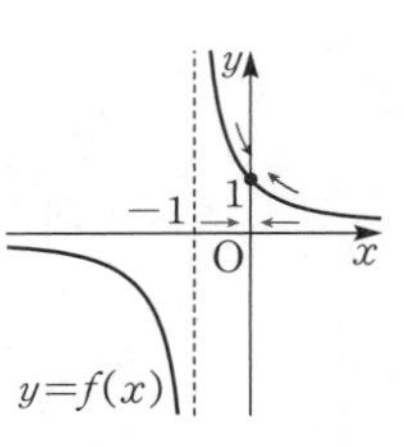

06 답 (1) 2 (2) -2 (3) $\dfrac{1}{4}$

풀이 (1) $f(x)=\dfrac{-x^2+2x}{x}$로 놓으면 $x \neq 0$일 때

$f(x)=\dfrac{-x^2+2x}{x}=-x+2$

이므로 $y=f(x)$의 그래프는 오른쪽 그림과 같다.

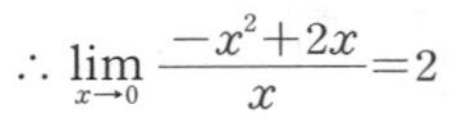
$\therefore \lim\limits_{x \to 0} \dfrac{-x^2+2x}{x}=2$

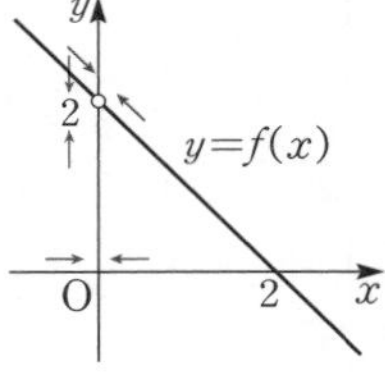

(2) $f(x)=\dfrac{x^2-1}{x+1}$로 놓으면 $x \neq -1$일 때

$f(x)=\dfrac{x^2-1}{x+1}=\dfrac{(x-1)(x+1)}{x+1}=x-1$

이므로 $y=f(x)$의 그래프는 오른쪽 그림과 같다.

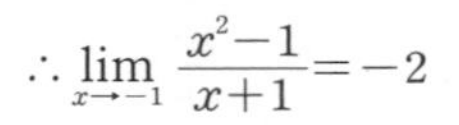
$\therefore \lim\limits_{x \to -1} \dfrac{x^2-1}{x+1}=-2$

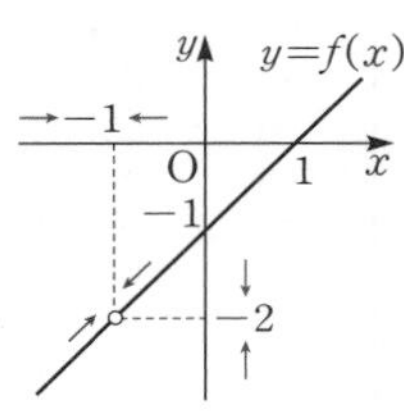

(3) $f(x)=\dfrac{x-2}{x^2-4}$로 놓으면 $x \neq \pm 2$일 때

$f(x)=\dfrac{x-2}{x^2-4}=\dfrac{x-2}{(x+2)(x-2)}$

$=\dfrac{1}{x+2}$

이므로 $y=f(x)$의 그래프는 오른쪽 그림과 같다.

$\therefore \lim\limits_{x \to 2} \dfrac{x-2}{x^2-4}=\dfrac{1}{4}$

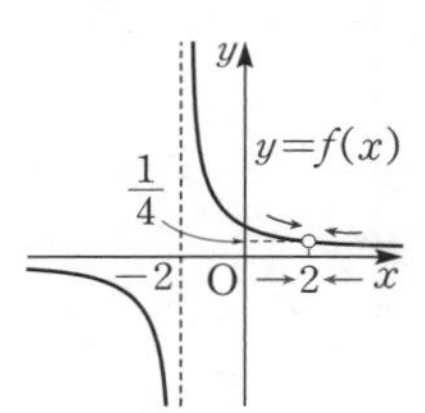

07 답 (1) 3 (2) $-\dfrac{1}{5}$

풀이 (1) $f(x)=3$으로 놓으면 $y=f(x)$의 그래프는 오른쪽 그림과 같다.

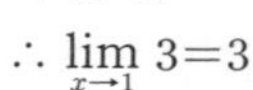
$\therefore \lim\limits_{x \to 1} 3=3$

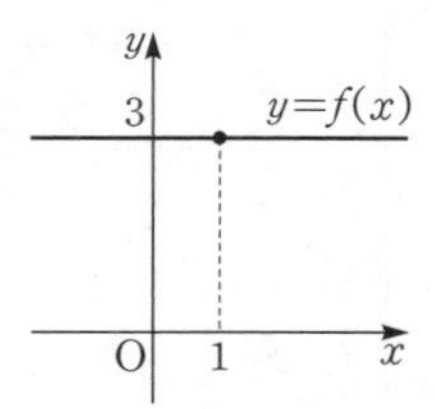

(2) $f(x)=-\dfrac{1}{5}$로 놓으면 $y=f(x)$의 그래프는 오른쪽 그림과 같다.

$\therefore \lim\limits_{x \to -2} \left(-\dfrac{1}{5}\right)=-\dfrac{1}{5}$

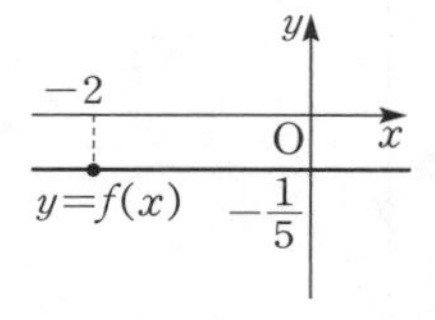

08 답 (1) ∞ (2) $-\infty$ (3) ∞ (4) ∞ (5) $-\infty$

풀이 (1) x의 값이 0에 한없이 가까워질 때, $f(x)$의 값이 한없이 커지므로

$\lim_{x\to0} f(x)=\underline{\infty}$

(2) x의 값이 0에 한없이 가까워질 때, $f(x)$의 값이 음수이면서 그 절댓값이 한없이 커지므로

$\lim_{x\to0} f(x)=-\infty$

09 답 (1) ∞ (2) $-\infty$ (3) ∞ (4) ∞ (5) $-\infty$ (6) ∞ (7) ∞ (8) $-\infty$ (9) $-\infty$

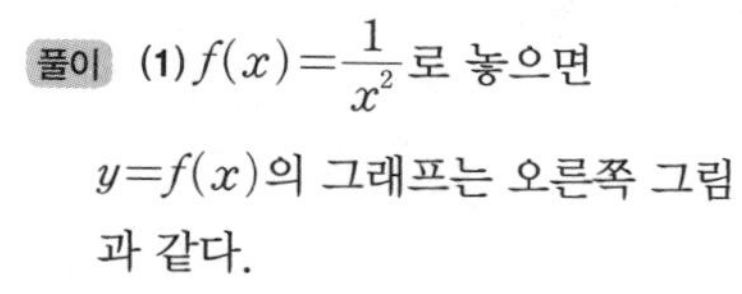

풀이 (1) $f(x)=\frac{1}{x^2}$로 놓으면 $y=f(x)$의 그래프는 오른쪽 그림과 같다.

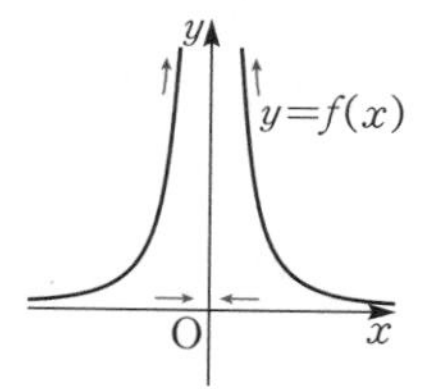

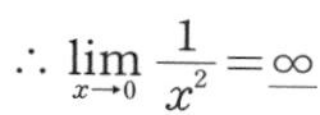

$\therefore \lim_{x\to0}\frac{1}{x^2}=\underline{\infty}$

(2) $f(x)=-\frac{1}{x^2}$로 놓으면 $y=f(x)$의 그래프는 오른쪽 그림과 같다.

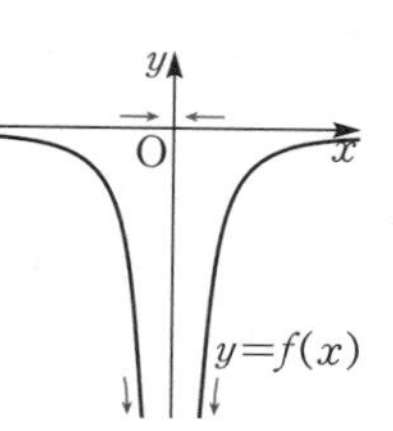

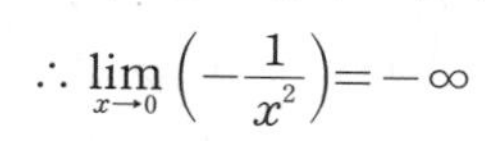

$\therefore \lim_{x\to0}\left(-\frac{1}{x^2}\right)=-\infty$

(3) $f(x)=\frac{1}{|x|}$로 놓으면 $y=f(x)$의 그래프는 오른쪽 그림과 같다.

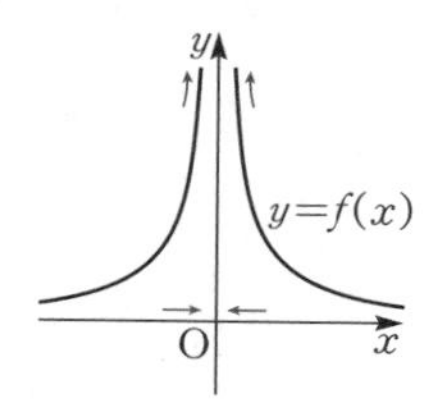

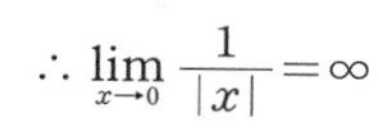

$\therefore \lim_{x\to0}\frac{1}{|x|}=\infty$

(4) $f(x)=\frac{3}{x^2}-1$로 놓으면 $y=f(x)$의 그래프는 오른쪽 그림과 같다.

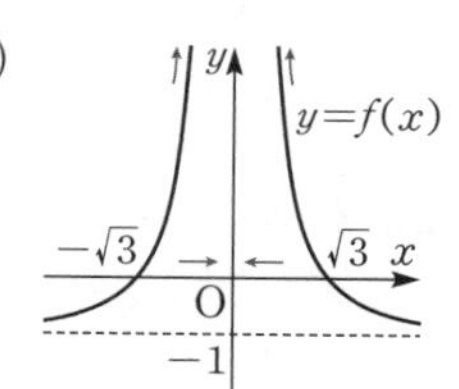

$\therefore \lim_{x\to0}\left(\frac{3}{x^2}-1\right)=\infty$

(5) $f(x)=1-\frac{2}{|x|}$로 놓으면 $y=f(x)$의 그래프는 오른쪽 그림과 같다.

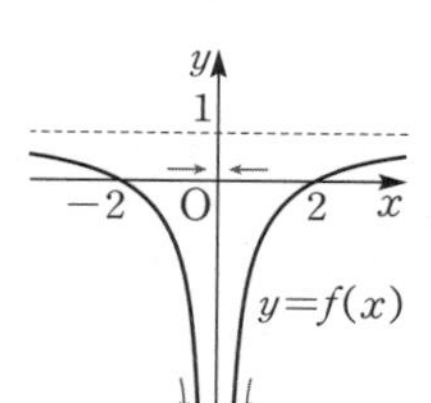

$\therefore \lim_{x\to0}\left(1-\frac{2}{|x|}\right)=-\infty$

(6) $f(x)=\frac{1}{|x-1|}$로 놓으면 $y=f(x)$의 그래프는 오른쪽 그림과 같다.

$\therefore \lim_{x\to1}\frac{1}{|x-1|}=\infty$

(7) $f(x)=\frac{1}{(x+2)^2}$로 놓으면 $y=f(x)$의 그래프는 오른쪽 그림과 같다.

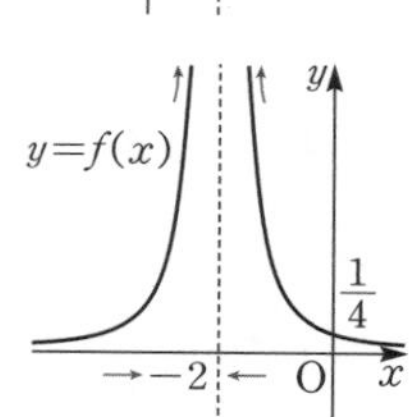

$\therefore \lim_{x\to-2}\frac{1}{(x+2)^2}=\infty$

(8) $f(x)=\frac{-1}{(x-1)^2}$로 놓으면 $y=f(x)$의 그래프는 오른쪽 그림과 같다.

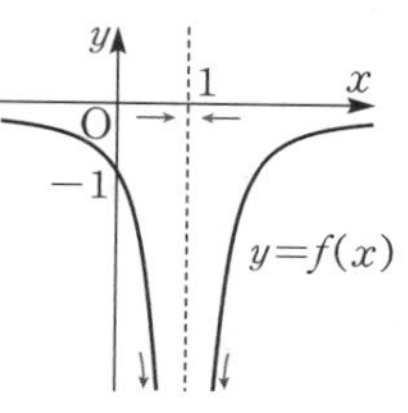

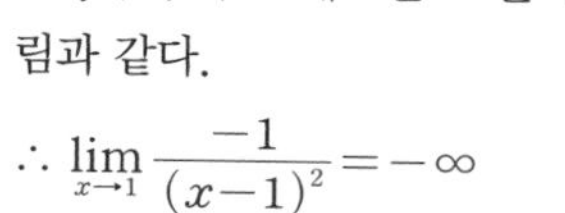

$\therefore \lim_{x\to1}\frac{-1}{(x-1)^2}=-\infty$

(9) $f(x)=2-\frac{1}{|x+3|}$로 놓으면 $y=f(x)$의 그래프는 오른쪽 그림과 같다.

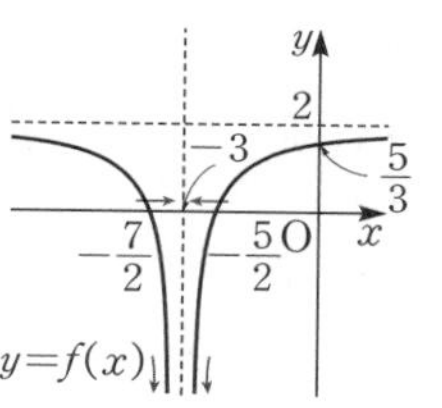

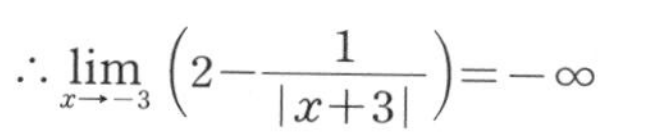

$\therefore \lim_{x\to-3}\left(2-\frac{1}{|x+3|}\right)=-\infty$

10 답 (1) 0 (2) 0

풀이 (1) x의 값이 양수이면서 그 절댓값이 한없이 커질 때, $f(x)$의 값이 $\underline{0}$에 한없이 가까워지므로

$\lim_{x\to\infty} f(x)=\underline{0}$

(2) x의 값이 음수이면서 그 절댓값이 한없이 커질 때, $f(x)$의 값이 0에 한없이 가까워지므로

$\lim_{x\to-\infty} f(x)=0$

11 답 (1) 1 (2) 1

12 답 (1) 0 (2) 1 (3) 0 (4) -2

풀이 (1) $f(x)=\frac{1}{x}$로 놓으면 $y=f(x)$의 그래프는 오른쪽 그림과 같다.

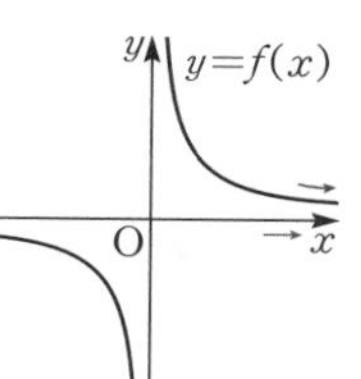

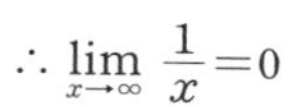

$\therefore \lim_{x\to\infty}\frac{1}{x}=0$

(2) $f(x)=1-\frac{1}{2x}$로 놓으면 $y=f(x)$의 그래프는 오른쪽 그림과 같다.

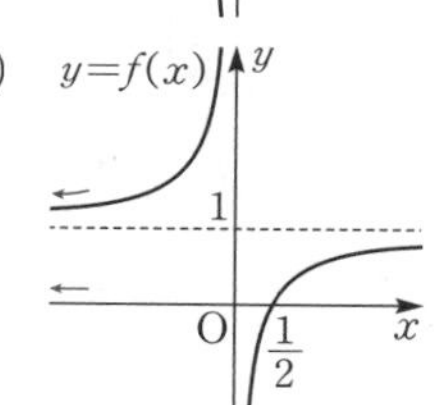

$\therefore \lim_{x\to-\infty}\left(1-\frac{1}{2x}\right)=1$

(3) $f(x)=\frac{1}{3-x}$로 놓으면 $y=f(x)$의 그래프는 오른쪽 그림과 같다.

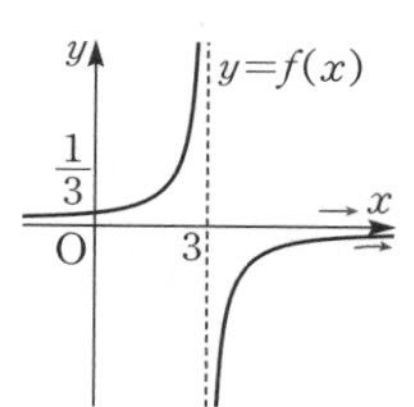

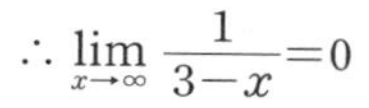

$\therefore \lim_{x\to\infty}\frac{1}{3-x}=0$

(4) $f(x)=\frac{1}{x+1}-2$로 놓으면 $y=f(x)$의 그래프는 오른쪽 그림과 같다.

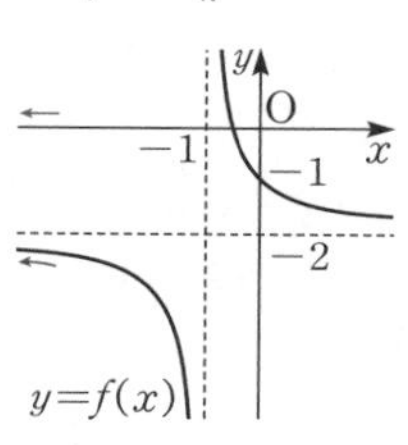

$\therefore \lim_{x\to-\infty}\left(\frac{1}{x+1}-2\right)=-2$

13 답 (1) ∞ (2) $-\infty$

풀이 (1) x의 값이 양수이면서 그 절댓값이 한없이 커질 때, $f(x)$의 값이 $\underline{양수}$이면서 그 절댓값이 한없이 커지므로

$\lim_{x\to\infty} f(x)=\underline{\infty}$

(2) x의 값이 음수이면서 그 절댓값이 한없이 커질 때, $f(x)$의 값이 음수이면서 그 절댓값이 한없이 커지므로
$\lim_{x \to -\infty} f(x) = -\infty$

14 답 (1) $-\infty$ (2) $-\infty$

15 답 $-\infty$

16 답 (1) ∞ (2) $-\infty$ (3) ∞ (4) $-\infty$ (5) ∞ (6) ∞

풀이 (1) $f(x)=3x-4$로 놓으면 $y=f(x)$의 그래프는 오른쪽 그림과 같다.
$\therefore \lim_{x \to \infty} (3x-4) = \infty$

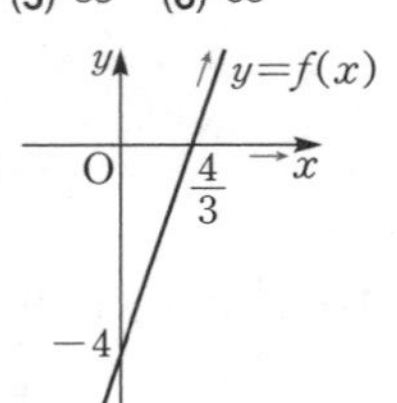

(2) $f(x)=-x+2$로 놓으면 $y=f(x)$의 그래프는 오른쪽 그림과 같다.
$\therefore \lim_{x \to \infty} (-x+2) = -\infty$

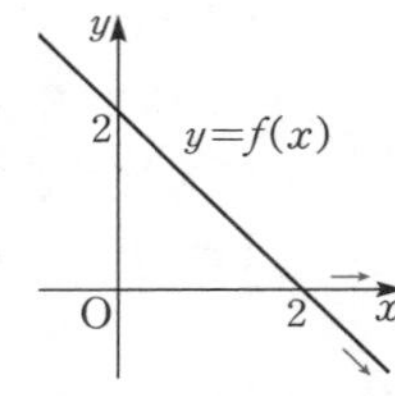

(3) $f(x)=x^2$으로 놓으면 $y=f(x)$의 그래프는 오른쪽 그림과 같다.
$\therefore \lim_{x \to -\infty} x^2 = \infty$

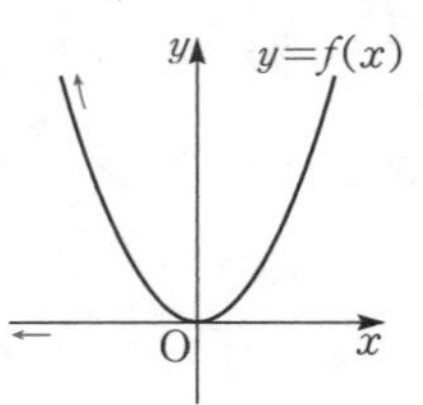

(4) $f(x)=-2x^2+1$로 놓으면 $y=f(x)$의 그래프는 오른쪽 그림과 같다.
$\therefore \lim_{x \to -\infty} (-2x^2+1) = -\infty$

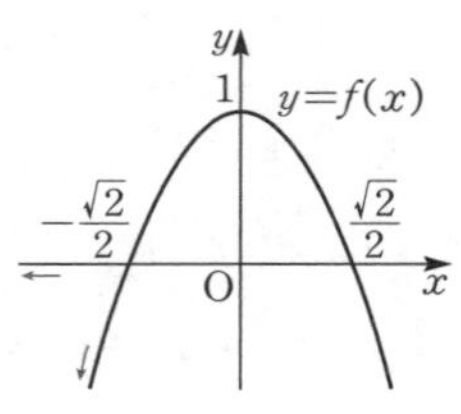

(5) $f(x)=\sqrt{x-1}$로 놓으면 $y=f(x)$의 그래프는 오른쪽 그림과 같다.
$\therefore \lim_{x \to \infty} \sqrt{x-1} = \infty$

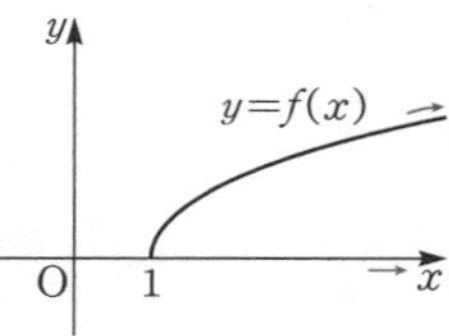

(6) $f(x)=\sqrt{3-2x}$로 놓으면 $y=f(x)$의 그래프는 오른쪽 그림과 같다.
$\therefore \lim_{x \to -\infty} \sqrt{3-2x} = \infty$

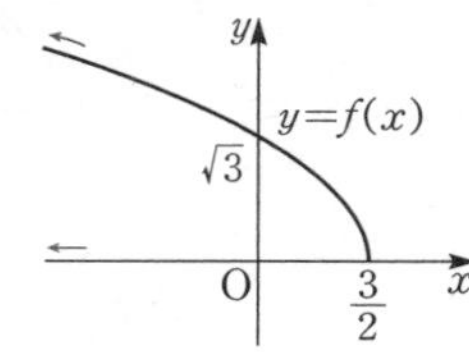

17 답 (1) 0 (2) 0 (3) 0 (4) 2 (5) 1
(6) **극한이 존재하지 않는다.**
(7) 2 (8) 2 (9) 2

풀이 (1) x가 -2보다 작은 값을 가지면서 -2에 한없이 가까워질 때, $f(x)$의 값이 0에 한없이 가까워지므로
$\lim_{x \to -2-} f(x) = 0$

(2) x가 -2보다 큰 값을 가지면서 -2에 한없이 가까워질 때, $f(x)$의 값이 0에 한없이 가까워지므로
$\lim_{x \to -2+} f(x) = 0$

(3) $\lim_{x \to -2-} f(x) = \lim_{x \to -2+} f(x) = 0$이므로
$\lim_{x \to -2} f(x) = 0$

(6) $\lim_{x \to 0-} f(x) \neq \lim_{x \to 0+} f(x)$이므로 주어진 극한은 존재하지 않는다.

(9) $\lim_{x \to 1-} f(x) = \lim_{x \to 1+} f(x) = 2$이므로
$\lim_{x \to 1} f(x) = 2$

18 답 (1) -1 (2) -1 (3) -1 (4) -1 (5) 2
(6) **극한이 존재하지 않는다.**

풀이 (3) $\lim_{x \to -1-} f(x) = \lim_{x \to -1+} f(x) = -1$이므로
$\lim_{x \to -1} f(x) = -1$

(6) $\lim_{x \to 1-} f(x) \neq \lim_{x \to 1+} f(x)$이므로 주어진 극한은 존재하지 않는다.

19 답 (1) 1 (2) -1 (3) **극한이 존재하지 않는다.**

풀이 (1) 함수 $y=f(x)$의 그래프는 오른쪽 그림과 같다.
x가 1보다 작은 값을 가지면서 1에 한없이 가까워질 때, $f(x)$의 값이 1에 한없이 가까워지므로
$\lim_{x \to 1-} f(x) = 1$

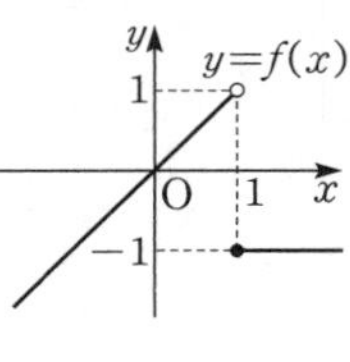

(2) x가 1보다 큰 값을 가지면서 1에 한없이 가까워질 때, $f(x)=-1$이므로
$\lim_{x \to 1+} f(x) = -1$

(3) $\lim_{x \to 1-} f(x) \neq \lim_{x \to 1+} f(x)$이므로 주어진 극한은 존재하지 않는다.

20 답 (1) 1 (2) 1 (3) 1

풀이 함수 $y=f(x)$의 그래프는 오른쪽 그림과 같다.
(3) $\lim_{x \to -1-} f(x) = \lim_{x \to -1+} f(x) = 1$이므로
$\lim_{x \to -1} f(x) = 1$

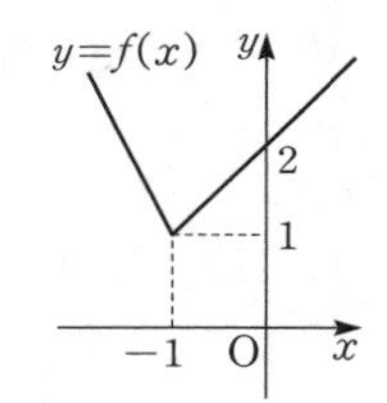

21 답 (1) -1 (2) -2 (3) **극한이 존재하지 않는다.**

풀이 함수 $y=f(x)$의 그래프는 오른쪽 그림과 같다.
(3) $\lim_{x \to 2-} f(x) \neq \lim_{x \to 2+} f(x)$이므로 주어진 극한은 존재하지 않는다.

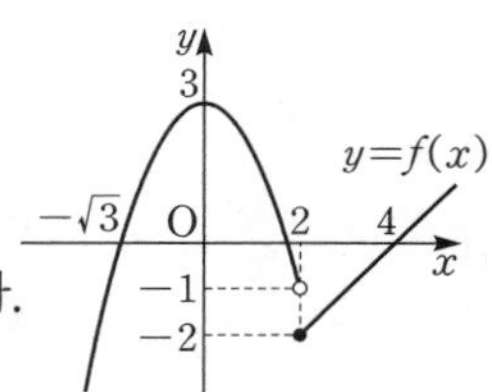

22 답 (1) **극한이 존재하지 않는다.**
(2) **극한이 존재하지 않는다.**
(3) **극한이 존재하지 않는다.**

풀이 (1) $f(x)=\dfrac{1}{x-1}$로 놓으면 함수 $y=f(x)$의 그래프는 오른쪽 그림과 같다.
$\lim_{x \to 1-} f(x) = -\infty$,

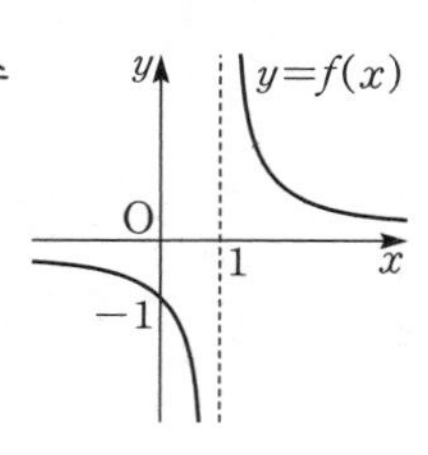

$\lim_{x \to 1+} f(x) = \infty$

이므로 주어진 극한은 존재하지 않는다.

(2) $f(x) = 2 - \frac{1}{x}$로 놓으면 함수 $y=f(x)$의 그래프는 오른쪽 그림과 같다.

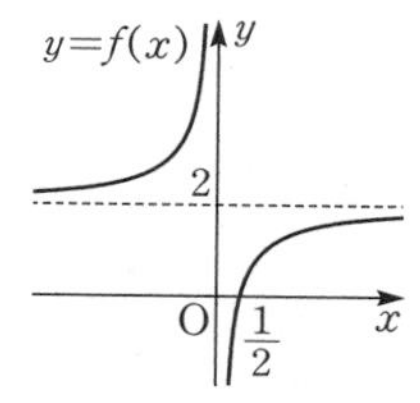

$\lim_{x \to 0-} f(x) = \infty$,

$\lim_{x \to 0+} f(x) = -\infty$

이므로 주어진 극한은 존재하지 않는다.

(3) $f(x) = -\frac{x}{x+2}$로 놓으면

$f(x) = -\frac{x}{x+2} = \frac{2}{x+2} - 1$

함수 $y=f(x)$의 그래프는 오른쪽 그림과 같다.

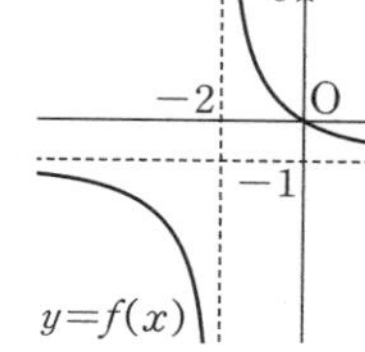

$\lim_{x \to -2-} f(x) = -\infty$,

$\lim_{x \to -2+} f(x) = \infty$

이므로 주어진 극한은 존재하지 않는다.

23 답 (1) -1 (2) 1 (3) 극한이 존재하지 않는다.

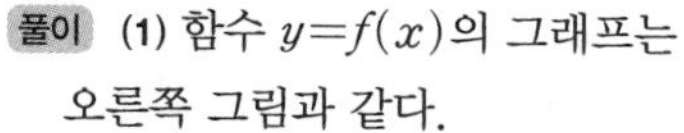

풀이 (1) 함수 $y=f(x)$의 그래프는 오른쪽 그림과 같다.

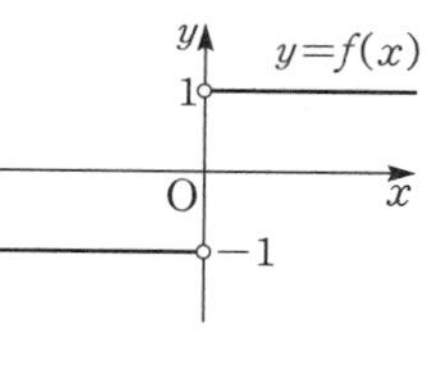

$x \longrightarrow 0-$일 때, $|x| = \underline{-x}$

$\therefore \lim_{x \to 0-} f(x) = \lim_{x \to 0-} \frac{|x|}{x}$

$= \lim_{x \to 0-} \frac{-x}{x} = \underline{-1}$

(2) $x \longrightarrow 0+$일 때, $|x| = x$

$\therefore \lim_{x \to 0+} f(x) = \lim_{x \to 0+} \frac{|x|}{x}$

$= \lim_{x \to 0+} \frac{x}{x} = 1$

(3) $\lim_{x \to 0-} f(x) \neq \lim_{x \to 0+} f(x)$이므로 주어진 극한은 존재하지 않는다.

24 답 (1) -1 (2) 1 (3) 극한이 존재하지 않는다.

풀이 (1) 함수 $y=f(x)$의 그래프는 오른쪽 그림과 같다.

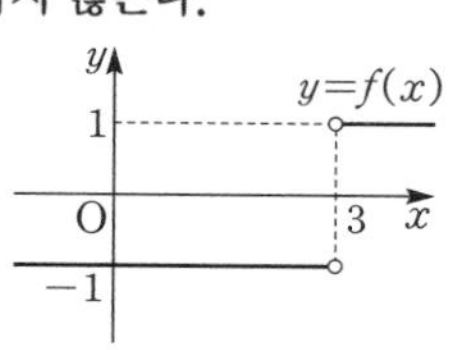

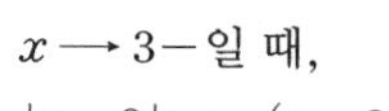

$x \longrightarrow 3-$일 때,

$|x-3| = -(x-3)$

$\therefore \lim_{x \to 3-} f(x) = \lim_{x \to 3-} \frac{x-3}{|x-3|}$

$= \lim_{x \to 3-} \frac{x-3}{-(x-3)} = -1$

(2) $x \longrightarrow 3+$일 때, $|x-3| = x-3$

$\therefore \lim_{x \to 3+} f(x) = \lim_{x \to 3+} \frac{x-3}{|x-3|}$

$= \lim_{x \to 3+} \frac{x-3}{x-3} = 1$

(3) $\lim_{x \to 3-} f(x) \neq \lim_{x \to 3+} f(x)$이므로 주어진 극한은 존재하지 않는다.

25 답 (1) 6 (2) -3 (3) 7 (4) -10 (5) $-\frac{2}{5}$

풀이 (1) $\lim_{x \to 0} 3f(x) = 3\lim_{x \to 0} f(x) = \underline{3} \times 2 = \underline{6}$

(2) $\lim_{x \to 0} \{f(x) + g(x)\} = \lim_{x \to 0} f(x) + \lim_{x \to 0} g(x)$

$= 2 + (-5) = -3$

(3) $\lim_{x \to 0} \{f(x) - g(x)\} = \lim_{x \to 0} f(x) - \lim_{x \to 0} g(x)$

$= 2 - (-5) = 7$

(4) $\lim_{x \to 0} f(x)g(x) = \lim_{x \to 0} f(x) \lim_{x \to 0} g(x)$

$= 2 \times (-5) = -10$

(5) $\lim_{x \to 0} \frac{f(x)}{g(x)} = \frac{\lim_{x \to 0} f(x)}{\lim_{x \to 0} g(x)}$

$= \frac{2}{-5} = -\frac{2}{5}$

26 답 (1) 0 (2) -22 (3) -120 (4) 36 (5) 2

풀이 (1) $\lim_{x \to 1} \{2f(x) + 3g(x)\} = 2\lim_{x \to 1} f(x) + 3\lim_{x \to 1} g(x)$

$= 2 \times (-6) + 3 \times 4 = 0$

(2) $\lim_{x \to 1} \{f(x) - 4g(x)\} = \lim_{x \to 1} f(x) - 4\lim_{x \to 1} g(x)$

$= -6 - 4 \times 4 = -22$

(3) $\lim_{x \to 1} 5f(x)g(x) = 5\lim_{x \to 1} f(x) \lim_{x \to 1} g(x)$

$= 5 \times (-6) \times 4 = -120$

(4) $\lim_{x \to 1} \{f(x)\}^2 = \lim_{x \to 1} f(x) \lim_{x \to 1} f(x)$

$= -6 \times (-6) = 36$

(5) $\lim_{x \to 1} \frac{2 - f(x)}{g(x)} = \frac{\lim_{x \to 1} 2 - \lim_{x \to 1} f(x)}{\lim_{x \to 1} g(x)}$

$= \frac{2 - (-6)}{4} = 2$

27 답 (1) 8 (2) 9 (3) -1 (4) 1 (5) $-\frac{1}{3}$ (6) $\frac{1}{3}$

풀이 (1) $\lim_{x \to -2} \{3f(x) + 2g(x)\}$

$= 3\lim_{x \to -2} f(x) + 2\lim_{x \to -2} g(x)$

$= 3 \times 3 + 2 \times \left(-\frac{1}{2}\right) = 8$

(2) $\lim_{x \to -2} \{2f(x) - 6g(x)\}$

$= 2\lim_{x \to -2} f(x) - 6\lim_{x \to -2} g(x)$

$= 2 \times 3 - 6 \times \left(-\frac{1}{2}\right) = 9$

(3) $\lim_{x \to -2} \{4f(x)g(x) + 5\}$

$= 4\lim_{x \to -2} f(x) \lim_{x \to -2} g(x) + \lim_{x \to -2} 5$

$= 4 \times 3 \times \left(-\frac{1}{2}\right) + 5 = -1$

(4) $\lim_{x \to -2} \{g(x) - f(x)g(x)\}$

$= \lim_{x \to -2} g(x) - \lim_{x \to -2} f(x) \lim_{x \to -2} g(x)$

$= -\frac{1}{2} - 3 \times \left(-\frac{1}{2}\right) = 1$

(5) $\lim_{x \to -2} \frac{2g(x)}{f(x)} = \frac{2\lim_{x \to -2} g(x)}{\lim_{x \to -2} f(x)}$

$=\dfrac{2\times\left(-\frac{1}{2}\right)}{3}=-\dfrac{1}{3}$

(6) $\lim\limits_{x\to-2}\dfrac{f(x)-1}{2-8g(x)}=\dfrac{\lim\limits_{x\to-2}f(x)-\lim\limits_{x\to-2}1}{\lim\limits_{x\to-2}2-8\lim\limits_{x\to-2}g(x)}$

$=\dfrac{3-1}{2-8\times\left(-\frac{1}{2}\right)}=\dfrac{1}{3}$

28 답 (1) 11 (2) -1 (3) 18 (4) 13 (5) 4 (6) 2

풀이 (1) $\lim\limits_{x\to1}(5x+6)=5\lim\limits_{x\to1}x+\lim\limits_{x\to1}6$

$=5\times1+6=11$

(2) $\lim\limits_{x\to-3}(-x-4)=-\lim\limits_{x\to-3}x-\lim\limits_{x\to-3}4$

$=-(-3)-4=-1$

(3) $\lim\limits_{x\to-2}(2x^2-5x)=2\lim\limits_{x\to-2}x^2-5\lim\limits_{x\to-2}x$

$=2\times(-2)^2-5\times(-2)=18$

(4) $\lim\limits_{x\to3}(-x^2+7x+1)$

$=-\lim\limits_{x\to3}x^2+7\lim\limits_{x\to3}x+\lim\limits_{x\to3}1$

$=-3^2+7\times3+1=13$

(5) $\lim\limits_{x\to2}(6x-x^3)=6\lim\limits_{x\to2}x-\lim\limits_{x\to2}x^3$

$=6\times2-2^3=4$

(6) $\lim\limits_{x\to1}\sqrt{-3x+7}=\sqrt{-3\lim\limits_{x\to1}x+\lim\limits_{x\to1}7}$

$=\sqrt{-3\times1+7}=2$

29 답 (1) -40 (2) 12 (3) 2 (4) -2 (5) $\frac{1}{2}$ (6) $-\frac{1}{5}$

풀이 (1) $\lim\limits_{x\to-1}(3x-5)(x+6)$

$=\lim\limits_{x\to-1}(3x-5)\lim\limits_{x\to-1}(x+6)$

$=\{3\times(-1)-5\}(-1+6)=-40$

(2) $\lim\limits_{x\to2}(x^2-x)(4x-2)$

$=\lim\limits_{x\to2}(x^2-x)\lim\limits_{x\to2}(4x-2)$

$=(2^2-2)(4\times2-2)=12$

(3) $\lim\limits_{x\to0}\left(-\dfrac{4}{x-2}\right)=-\dfrac{\lim\limits_{x\to0}4}{\lim\limits_{x\to0}(x-2)}$

$=-\dfrac{4}{0-2}=2$

(4) $\lim\limits_{x\to1}\left(\dfrac{1}{x}-3\right)=\dfrac{\lim\limits_{x\to1}1}{\lim\limits_{x\to1}x}-\lim\limits_{x\to1}3$

$=\dfrac{1}{1}-3=-2$

(5) $\lim\limits_{x\to3}\dfrac{x-1}{x+1}=\dfrac{\lim\limits_{x\to3}(x-1)}{\lim\limits_{x\to3}(x+1)}$

$=\dfrac{3-1}{3+1}=\dfrac{1}{2}$

(6) $\lim\limits_{x\to-2}\dfrac{2x+5}{x^2-9}=\dfrac{\lim\limits_{x\to-2}(2x+5)}{\lim\limits_{x\to-2}(x^2-9)}$

$=\dfrac{2\times(-2)+5}{(-2)^2-9}=-\dfrac{1}{5}$

30 답 (1) 7 (2) 22 (3) 6 (4) -8 (5) 4

풀이 (1) $\lim\limits_{x\to1-}(-2x+9)=-2\lim\limits_{x\to1-}x+\lim\limits_{x\to1-}9$

$=-2\times1+9=7$

(2) $\lim\limits_{x\to-2+}(5x^2-x)=5\lim\limits_{x\to-2+}x^2-\lim\limits_{x\to-2+}x$

$=5\times(-2)^2-(-2)=22$

(3) $\lim\limits_{x\to2+}(x+1)(x^2-2)=\lim\limits_{x\to2+}(x+1)\lim\limits_{x\to2+}(x^2-2)$

$=(2+1)(2^2-2)=6$

(4) $\lim\limits_{x\to-1-}\dfrac{x-7}{3x+4}=\dfrac{\lim\limits_{x\to-1-}(x-7)}{\lim\limits_{x\to-1-}(3x+4)}$

$=\dfrac{-1-7}{3\times(-1)+4}=-8$

(5) $\lim\limits_{x\to0-}\dfrac{x^2-3x+8}{x+2}=\dfrac{\lim\limits_{x\to0-}(x^2-3x+8)}{\lim\limits_{x\to0-}(x+2)}$

$=\dfrac{0^2-3\times0+8}{0+2}=4$

31 답 (1) -3 (2) $\frac{1}{7}$ (3) -2 (4) $\frac{1}{6}$

(5) -5 (6) $\frac{3}{5}$ (7) 3 (8) 3

풀이 (1) $\lim\limits_{x\to0}\dfrac{x^2-3x}{x}$ ⬅ $x=0$을 대입하면 $\frac{0}{0}$ 꼴

$=\lim\limits_{x\to0}\dfrac{x(x-3)}{x}$ ⬅ 분자 인수분해

$=\lim\limits_{x\to0}(x-3)$ ⬅ 약분

$=0-3=-3$ ⬅ 극한값

(2) $\lim\limits_{x\to0}\dfrac{x}{-2x^2+7x}=\lim\limits_{x\to0}\dfrac{x}{x(-2x+7)}$

$=\lim\limits_{x\to0}\dfrac{1}{-2x+7}$

$=\dfrac{1}{-2\times0+7}=\dfrac{1}{7}$

(3) $\lim\limits_{x\to-1}\dfrac{x^2-1}{x+1}=\lim\limits_{x\to-1}\dfrac{(x+1)(x-1)}{x+1}$

$=\lim\limits_{x\to-1}(x-1)$

$=-1-1=-2$

(4) $\lim\limits_{x\to3}\dfrac{x-3}{x^2-9}=\lim\limits_{x\to3}\dfrac{x-3}{(x+3)(x-3)}$

$=\lim\limits_{x\to3}\dfrac{1}{x+3}=\dfrac{1}{3+3}=\dfrac{1}{6}$

(5) $\lim\limits_{x\to-2}\dfrac{2x^2+3x-2}{x+2}=\lim\limits_{x\to-2}\dfrac{(x+2)(2x-1)}{x+2}$

$=\lim\limits_{x\to-2}(2x-1)$

$=2\times(-2)-1=-5$

(6) $\lim\limits_{x\to5}\dfrac{x^2-4x-5}{x^2-25}=\lim\limits_{x\to5}\dfrac{(x+1)(x-5)}{(x+5)(x-5)}$

$=\lim\limits_{x\to5}\dfrac{x+1}{x+5}$

$=\dfrac{5+1}{5+5}=\dfrac{3}{5}$

(7) $\lim_{x\to-1}\frac{x^3+1}{x+1}=\lim_{x\to-1}\frac{(x+1)(x^2-x+1)}{x+1}$

$=\lim_{x\to-1}(x^2-x+1)$

$=(-1)^2-(-1)+1=3$

(8) $\lim_{x\to2}\frac{x^3+x^2-7x+2}{x^2-x-2}=\lim_{x\to2}\frac{(x-2)(x^2+3x-1)}{(x+1)(x-2)}$

$=\lim_{x\to2}\frac{x^2+3x-1}{x+1}$

$=\frac{2^2+3\times2-1}{2+1}=3$

32 답 (1) 2 (2) $\frac{1}{6}$ (3) 32 (4) $-\frac{1}{2}$ (5) $\frac{1}{4}$ (6) $-\frac{2}{3}$ (7) 4 (8) 36 (9) $\frac{1}{4}$ (10) $2\sqrt{10}$

풀이 (1) $\lim_{x\to1}\frac{x-1}{\sqrt{x}-1}$ ⬅ $x=1$을 대입하면 $\frac{0}{0}$ 꼴

$=\lim_{x\to1}\frac{(x-1)(\sqrt{x}+1)}{(\sqrt{x}-1)(\sqrt{x}+1)}$ ⬅ 분모 유리화

$=\lim_{x\to1}\frac{(x-1)(\sqrt{x}+1)}{x-1}$

$=\lim_{x\to1}(\sqrt{x}+1)$ ⬅ 약분

$=\sqrt{1}+1=2$ ⬅ 극한값

(2) $\lim_{x\to9}\frac{\sqrt{x}-3}{x-9}=\lim_{x\to9}\frac{(\sqrt{x}-3)(\sqrt{x}+3)}{(x-9)(\sqrt{x}+3)}$

$=\lim_{x\to9}\frac{x-9}{(x-9)(\sqrt{x}+3)}$

$=\lim_{x\to9}\frac{1}{\sqrt{x}+3}$

$=\frac{1}{\sqrt{9}+3}=\frac{1}{6}$

(3) $\lim_{x\to4}\frac{x^2-16}{\sqrt{x}-2}=\lim_{x\to4}\frac{(x^2-16)(\sqrt{x}+2)}{(\sqrt{x}-2)(\sqrt{x}+2)}$

$=\lim_{x\to4}\frac{(x-4)(x+4)(\sqrt{x}+2)}{x-4}$

$=\lim_{x\to4}(x+4)(\sqrt{x}+2)$

$=(4+4)(\sqrt{4}+2)=32$

(4) $\lim_{x\to0}\frac{1-\sqrt{x+1}}{x}=\lim_{x\to0}\frac{(1-\sqrt{x+1})(1+\sqrt{x+1})}{x(1+\sqrt{x+1})}$

$=\lim_{x\to0}\frac{-x}{x(1+\sqrt{x+1})}$

$=\lim_{x\to0}\frac{-1}{1+\sqrt{x+1}}$

$=\frac{-1}{1+\sqrt{0+1}}=-\frac{1}{2}$

(5) $\lim_{x\to1}\frac{\sqrt{x+3}-2}{x-1}=\lim_{x\to1}\frac{(\sqrt{x+3}-2)(\sqrt{x+3}+2)}{(x-1)(\sqrt{x+3}+2)}$

$=\lim_{x\to1}\frac{x-1}{(x-1)(\sqrt{x+3}+2)}$

$=\lim_{x\to1}\frac{1}{\sqrt{x+3}+2}$

$=\frac{1}{\sqrt{1+3}+2}=\frac{1}{4}$

(6) $\lim_{x\to-2}\frac{\sqrt{x^2+5}-3}{x+2}=\lim_{x\to-2}\frac{(\sqrt{x^2+5}-3)(\sqrt{x^2+5}+3)}{(x+2)(\sqrt{x^2+5}+3)}$

$=\lim_{x\to-2}\frac{x^2-4}{(x+2)(\sqrt{x^2+5}+3)}$

$=\lim_{x\to-2}\frac{(x+2)(x-2)}{(x+2)(\sqrt{x^2+5}+3)}$

$=\lim_{x\to-2}\frac{x-2}{\sqrt{x^2+5}+3}$

$=\frac{-2-2}{\sqrt{(-2)^2+5}+3}=-\frac{2}{3}$

(7) $\lim_{x\to-1}\frac{x+1}{\sqrt{x+5}-2}=\lim_{x\to-1}\frac{(x+1)(\sqrt{x+5}+2)}{(\sqrt{x+5}-2)(\sqrt{x+5}+2)}$

$=\lim_{x\to-1}\frac{(x+1)(\sqrt{x+5}+2)}{x+1}$

$=\lim_{x\to-1}(\sqrt{x+5}+2)$

$=\sqrt{-1+5}+2=4$

(8) $\lim_{x\to3}\frac{x^2-9}{\sqrt{x+6}-3}$

$=\lim_{x\to3}\frac{(x^2-9)(\sqrt{x+6}+3)}{(\sqrt{x+6}-3)(\sqrt{x+6}+3)}$

$=\lim_{x\to3}\frac{(x+3)(x-3)(\sqrt{x+6}+3)}{x-3}$

$=\lim_{x\to3}(x+3)(\sqrt{x+6}+3)$

$=(3+3)(\sqrt{3+6}+3)=36$

(9) $\lim_{x\to0}\frac{\sqrt{4+x}-\sqrt{4-x}}{2x}$

$=\lim_{x\to0}\frac{(\sqrt{4+x}-\sqrt{4-x})(\sqrt{4+x}+\sqrt{4-x})}{2x(\sqrt{4+x}+\sqrt{4-x})}$

$=\lim_{x\to0}\frac{2x}{2x(\sqrt{4+x}+\sqrt{4-x})}$

$=\lim_{x\to0}\frac{1}{\sqrt{4+x}+\sqrt{4-x}}$

$=\frac{1}{\sqrt{4+0}+\sqrt{4-0}}=\frac{1}{4}$

(10) $\lim_{x\to1}\frac{x-1}{\sqrt{x+9}-\sqrt{10}}$

$=\lim_{x\to1}\frac{(x-1)(\sqrt{x+9}+\sqrt{10})}{(\sqrt{x+9}-\sqrt{10})(\sqrt{x+9}+\sqrt{10})}$

$=\lim_{x\to1}\frac{(x-1)(\sqrt{x+9}+\sqrt{10})}{x-1}$

$=\lim_{x\to1}(\sqrt{x+9}+\sqrt{10})$

$=\sqrt{1+9}+\sqrt{10}=2\sqrt{10}$

33 답 (1) 4 (2) 2 (3) $\frac{3}{2}$ (4) $-\frac{3}{2}$ (5) 2 (6) 4 (7) -3 (8) 2

풀이 (1) 분모, 분자를 x로 나누면

$\lim_{x\to\infty}\frac{4x}{x-1}=\lim_{x\to\infty}\frac{4}{1-\frac{1}{x}}=\frac{4}{1-0}=4$

(2) $\lim_{x\to\infty}\frac{2x^2-1}{x^2+3x}=\lim_{x\to\infty}\frac{2-\frac{1}{x^2}}{1+\frac{3}{x}}=2$

(3) $\lim_{x\to\infty}\frac{3x^2+2x+8}{2x^2+x-2}=\lim_{x\to\infty}\frac{3+\frac{2}{x}+\frac{8}{x^2}}{2+\frac{1}{x}-\frac{2}{x^2}}=\frac{3}{2}$

(4) $\lim_{x\to\infty}\frac{1-9x^3}{6x^3-2x+1}=\lim_{x\to\infty}\frac{\frac{1}{x^3}-9}{6-\frac{2}{x^2}+\frac{1}{x^3}}$

$=-\frac{9}{6}=-\frac{3}{2}$

(5) $\lim_{x\to\infty}\frac{(6x-1)(x+2)}{3x^2+x}=\lim_{x\to\infty}\frac{\left(6-\frac{1}{x}\right)\left(1+\frac{2}{x}\right)}{3+\frac{1}{x}}$

$=\frac{6\times1}{3}=2$

(6) $\lim_{x\to\infty}\frac{(2x-7)(8x^2+3)}{4x^3+x^2}=\lim_{x\to\infty}\frac{\left(2-\frac{7}{x}\right)\left(8+\frac{3}{x^2}\right)}{4+\frac{1}{x}}$

$=\frac{2\times8}{4}=4$

(7) $\lim_{x\to\infty}\frac{-3x}{\sqrt{x^2+3}-1}=\lim_{x\to\infty}\frac{-3}{\sqrt{1+\frac{3}{x^2}}-\frac{1}{x}}=-3$

(8) $\lim_{x\to\infty}\frac{\sqrt{4x^2-5x}-7}{x-6}=\lim_{x\to\infty}\frac{\sqrt{4-\frac{5}{x}}-\frac{7}{x}}{1-\frac{6}{x}}=2$

34 답 (1) 0 (2) 0 (3) 0 (4) 0 (5) 0

풀이 (1) 분모, 분자를 x^2으로 나누면

$\lim_{x\to\infty}\frac{3x+2}{2x^2+1}=\lim_{x\to\infty}\frac{\frac{3}{x}+\frac{2}{x^2}}{2+\frac{1}{x^2}}=\frac{0+0}{2+0}=\underline{0}$

(2) $\lim_{x\to\infty}\frac{5-2x}{3x^2+x-6}=\lim_{x\to\infty}\frac{\frac{5}{x^2}-\frac{2}{x}}{3+\frac{1}{x}-\frac{6}{x^2}}=0$

(3) $\lim_{x\to\infty}\frac{x^2+4x+4}{7x^3+x^2-1}=\lim_{x\to\infty}\frac{\frac{1}{x}+\frac{4}{x^2}+\frac{4}{x^3}}{7+\frac{1}{x}-\frac{1}{x^3}}=0$

(4) $\lim_{x\to\infty}\frac{x^2+2}{x(x+2)(x-3)}$

$=\lim_{x\to\infty}\frac{\frac{1}{x}+\frac{2}{x^3}}{1\times\left(1+\frac{2}{x}\right)\left(1-\frac{3}{x}\right)}=0$

(5) $\lim_{x\to\infty}\frac{\sqrt{4x^2+x}-1}{x^2-2}=\lim_{x\to\infty}\frac{\sqrt{\frac{4}{x^2}+\frac{1}{x^3}}-\frac{1}{x^2}}{1-\frac{2}{x^2}}=0$

35 답 (1) ∞ (2) ∞ (3) ∞ (4) ∞ (5) ∞

풀이 (1) 분모, 분자를 x로 나누면

$\lim_{x\to\infty}\frac{x^2-4x}{x+2}=\lim_{x\to\infty}\frac{x-4}{1+\frac{2}{x}}=\underline{\infty}$

(2) $\lim_{x\to\infty}\frac{x^2+2x+1}{x-3}=\lim_{x\to\infty}\frac{x+2+\frac{1}{x}}{1-\frac{3}{x}}=\infty$

(3) $\lim_{x\to\infty}\frac{6x^3+x^2-2}{2x^2-x+1}=\lim_{x\to\infty}\frac{6x+1-\frac{2}{x^2}}{2-\frac{1}{x}+\frac{1}{x^2}}=\infty$

(4) $\lim_{x\to\infty}\frac{x^3+x}{(x+1)(3x-1)}$

$=\lim_{x\to\infty}\frac{x+\frac{1}{x}}{\left(1+\frac{1}{x}\right)\left(3-\frac{1}{x}\right)}=\infty$

(5) $\lim_{x\to\infty}\frac{x^2-16}{\sqrt{x^2-1}+2}=\lim_{x\to\infty}\frac{x-\frac{16}{x}}{\sqrt{1-\frac{1}{x^2}}+\frac{2}{x}}=\infty$

36 답 (1) ∞ (2) ∞ (3) $-\infty$ (4) ∞ (5) ∞

풀이 (1) 최고차항 x^2으로 묶으면

$\lim_{x\to\infty}(x^2-2x)=\lim_{x\to\infty}x^2\left(1-\frac{2}{x}\right)=\underline{\infty}$

(2) $\lim_{x\to\infty}(x^3+x^2-5x)=\lim_{x\to\infty}x^3\left(1+\frac{1}{x}-\frac{5}{x^2}\right)=\infty$

(3) $\lim_{x\to\infty}(1-3x^2-4x^3)=\lim_{x\to\infty}x^3\left(\frac{1}{x^3}-\frac{3}{x}-4\right)=-\infty$

(4) $\lim_{x\to\infty}(x^4-8x)=\lim_{x\to\infty}x^4\left(1-\frac{8}{x^3}\right)=\infty$

(5) $\lim_{x\to\infty}(-3+x^2+2x^4)=\lim_{x\to\infty}x^4\left(-\frac{3}{x^4}+\frac{1}{x^2}+2\right)=\infty$

37 답 (1) $-\frac{3}{2}$ (2) 1 (3) 0 (4) $-\frac{7}{2}$ (5) 0 (6) 0 (7) -2 (8) $\frac{5}{2}$

풀이 (1) $\lim_{x\to\infty}(\sqrt{x^2-3x}-x)$ ⬅ $\infty-\infty$ 꼴

$=\lim_{x\to\infty}\frac{(\sqrt{x^2-3x}-x)(\sqrt{x^2-3x}+x)}{\sqrt{x^2-3x}+x}$

⬅ 분모를 1로 보고 유리화

$=\lim_{x\to\infty}\frac{-3x}{\sqrt{x^2-3x}+x}$

$=\lim_{x\to\infty}\frac{-3}{\sqrt{1-\frac{3}{x}}+1}$ ⬅ 분모의 최고차항 x로 분모, 분자를 나눈다.

$=\frac{-3}{\sqrt{1-0}+1}=\underline{-\frac{3}{2}}$ ⬅ 극한값

(2) $\lim_{x\to\infty}(\sqrt{x^2+2x}-x)$

$=\lim_{x\to\infty}\frac{(\sqrt{x^2+2x}-x)(\sqrt{x^2+2x}+x)}{\sqrt{x^2+2x}+x}$

$=\lim_{x\to\infty}\frac{2x}{\sqrt{x^2+2x}+x}$

$=\lim_{x\to\infty}\frac{2}{\sqrt{1+\frac{2}{x}}+1}=1$

(3) $\lim_{x\to\infty}(\sqrt{x^2-10}-x)$

$=\lim_{x\to\infty}\frac{(\sqrt{x^2-10}-x)(\sqrt{x^2-10}+x)}{\sqrt{x^2-10}+x}$

$=\lim_{x\to\infty}\frac{-10}{\sqrt{x^2-10}+x}$

$=\lim_{x\to\infty}\frac{-\frac{10}{x}}{\sqrt{1-\frac{10}{x^2}}+1}=0$

(4) $\lim_{x\to\infty}(\sqrt{x^2-7x+1}-x)$

$=\lim_{x\to\infty}\frac{(\sqrt{x^2-7x+1}-x)(\sqrt{x^2-7x+1}+x)}{\sqrt{x^2-7x+1}+x}$

$=\lim_{x\to\infty}\frac{-7x+1}{\sqrt{x^2-7x+1}+x}$

$=\lim_{x\to\infty}\frac{-7+\frac{1}{x}}{\sqrt{1-\frac{7}{x}+\frac{1}{x^2}}+1}=-\frac{7}{2}$

(5) $\lim_{x\to\infty}(\sqrt{x+6}-\sqrt{x})$

$=\lim_{x\to\infty}\frac{(\sqrt{x+6}-\sqrt{x})(\sqrt{x+6}+\sqrt{x})}{\sqrt{x+6}+\sqrt{x}}$

$=\lim_{x\to\infty}\frac{6}{\sqrt{x+6}+\sqrt{x}}$

$=\lim_{x\to\infty}\frac{\sqrt{\frac{36}{x}}}{\sqrt{1+\frac{6}{x}}+1}=0$

(6) $\lim_{x\to\infty}(\sqrt{x+1}-\sqrt{x-1})$

$=\lim_{x\to\infty}\frac{(\sqrt{x+1}-\sqrt{x-1})(\sqrt{x+1}+\sqrt{x-1})}{\sqrt{x+1}+\sqrt{x-1}}$

$=\lim_{x\to\infty}\frac{2}{\sqrt{x+1}+\sqrt{x-1}}$

$=\lim_{x\to\infty}\frac{\sqrt{\frac{4}{x}}}{\sqrt{1+\frac{1}{x}}+\sqrt{1-\frac{1}{x}}}=0$

(7) $\lim_{x\to\infty}(\sqrt{x^2-2x}-\sqrt{x^2+2x})$

$=\lim_{x\to\infty}\frac{(\sqrt{x^2-2x}-\sqrt{x^2+2x})(\sqrt{x^2-2x}+\sqrt{x^2+2x})}{\sqrt{x^2-2x}+\sqrt{x^2+2x}}$

$=\lim_{x\to\infty}\frac{-4x}{\sqrt{x^2-2x}+\sqrt{x^2+2x}}$

$=\lim_{x\to\infty}\frac{-4}{\sqrt{1-\frac{2}{x}}+\sqrt{1+\frac{2}{x}}}=-2$

(8) $\lim_{x\to\infty}\sqrt{x}(\sqrt{x+5}-\sqrt{x})$

$=\lim_{x\to\infty}\frac{\sqrt{x}(\sqrt{x+5}-\sqrt{x})(\sqrt{x+5}+\sqrt{x})}{\sqrt{x+5}+\sqrt{x}}$

$=\lim_{x\to\infty}\frac{5\sqrt{x}}{\sqrt{x+5}+\sqrt{x}}$

$=\lim_{x\to\infty}\frac{5\times1}{\sqrt{1+\frac{5}{x}}+1}=\frac{5}{2}$

38 답 (1) 2 (2) $-\frac{1}{2}$ (3) -2 (4) $\frac{1}{3}$ (5) 1

풀이 (1) $\lim_{x\to\infty}\frac{1}{\sqrt{x^2+x}-x}$

$=\lim_{x\to\infty}\frac{\sqrt{x^2+x}+x}{(\sqrt{x^2+x}-x)(\sqrt{x^2+x}+x)}$

$=\lim_{x\to\infty}\frac{\sqrt{x^2+x}+x}{x}$

$=\lim_{x\to\infty}\left(\sqrt{1+\frac{1}{x}}+1\right)=2$

(2) $\lim_{x\to\infty}\frac{1}{\sqrt{x^2-4x}-x}$

$=\lim_{x\to\infty}\frac{\sqrt{x^2-4x}+x}{(\sqrt{x^2-4x}-x)(\sqrt{x^2-4x}+x)}$

$=\lim_{x\to\infty}\frac{\sqrt{x^2-4x}+x}{-4x}$

$=\lim_{x\to\infty}\frac{\sqrt{1-\frac{4}{x}}+1}{-4}=-\frac{1}{2}$

(3) $\lim_{x\to\infty}\frac{1}{\sqrt{x^2-x+1}-x}$

$=\lim_{x\to\infty}\frac{\sqrt{x^2-x+1}+x}{(\sqrt{x^2-x+1}-x)(\sqrt{x^2-x+1}+x)}$

$=\lim_{x\to\infty}\frac{\sqrt{x^2-x+1}+x}{-x+1}$

$=\lim_{x\to\infty}\frac{\sqrt{1-\frac{1}{x}+\frac{1}{x^2}}+1}{-1+\frac{1}{x}}=-2$

(4) $\lim_{x\to\infty}\frac{1}{\sqrt{x^2+3x}-\sqrt{x^2-3x}}$

$=\lim_{x\to\infty}\frac{\sqrt{x^2+3x}+\sqrt{x^2-3x}}{(\sqrt{x^2+3x}-\sqrt{x^2-3x})(\sqrt{x^2+3x}+\sqrt{x^2-3x})}$

$=\lim_{x\to\infty}\frac{\sqrt{x^2+3x}+\sqrt{x^2-3x}}{6x}$

$=\lim_{x\to\infty}\frac{\sqrt{1+\frac{3}{x}}+\sqrt{1-\frac{3}{x}}}{6}=\frac{1}{3}$

(5) $\lim_{x\to\infty}\frac{1}{\sqrt{x}(\sqrt{x+2}-\sqrt{x})}$

$=\lim_{x\to\infty}\frac{\sqrt{x+2}+\sqrt{x}}{\sqrt{x}(\sqrt{x+2}-\sqrt{x})(\sqrt{x+2}+\sqrt{x})}$

$=\lim_{x\to\infty}\frac{\sqrt{x+2}+\sqrt{x}}{2\sqrt{x}}$

$=\lim_{x\to\infty}\frac{\sqrt{1+\frac{2}{x}}+1}{2\times1}=1$

39 답 (1) -1 (2) $\frac{1}{4}$ (3) $-\frac{1}{9}$ (4) -2 (5) $\frac{1}{6}$

풀이 (1) $\lim_{x\to0}\frac{1}{x}\left(\frac{1}{x+1}-1\right)$ ⬅ $\infty\times0$ 꼴

$=\lim_{x\to0}\left(\frac{1}{x}\times\frac{-x}{x+1}\right)$ ⬅ $\frac{1}{x+1}-1$ 통분

$=\lim_{x\to 0}\dfrac{-1}{x+1}$ ⬅ 약분

$=\dfrac{-1}{0+1}=\underline{-1}$ ⬅ 극한값

(2) $\lim_{x\to 0}\dfrac{1}{x}\left(\dfrac{1}{2}-\dfrac{1}{x+2}\right)$

$=\lim_{x\to 0}\left\{\dfrac{1}{x}\times\dfrac{x}{2(x+2)}\right\}=\lim_{x\to 0}\dfrac{1}{2(x+2)}=\underline{\dfrac{1}{4}}$

(3) $\lim_{x\to -1}\dfrac{1}{x+1}\left(\dfrac{1}{x-2}+\dfrac{1}{3}\right)$

$=\lim_{x\to -1}\left\{\dfrac{1}{x+1}\times\dfrac{x+1}{3(x-2)}\right\}$

$=\lim_{x\to -1}\dfrac{1}{3(x-2)}=\underline{-\dfrac{1}{9}}$

(4) $\lim_{x\to 0}\dfrac{1}{x}\left\{1-\dfrac{1}{(x-1)^2}\right\}$

$=\lim_{x\to 0}\left\{\dfrac{1}{x}\times\dfrac{x(x-2)}{(x-1)^2}\right\}$

$=\lim_{x\to 0}\dfrac{x-2}{(x-1)^2}=\underline{-2}$

(5) $\lim_{x\to 3}(x-3)\left(\dfrac{1}{x^2-9}-1\right)$

$=\lim_{x\to 3}\left\{(x-3)\times\dfrac{-x^2+10}{x^2-9}\right\}$

$=\lim_{x\to 3}\left\{(x-3)\times\dfrac{-x^2+10}{(x+3)(x-3)}\right\}$

$=\lim_{x\to 3}\dfrac{-x^2+10}{x+3}=\underline{\dfrac{1}{6}}$

40 답 (1) $-\dfrac{1}{2}$ (2) $\dfrac{1}{2}$ (3) $\dfrac{1}{2}$ (4) $-\dfrac{1}{8}$

풀이 (1) $\lim_{x\to\infty}x\left(1-\dfrac{\sqrt{x+1}}{\sqrt{x}}\right)$ ⬅ $\infty\times 0$ 꼴

$=\lim_{x\to\infty}\dfrac{x(\sqrt{x}-\sqrt{x+1})}{\sqrt{x}}$ ⬅ $1-\dfrac{\sqrt{x+1}}{\sqrt{x}}$ 통분

$=\lim_{x\to\infty}\dfrac{x(\sqrt{x}-\sqrt{x+1})(\sqrt{x}+\sqrt{x+1})}{\sqrt{x}(\sqrt{x}+\sqrt{x+1})}$ ⬅ 유리화

$=\lim_{x\to\infty}\dfrac{-x}{x+\sqrt{x^2+x}}$

$=\lim_{x\to\infty}\dfrac{-1}{1+\sqrt{1+\dfrac{1}{x}}}$ ⬅ 분모의 최고차항 x로 분모, 분자를 나눈다.

$=\dfrac{-1}{1+\sqrt{1}}=\underline{-\dfrac{1}{2}}$ ⬅ 극한값

(2) $\lim_{x\to\infty}x^2\left(1-\dfrac{x}{\sqrt{x^2+1}}\right)$

$=\lim_{x\to\infty}\dfrac{x^2(\sqrt{x^2+1}-x)}{\sqrt{x^2+1}}$

$=\lim_{x\to\infty}\dfrac{x^2(\sqrt{x^2+1}-x)(\sqrt{x^2+1}+x)}{\sqrt{x^2+1}(\sqrt{x^2+1}+x)}$

$=\lim_{x\to\infty}\dfrac{x^2}{\sqrt{x^2+1}(\sqrt{x^2+1}+x)}$

$=\lim_{x\to\infty}\dfrac{1}{\sqrt{1+\dfrac{1}{x^2}}\left(\sqrt{1+\dfrac{1}{x^2}}+1\right)}=\underline{\dfrac{1}{2}}$

(3) $\lim_{x\to 0}\dfrac{1}{x}\left(\dfrac{1}{\sqrt{2-x}}-\dfrac{1}{\sqrt{2}}\right)$

$=\lim_{x\to 0}\left\{\dfrac{1}{x}\times\dfrac{x}{\sqrt{2}(\sqrt{2}-x)}\right\}$

$=\lim_{x\to 0}\dfrac{1}{\sqrt{2}(\sqrt{2}-x)}=\underline{\dfrac{1}{2}}$

(4) $\lim_{x\to 0}\dfrac{2}{x}\left(\dfrac{1}{\sqrt{x+4}}-\dfrac{1}{2}\right)$

$=\lim_{x\to 0}\left(\dfrac{2}{x}\times\dfrac{2-\sqrt{x+4}}{2\sqrt{x+4}}\right)$

$=\lim_{x\to 0}\dfrac{2-\sqrt{x+4}}{x\sqrt{x+4}}$

$=\lim_{x\to 0}\dfrac{(2-\sqrt{x+4})(2+\sqrt{x+4})}{x\sqrt{x+4}(2+\sqrt{x+4})}$

$=\lim_{x\to 0}\dfrac{-x}{x\sqrt{x+4}(2+\sqrt{x+4})}$

$=\lim_{x\to 0}\dfrac{-1}{\sqrt{x+4}(2+\sqrt{x+4})}=\underline{-\dfrac{1}{8}}$

41 답 (1) 8 (2) 1 (3) 5

풀이 (1) $\lim_{x\to -2}(x+2)=0$이므로

$\lim_{x\to -2}(4x+a)=\underline{0}$에서

$-8+a=\underline{0}$ $\quad\therefore a=\underline{8}$

(2) $\lim_{x\to -1}(2x^2+3x+1)=0$이므로

$\lim_{x\to -1}(ax+1)=0$에서

$-a+1=0$ $\quad\therefore a=1$

(3) $\lim_{x\to 3}(x-3)=0$이므로

$\lim_{x\to 3}(x^2-ax+6)=0$에서

$9-3a+6=0$ $\quad\therefore a=5$

42 답 (1) $b=-a-1$ (2) $a=1$, $b=-2$

풀이 (1) $\lim_{x\to 1}(x-1)=0$이므로

$\lim_{x\to 1}(x^2+ax+b)=\underline{0}$에서

$1+a+b=\underline{0}$ $\quad\therefore b=\underline{-a-1}$

(2) $\lim_{x\to 1}\dfrac{x^2+ax+b}{x-1}=\lim_{x\to 1}\dfrac{x^2+ax-a-1}{x-1}$

$=\lim_{x\to 1}\dfrac{(x-1)(x+a+1)}{x-1}$

$=\lim_{x\to 1}(x+a+1)$

$=a+2=3$

$\therefore a=\underline{1},\ b=\underline{-2}$

43 답 (1) $a=-2$, $b=-2$ (2) $a=7$, $b=6$
(3) $a=2\sqrt{2}$, $b=4$ (4) $a=1$, $b=-2$

풀이 (1) $\lim_{x\to -1}(x+1)=0$이므로

$\lim_{x\to -1}(ax+b)=0$에서

$-a+b=0$ $\quad\therefore b=a$

$\lim_{x\to -1}\dfrac{ax+b}{x+1}=\lim_{x\to -1}\dfrac{ax+a}{x+1}$

$=\lim_{x\to-1}\frac{a(x+1)}{x+1}$

$=a=-2$

$\therefore a=-2,\ b=-2$

(2) $\lim_{x\to-2}(x^2+x-2)=0$이므로

$\lim_{x\to-2}(2x^2+ax+b)=0$에서

$8-2a+b=0 \qquad \therefore b=2a-8$

$$\lim_{x\to-2}\frac{2x^2+ax+b}{x^2+x-2}=\lim_{x\to-2}\frac{2x^2+ax+2a-8}{x^2+x-2}$$

$$=\lim_{x\to-2}\frac{(x+2)(2x+a-4)}{(x+2)(x-1)}$$

$$=\lim_{x\to-2}\frac{2x+a-4}{x-1}$$

$$=\frac{a-8}{-3}=\frac{1}{3}$$

$\therefore a=7,\ b=6$

(3) $\lim_{x\to1}(x-1)=0$이므로

$\lim_{x\to1}(a\sqrt{x+1}-b)=0$에서

$\sqrt{2}a-b=0 \qquad \therefore b=\sqrt{2}a$

$$\lim_{x\to1}\frac{a\sqrt{x+1}-b}{x-1}=\lim_{x\to1}\frac{a\sqrt{x+1}-\sqrt{2}a}{x-1}$$

$$=\lim_{x\to1}\frac{a(\sqrt{x+1}-\sqrt{2})(\sqrt{x+1}+\sqrt{2})}{(x-1)(\sqrt{x+1}+\sqrt{2})}$$

$$=\lim_{x\to1}\frac{a(x-1)}{(x-1)(\sqrt{x+1}+\sqrt{2})}$$

$$=\lim_{x\to1}\frac{a}{\sqrt{x+1}+\sqrt{2}}$$

$$=\frac{a}{2\sqrt{2}}=1$$

$\therefore a=2\sqrt{2},\ b=4$

(4) $\lim_{x\to2}(\sqrt{x+1}-\sqrt{3})=0$이므로

$\lim_{x\to2}(ax+b)=0$에서

$2a+b=0 \qquad \therefore b=-2a$

$$\lim_{x\to2}\frac{ax+b}{\sqrt{x+1}-\sqrt{3}}=\lim_{x\to2}\frac{ax-2a}{\sqrt{x+1}-\sqrt{3}}$$

$$=\lim_{x\to2}\frac{a(x-2)(\sqrt{x+1}+\sqrt{3})}{(\sqrt{x+1}-\sqrt{3})(\sqrt{x+1}+\sqrt{3})}$$

$$=\lim_{x\to2}\frac{a(x-2)(\sqrt{x+1}+\sqrt{3})}{x-2}$$

$$=\lim_{x\to2}a(\sqrt{x+1}+\sqrt{3})$$

$$=2a\sqrt{3}=2\sqrt{3}$$

$\therefore a=1,\ b=-2$

44 답 (1) 4 (2) -6 (3) 3

풀이 (1) $\frac{1}{4}\neq0$이고 $\lim_{x\to2}(x-2)=0$이므로

$\lim_{x\to2}(x^2-a)=0$에서

$4-a=0 \qquad \therefore a=4$

(2) $\frac{1}{5}\neq0$이고 $\lim_{x\to3}(x-3)=0$이므로

$\lim_{x\to3}(x^2-x+a)=0$에서

$9-3+a=0 \qquad \therefore a=-6$

(3) $1\neq0$이고 $\lim_{x\to-1}(x+1)=0$이므로

$\lim_{x\to-1}(x^2+ax+2)=0$에서

$1-a+2=0 \qquad \therefore a=3$

45 답 (1) $b=3a-9$ (2) $a=-1,\ b=-12$

풀이 (1) $-\frac{1}{7}\neq0$이고 $\lim_{x\to-3}(x+3)=0$이므로

$\lim_{x\to-3}(x^2+ax+b)=0$에서

$9-3a+b=0 \qquad \therefore b=3a-9$

(2) $$\lim_{x\to-3}\frac{x+3}{x^2+ax+b}=\lim_{x\to-3}\frac{x+3}{x^2+ax+3a-9}$$

$$=\lim_{x\to-3}\frac{x+3}{(x+3)(x+a-3)}$$

$$=\lim_{x\to-3}\frac{1}{x+a-3}$$

$$=\frac{1}{a-6}=-\frac{1}{7}$$

$\therefore a=-1,\ b=-12$

46 답 (1) $a=2,\ b=-8$ (2) $a=4,\ b=6$
(3) $a=2,\ b=2$ (4) $a=6,\ b=-2$

풀이 (1) $\frac{1}{6}\neq0$이고 $\lim_{x\to2}(x-2)=0$이므로

$\lim_{x\to2}(x^2+ax+b)=0$에서

$4+2a+b=0 \qquad \therefore b=-2a-4$

$$\lim_{x\to2}\frac{x-2}{x^2+ax+b}=\lim_{x\to2}\frac{x-2}{x^2+ax-2a-4}$$

$$=\lim_{x\to2}\frac{x-2}{(x-2)(x+a+2)}$$

$$=\lim_{x\to2}\frac{1}{x+a+2}$$

$$=\frac{1}{a+4}=\frac{1}{6}$$

$\therefore a=2,\ b=-8$

(2) $\frac{1}{4}\neq0$이고 $\lim_{x\to1}(x^2-1)=0$이므로

$\lim_{x\to1}(2x^2+ax-b)=0$에서

$2+a-b=0 \qquad \therefore b=a+2$

$$\lim_{x\to1}\frac{x^2-1}{2x^2+ax-b}=\lim_{x\to1}\frac{x^2-1}{2x^2+ax-a-2}$$

$$=\lim_{x\to1}\frac{(x+1)(x-1)}{(x-1)(2x+a+2)}$$

$$=\lim_{x\to1}\frac{x+1}{2x+a+2}$$

$$=\frac{2}{a+4}=\frac{1}{4}$$

$\therefore a=4,\ b=6$

(3) $1\neq0$이고 $\lim_{x\to1}(x-1)=0$이므로

$\lim_{x\to1}(a\sqrt{x}-b)=0$에서

$a-b=0 \qquad \therefore b=a$

$$\lim_{x\to 1}\frac{x-1}{a\sqrt{x}-b}=\lim_{x\to 1}\frac{x-1}{a\sqrt{x}-a}$$
$$=\lim_{x\to 1}\frac{(x-1)(\sqrt{x}+1)}{a(\sqrt{x}-1)(\sqrt{x}+1)}$$
$$=\lim_{x\to 1}\frac{(x-1)(\sqrt{x}+1)}{a(x-1)}$$
$$=\lim_{x\to 1}\frac{\sqrt{x}+1}{a}$$
$$=\frac{2}{a}=1$$

$\therefore a=2,\ b=2$

(4) $4\neq 0$이고 $\lim_{x\to -2}(x+2)=0$이므로

$\lim_{x\to -2}(\sqrt{x+a}+b)=0$에서

$\sqrt{-2+a}+b=0 \qquad \therefore b=-\sqrt{-2+a}$

$$\lim_{x\to -2}\frac{x+2}{\sqrt{x+a}+b}$$
$$=\lim_{x\to -2}\frac{x+2}{\sqrt{x+a}-\sqrt{-2+a}}$$
$$=\lim_{x\to -2}\frac{(x+2)(\sqrt{x+a}+\sqrt{-2+a})}{(\sqrt{x+a}-\sqrt{-2+a})(\sqrt{x+a}+\sqrt{-2+a})}$$
$$=\lim_{x\to -2}\frac{(x+2)(\sqrt{x+a}+\sqrt{-2+a})}{x+2}$$
$$=\lim_{x\to -2}(\sqrt{x+a}+\sqrt{-2+a})$$
$$=2\sqrt{-2+a}=4$$

$\therefore a=6,\ b=-2$

47 답 (1) 5 (2) 5 (3) 5

풀이 (3) $\lim_{x\to 1}(2x+3)=5$, $\lim_{x\to 1}(x^2+4)=5$이므로

$\lim_{x\to 1}f(x)=5$

48 답 (1) 2 (2) 2 (3) 2

풀이 (3) $\lim_{x\to\infty}\left(2-\frac{1}{x}\right)=2$, $\lim_{x\to\infty}\left(2+\frac{1}{x}\right)=2$이므로

$\lim_{x\to\infty}f(x)=2$

49 답 (1) 5 (2) 2 (3) 3 (4) $\frac{1}{4}$

풀이 (1) $\lim_{x\to\infty}\frac{5x-3}{x+2}=5$, $\lim_{x\to\infty}\frac{5x+2}{x+1}=5$이므로

$\lim_{x\to\infty}f(x)=5$

(2) $\lim_{x\to\infty}\frac{2x^2+1}{x^2+2}=2$, $\lim_{x\to\infty}\frac{2x+6}{x}=2$이므로

$\lim_{x\to\infty}f(x)=2$

(3) $\lim_{x\to\infty}\frac{3x^2+2}{x^2}=3$, $\lim_{x\to\infty}\frac{9x^2+x+2}{3x^2}=3$이므로

$\lim_{x\to\infty}f(x)=3$

(4) $\lim_{x\to\infty}\frac{x^2+1}{4x^2+2}=\frac{1}{4}$, $\lim_{x\to\infty}\frac{x^2+3}{4x^2+1}=\frac{1}{4}$이므로

$\lim_{x\to\infty}f(x)=\frac{1}{4}$

중단원 점검문제 | Ⅰ-1. 함수의 극한 028-029쪽

01 답 -5

풀이 $f(x)=\frac{x^2-x-6}{x+2}$으로 놓으면 $x\neq -2$일 때

$f(x)=\frac{x^2-x-6}{x+2}=\frac{(x+2)(x-3)}{x+2}=x-3$

이므로 $y=f(x)$의 그래프는 오른쪽 그림과 같다.

$\therefore \lim_{x\to -2}\frac{x^2-x-6}{x+2}=-5$

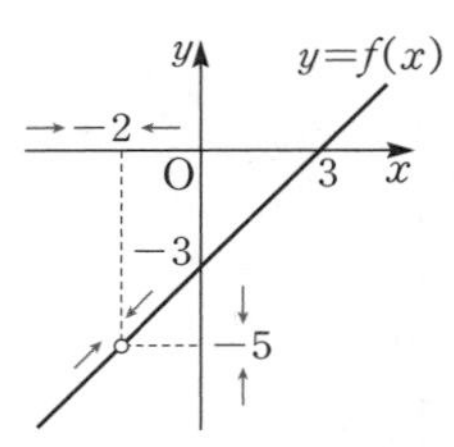

02 답 ∞

풀이 $f(x)=\frac{1}{|x+1|}-2$로 놓으면 $y=f(x)$의 그래프는 오른쪽 그림과 같다.

$\therefore \lim_{x\to -1}\left(\frac{1}{|x+1|}-2\right)=\infty$

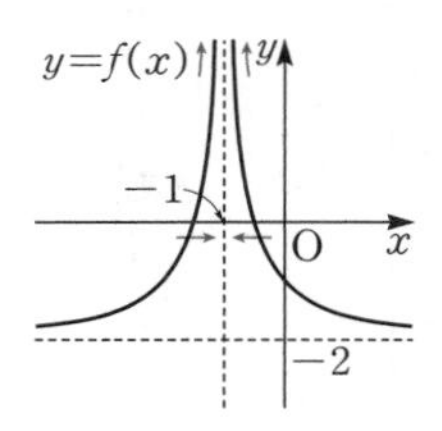

03 답 1

풀이 $f(x)=\frac{x-1}{x+3}=1-\frac{4}{x+3}$로 놓으면 $y=f(x)$의 그래프는 오른쪽 그림과 같다.

$\therefore \lim_{x\to\infty}\frac{x-1}{x+3}=1$

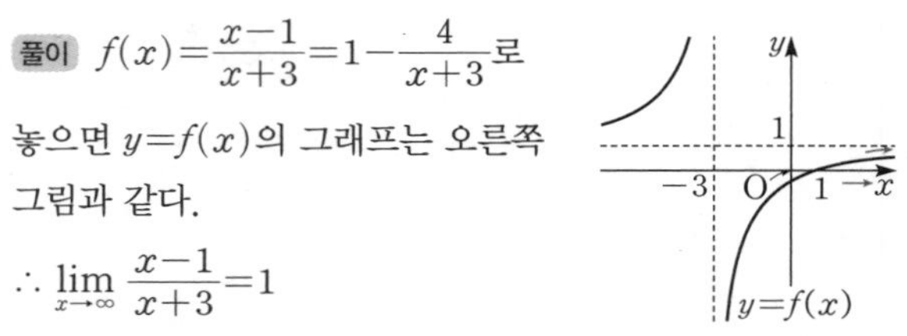

04 답 -3

풀이 $\lim_{x\to 0-}f(x)=-1$, $\lim_{x\to 2+}f(x)=2$이므로

$\lim_{x\to 0-}f(x)-\lim_{x\to 2+}f(x)=-1-2=-3$

05 답 $\lim_{x\to -2}f(x)$는 존재하지 않는다.

풀이 $f(x)=\frac{x^2-4}{|x+2|}$
$$=\frac{(x-2)(x+2)}{|x+2|}$$
$$=\begin{cases} x-2 & (x>-2) \\ -x+2 & (x<-2)\end{cases}$$

이므로 함수 $y=f(x)$의 그래프는 오른쪽 그림과 같다.

$\lim_{x\to -2+}f(x)=-4$

$\lim_{x\to -2-}f(x)=4$

따라서 $\lim_{x\to -2+}f(x)\neq\lim_{x\to -2-}f(x)$이므로 $\lim_{x\to -2}f(x)$는 존재하지 않는다.

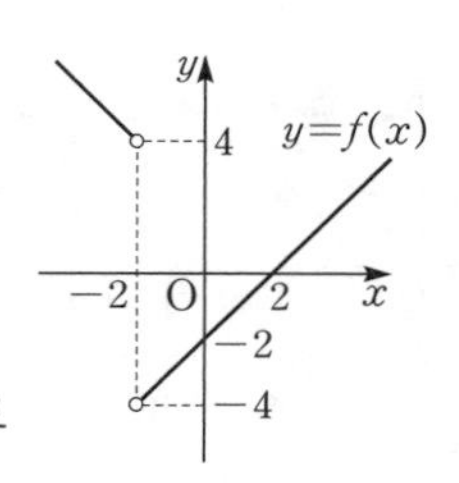

06 답 -2

풀이 $\lim_{x\to 2}\{6f(x)g(x)-f(x)\}$

$=6\lim_{x\to 2}f(x)\lim_{x\to 2}g(x)-\lim_{x\to 2}f(x)$

$=6\times(-2)\times\frac{1}{3}-(-2)=-2$

07 답 30

풀이 $\lim_{x\to -3}(x^2-5x)+\lim_{x\to 1}(2x^2+x)(3x-1)$

$=\{(-3)^2-5\times(-3)\}+(2\times1^2+1)(3\times1-1)=30$

08 답 $\frac{4}{3}$

풀이 $\lim_{x\to 3}\frac{x^2+2x-15}{x^2-9}=\lim_{x\to 3}\frac{(x+5)(x-3)}{(x+3)(x-3)}$

$=\lim_{x\to 3}\frac{x+5}{x+3}$

$=\frac{8}{6}=\frac{4}{3}$

09 답 12

풀이 $\lim_{x\to 1}\frac{x^2-1}{\sqrt{x+8}-3}=\lim_{x\to 1}\frac{(x^2-1)(\sqrt{x+8}+3)}{(\sqrt{x+8}-3)(\sqrt{x+8}+3)}$

$=\lim_{x\to 1}\frac{(x+1)(x-1)(\sqrt{x+8}+3)}{x-1}$

$=\lim_{x\to 1}(x+1)(\sqrt{x+8}+3)$

$=(1+1)(\sqrt{1+8}+3)=12$

10 답 -3

풀이 $\lim_{x\to\infty}\frac{-6x^2+1}{(2x-1)(x+3)}=\lim_{x\to\infty}\frac{-6+\frac{1}{x^2}}{\left(2-\frac{1}{x}\right)\left(1+\frac{3}{x}\right)}$

$=-\frac{6}{2\times1}=-3$

11 답 3

풀이 $\lim_{x\to\infty}\frac{\sqrt{9x^2-x}+2}{x+2}=\lim_{x\to\infty}\frac{\sqrt{9-\frac{1}{x}}+\frac{2}{x}}{1+\frac{2}{x}}$

$=\sqrt{9}=3$

12 답 2

풀이 $\lim_{x\to\infty}(\sqrt{x^2+4x-1}-x)$

$=\lim_{x\to\infty}\frac{(\sqrt{x^2+4x-1}-x)(\sqrt{x^2+4x-1}+x)}{\sqrt{x^2+4x-1}+x}$

$=\lim_{x\to\infty}\frac{4x-1}{\sqrt{x^2+4x-1}+x}$

$=\lim_{x\to\infty}\frac{4-\frac{1}{x}}{\sqrt{1+\frac{4}{x}-\frac{1}{x^2}}+1}$

$=\frac{4}{2}=2$

13 답 $-\frac{1}{4}$

풀이 $\lim_{x\to 0}\frac{1}{x}\left\{\frac{1}{(x+2)^2}-\frac{1}{4}\right\}=\lim_{x\to 0}\left\{\frac{1}{x}\times\frac{-x^2-4x}{4(x+2)^2}\right\}$

$=\lim_{x\to 0}\left\{\frac{1}{x}\times\frac{-x(x+4)}{4(x+2)^2}\right\}$

$=\lim_{x\to 0}\frac{-x-4}{4(x+2)^2}=-\frac{1}{4}$

14 답 -54

풀이 $\lim_{x\to -1}(x^2-1)=0$이므로

$\lim_{x\to -1}(3x^2+ax-b)=0$에서

$3-a-b=0\qquad\therefore b=-a+3$

$\lim_{x\to -1}\frac{3x^2+ax-b}{x^2-1}=\lim_{x\to -1}\frac{3x^2+ax+a-3}{x^2-1}$

$=\lim_{x\to -1}\frac{(x+1)(3x+a-3)}{(x+1)(x-1)}$

$=\lim_{x\to -1}\frac{3x+a-3}{x-1}$

$=\frac{a-6}{-2}=6$

따라서 $a=-6$, $b=9$이므로

$ab=-6\times9=-54$

15 답 -2

풀이 $\frac{3}{4}\neq0$이고 $\lim_{x\to 2}(x-2)=0$이므로

$\lim_{x\to 2}(\sqrt{2x^2+a}+b)=0$에서

$\sqrt{8+a}+b=0\qquad\therefore b=-\sqrt{8+a}$

$\lim_{x\to 2}\frac{x-2}{\sqrt{2x^2+a}+b}$

$=\lim_{x\to 2}\frac{x-2}{\sqrt{2x^2+a}-\sqrt{8+a}}$

$=\lim_{x\to 2}\frac{(x-2)(\sqrt{2x^2+a}+\sqrt{8+a})}{(\sqrt{2x^2+a}-\sqrt{8+a})(\sqrt{2x^2+a}+\sqrt{8+a})}$

$=\lim_{x\to 2}\frac{(x-2)(\sqrt{2x^2+a}+\sqrt{8+a})}{2x^2-8}$

$=\lim_{x\to 2}\frac{(x-2)(\sqrt{2x^2+a}+\sqrt{8+a})}{2(x-2)(x+2)}$

$=\lim_{x\to 2}\frac{\sqrt{2x^2+a}+\sqrt{8+a}}{2(x+2)}$

$=\frac{\sqrt{8+a}+\sqrt{8+a}}{8}$

$=\frac{\sqrt{8+a}}{4}=\frac{3}{4}$

따라서 $a=1$, $b=-3$이므로

$a+b=1+(-3)=-2$

16 답 2

풀이 $\lim_{x\to\infty}\frac{2x^2+x}{x^2+1}=2$, $\lim_{x\to\infty}\frac{4x^2+2x+1}{2x^2+1}=2$이므로

$\lim_{x\to\infty}f(x)=2$

01 답 (1) 불연속, ㄴ (2) 연속 (3) 불연속, ㄱ

풀이 (1) $\lim_{x\to1-} f(x)=\underline{1}$, $\lim_{x\to1+} f(x)=\underline{2}$이므로 $\lim_{x\to1} f(x)$의 값이 존재하지 않는다.

따라서 함수 $f(x)$는 $x=1$에서 불연속이고 그 이유는 ㄴ이다.

(2) $f(1)=2$, $\lim_{x\to1} f(x)=2$이므로

$\lim_{x\to1} f(x)=f(1)$

따라서 함수 $f(x)$는 $x=1$에서 연속이다.

(3) 함숫값 $f(1)$이 정의되지 않으므로 함수 $f(x)$는 $x=1$에서 불연속이고 그 이유는 ㄱ이다.

02 답 (1) 연속 (2) 연속 (3) 불연속 (4) 불연속 (5) 불연속

풀이 (1) $\lim_{x\to0} f(x)=\lim_{x\to0} (x^2-2x)=\underline{0}$, $f(0)=\underline{0}$이므로

$\lim_{x\to0} f(x)=f(0)$

따라서 함수 $f(x)$는 $x=0$에서 연속이다.

(2) $\lim_{x\to0} f(x)=\lim_{x\to0} (-3x+4)=4$, $f(0)=4$이므로

$\lim_{x\to0} f(x)=f(0)$

따라서 함수 $f(x)$는 $x=0$에서 연속이다.

(3) 함숫값 $f(0)$이 정의되지 않으므로 함수 $f(x)$는 $x=0$에서 불연속이다.

(4) $\lim_{x\to0-} f(x)=\lim_{x\to0-} \frac{-x}{x}=-1$,

$\lim_{x\to0+} f(x)=\lim_{x\to0+} \frac{x}{x}=1$

이므로 $\lim_{x\to0} f(x)$의 값이 존재하지 않는다.

따라서 함수 $f(x)$는 $x=0$에서 불연속이다.

(5) $\lim_{x\to0} f(x)=\lim_{x\to0} (-x^2+1)=1$, $f(0)=-1$이므로

$\lim_{x\to0} f(x)\neq f(0)$

따라서 함수 $f(x)$는 $x=0$에서 불연속이다.

03 답 (1) 연속 (2) 연속 (3) 불연속 (4) 연속 (5) 불연속

풀이 (1) $\lim_{x\to1} f(x)=\lim_{x\to1} (x^2+3)=4$, $f(1)=4$이므로

$\lim_{x\to1} f(x)=f(1)$

따라서 함수 $f(x)$는 $x=1$에서 연속이다.

(2) $\lim_{x\to1} f(x)=\lim_{x\to1} \sqrt{x+2}=\sqrt{3}$, $f(1)=\sqrt{3}$이므로

$\lim_{x\to1} f(x)=f(1)$

따라서 함수 $f(x)$는 $x=1$에서 연속이다.

(3) 함숫값 $f(1)$이 정의되지 않으므로 함수 $f(x)$는 $x=1$에서 불연속이다.

(4) $\lim_{x\to1} f(x)=\lim_{x\to1} |x+1|=2$, $f(1)=2$이므로

$\lim_{x\to1} f(x)=f(1)$

따라서 함수 $f(x)$는 $x=1$에서 연속이다.

(5) $\lim_{x\to1} f(x)=\lim_{x\to1} \frac{x^2+x-2}{x-1}$

$=\lim_{x\to1} \frac{(x-1)(x+2)}{x-1}$

$=\lim_{x\to1} (x+2)=3$

$f(1)=2$이므로 $\lim_{x\to1} f(x)\neq f(1)$

따라서 함수 $f(x)$는 $x=1$에서 불연속이다.

04 답 (1) -2 (2) 10 (3) 7

풀이 (1) 함수 $f(x)$가 모든 실수 x에서 연속이려면 $x=\underline{-1}$에서 연속이어야 하므로

$\lim_{x\to-1} f(x)=f(-1)$

$\lim_{x\to-1} \frac{x^2-1}{x+1}=\lim_{x\to-1} \frac{(x+1)(x-1)}{x+1}$

$=\lim_{x\to-1} \underline{(x-1)}=\underline{-2}$

$\therefore k=\underline{-2}$

(2) 함수 $f(x)$가 모든 실수 x에서 연속이려면 $x=2$에서 연속이어야 하므로

$\lim_{x\to2} f(x)=f(2)$

$\lim_{x\to2} (2x+6)=10$

$\therefore k=10$

(3) 함수 $f(x)$가 모든 실수 x에서 연속이려면 $x=3$에서 연속이어야 하므로

$\lim_{x\to3} f(x)=f(3)$

$\lim_{x\to3} \frac{x^2+x-12}{x-3}=\lim_{x\to3} \frac{(x+4)(x-3)}{x-3}$

$=\lim_{x\to3} (x+4)=7$

$\therefore k=7$

05 답 (1) $a=-2$, $b=3$ (2) $a=4$, $b=6$ (3) $a=-2$, $b=\frac{1}{4}$

풀이 (1) 함수 $f(x)$가 모든 실수 x에서 연속이려면 $x=\underline{2}$에서 연속이어야 하므로

$\lim_{x\to2} f(x)=f(2)$

$\lim_{x\to2} \frac{x^2-x+a}{x-2}=b$ ……㉠

㉠에서 $\lim_{x\to2} (x-2)=0$이므로

$\lim_{x\to2} (x^2-x+a)=0$에서

$4-2+a=0$ $\therefore a=\underline{-2}$

$a=\underline{-2}$를 ㉠에 대입하면

$\lim_{x\to2} \frac{x^2-x-2}{x-2}=\lim_{x\to2} \frac{(x+1)(x-2)}{x-2}$

$=\lim_{x\to2} \underline{(x+1)}=\underline{3}$

$\therefore b=\underline{3}$

(2) 함수 $f(x)$가 모든 실수 x에서 연속이려면 $x=1$에서 연속이어야 하므로

$\lim_{x\to1} f(x)=f(1)$

$\lim_{x\to1} \frac{x^2+ax-5}{x-1}=b$ ……㉠

㉠에서 $\lim_{x\to1} (x-1)=0$이므로

$\lim_{x\to1} (x^2+ax-5)=0$에서

$1+a-5=0$ $\therefore a=4$

$a=4$를 ㉠에 대입하면

$\lim_{x\to1}\frac{x^2+4x-5}{x-1}=\lim_{x\to1}\frac{(x+5)(x-1)}{x-1}$

$=\lim_{x\to1}(x+5)=6$

$\therefore b=6$

(3) 함수 $f(x)$가 모든 실수 x에서 연속이려면 $x=0$에서 연속이어야 하므로

$\lim_{x\to0}f(x)=f(0)$

$\lim_{x\to0}\frac{\sqrt{x^2+4}+a}{x^2}=b$ ……㉠

㉠에서 $\lim_{x\to0}x^2=0$이므로

$\lim_{x\to0}(\sqrt{x^2+4}+a)=0$에서

$2+a=0$ $\quad\therefore a=-2$

$a=-2$를 ㉠에 대입하면

$\lim_{x\to0}\frac{\sqrt{x^2+4}-2}{x^2}$

$=\lim_{x\to0}\frac{(\sqrt{x^2+4}-2)(\sqrt{x^2+4}+2)}{x^2(\sqrt{x^2+4}+2)}$

$=\lim_{x\to0}\frac{x^2}{x^2(\sqrt{x^2+4}+2)}$

$=\lim_{x\to0}\frac{1}{\sqrt{x^2+4}+2}=\frac{1}{4}$

$\therefore b=\frac{1}{4}$

06 답 (1) $(1, 4]$ (2) $[-2, 3]$ (3) $(-\infty, 5)$ (4) $[-3, \infty)$

07 답 (1) $[1, \infty)$ (2) $(-\infty, \infty)$ (3) $(-\infty, -1)\cup(-1, \infty)$ (4) $[-2, 2]$

풀이 (1) $x-1\geq0$에서 $x\geq1$

즉, 정의역은 $\{x|x\geq1\}$이므로 구간으로 나타내면 $[1, \infty)$이다.

(2) 정의역은 실수 전체의 집합이므로 구간으로 나타내면 $(-\infty, \infty)$이다.

(3) 정의역은 $x\neq-1$인 실수 전체의 집합이므로 구간으로 나타내면 $(-\infty, -1)\cup(-1, \infty)$이다.

(4) $4-x^2\geq0$에서 $-2\leq x\leq2$

즉, 정의역은 $\{x|-2\leq x\leq2\}$이므로 구간으로 나타내면 $[-2, 2]$이다.

08 답 (1) $(-\infty, 0)\cup(0, \infty)$ (2) $(-\infty, \infty)$ (3) $(-\infty, \infty)$ (4) $(-\infty, 9]$ (5) $(-\infty, 2)\cup(2, \infty)$ (6) $(-\infty, -1)\cup(-1, 1)\cup(1, \infty)$

풀이 (1) 함수 $f(x)$는 $x\neq0$인 모든 실수에서 연속이다.

따라서 연속인 구간은 $(-\infty, 0)\cup(0, \infty)$이다.

(2) 함수 $f(x)$는 모든 실수에서 연속이다.

따라서 연속인 구간은 $(-\infty, \infty)$이다.

(3) 함수 $f(x)$는 모든 실수에서 연속이다.

따라서 연속인 구간은 $(-\infty, \infty)$이다.

(4) $9-x\geq0$에서 $x\leq9$

즉, 함수 $f(x)$는 $x\leq9$인 모든 실수에서 연속이다.

따라서 연속인 구간은 $(-\infty, 9]$이다.

(5) 함수 $f(x)$는 $x\neq2$인 모든 실수에서 연속이다.

따라서 연속인 구간은 $(-\infty, 2)\cup(2, \infty)$이다.

(6) $x^2-1\neq0$에서 $x\neq\pm1$

즉, 함수 $f(x)$는 $x\neq\pm1$인 모든 실수에서 연속이다.

따라서 연속인 구간은 $(-\infty, -1)\cup(-1, 1)\cup(1, \infty)$이다.

09 답 (1) -3 (2) 6 (3) -2 (4) -1

풀이 (1) 함수 $f(x)$가 모든 실수 x에서 연속이려면 $x=-2$에서 연속이어야 하므로

$\lim_{x\to-2-}f(x)=\lim_{x\to-2+}f(x)=f(-2)$

$\lim_{x\to-2-}(x+1)=\lim_{x\to-2+}(x^2+x+a)=f(-2)$

$-1=2+a$ $\quad\therefore a=-3$

(2) 함수 $f(x)$가 모든 실수 x에서 연속이려면 $x=3$에서 연속이어야 하므로

$\lim_{x\to3-}f(x)=\lim_{x\to3+}f(x)=f(3)$

$\lim_{x\to3-}(a-x)=\lim_{x\to3+}(2x-3)=f(3)$

$a-3=3$ $\quad\therefore a=6$

(3) 함수 $f(x)$가 모든 실수 x에서 연속이려면 $x=-1$에서 연속이어야 하므로

$\lim_{x\to-1-}f(x)=\lim_{x\to-1+}f(x)=f(-1)$

$\lim_{x\to-1-}(x^2-3x-1)=\lim_{x\to-1+}(ax+1)=f(-1)$

$3=-a+1$ $\quad\therefore a=-2$

(4) 함수 $f(x)$가 모든 실수 x에서 연속이려면 $x=2$에서 연속이어야 하므로

$\lim_{x\to2-}f(x)=\lim_{x\to2+}f(x)=f(2)$

$\lim_{x\to2-}(x^2+ax+3)=\lim_{x\to2+}(2x+1)=f(2)$

$4+2a+3=5$ $\quad\therefore a=-1$

10 답 (1) ○ (2) ○ (3) ○ (4) × (5) ×

풀이 (4) 유리함수는 분모가 0일 때 불연속이다.

즉, $g(a)=0$이면 불연속이므로 항상 연속이라고 할 수 없다.

(5) 유리함수는 분모가 0일 때 불연속이다.

즉, $f(a)=0$이면 불연속이므로 항상 연속이라고 할 수 없다.

11 답 (1) $(-\infty, \infty)$ (2) $(-\infty, \infty)$ (3) $(-\infty, \infty)$ (4) $(-\infty, 0)\cup(0, 4)\cup(4, \infty)$

풀이 (1) $f(x)+g(x)=(x^2-4x)+(x+3)$

$=x^2-3x+3$

은 다항함수이므로 모든 실수에서 연속이다.

따라서 연속인 구간은 $(-\infty, \infty)$이다.

(2) $2f(x)-3g(x)=2(x^2-4x)-3(x+3)$

$=2x^2-11x-9$

는 다항함수이므로 모든 실수에서 연속이다.

따라서 연속인 구간은 $(-\infty, \infty)$이다.

(3) $f(x)g(x)=(x^2-4x)(x+3)=x^3-x^2-12x$는 다항함수이므로 모든 실수에서 연속이다.

따라서 연속인 구간은 $(-\infty, \infty)$이다.

(4) $\dfrac{g(x)}{f(x)}=\dfrac{x+3}{x^2-4x}=\dfrac{x+3}{x(x-4)}$

은 유리함수이므로 $x\neq0$, $x\neq4$인 모든 실수에서 연속이다. 따라서 연속인 구간은 $(-\infty, 0)\cup(0, 4)\cup(4, \infty)$이다.

12 답 **(1) 최댓값: 3, 최솟값: 0 (2) 최댓값: 1, 최솟값은 없다.**

풀이 (1) 함수 $f(x)$는 구간 $[-1, 1]$에서 연속이므로 $f(x)$는 주어진 구간에서 $x=0$일 때 최댓값 3, $x=-1$일 때 최솟값 0을 갖는다.

(2) 함수 $f(x)$는 구간 $(1, 4]$에서 연속이므로 $f(x)$는 주어진 구간에서 $x=3$일 때 최댓값 1을 갖고 최솟값은 없다.

13 답 **(1) 최댓값: 4, 최솟값: 0 (2) 최댓값은 없다., 최솟값: 0**

풀이 (1) 함수 $f(x)$는 구간 $[-1, 2]$에서 연속이므로 $f(x)$는 주어진 구간에서 $x=2$일 때 최댓값 4, $x=0$일 때 최솟값 0을 갖는다.

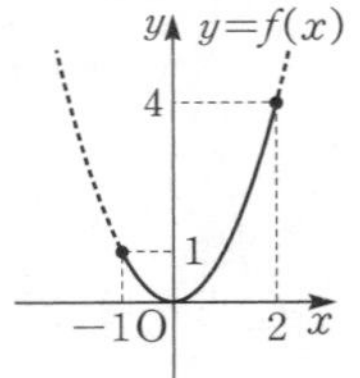

(2) 함수 $f(x)$는 구간 $(-1, 2)$에서 연속이므로 $f(x)$는 주어진 구간에서 최댓값은 없고, $x=0$일 때 최솟값 0을 갖는다.

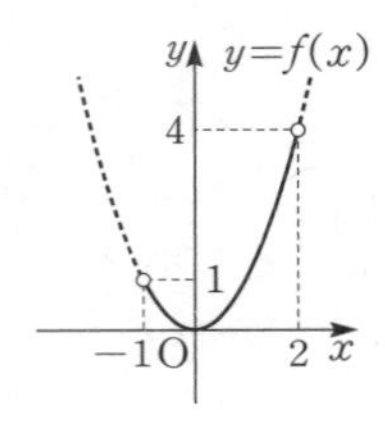

14 답 **(1) 최댓값: 5, 최솟값: −4 (2) 최댓값: 5, 최솟값은 없다.**
(3) 최댓값: 2, 최솟값: 1 (4) 최댓값은 없다., 최솟값: 4

풀이 (1) 함수 $f(x)$는 구간 $[-1, 3]$에서 연속이므로 $f(x)$는 주어진 구간에서 $x=2$일 때 최댓값 5, $x=-1$일 때 최솟값 −4를 갖는다.

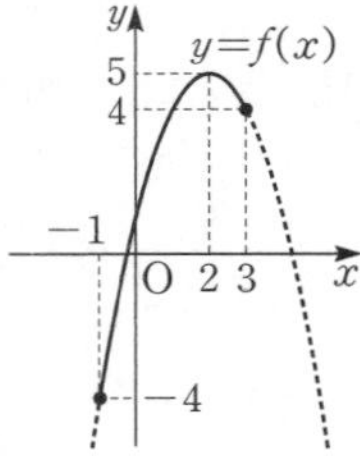

(2) 함수 $f(x)$는 구간 $[-3, -2)$에서 연속이므로 $f(x)$는 주어진 구간에서 $x=-3$일 때 최댓값 5를 갖고, 최솟값은 없다.

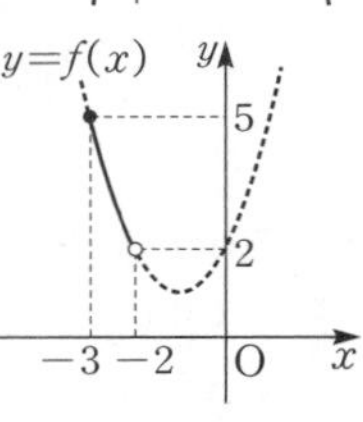

(3) 함수 $f(x)$는 구간 $[-2, 1]$에서 연속이므로 $f(x)$는 주어진 구간에서 $x=1$일 때 최댓값 2, $x=-2$일 때 최솟값 1을 갖는다.

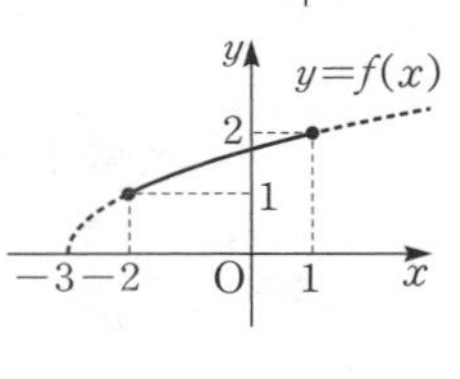

(4) 함수 $f(x)$는 구간 $[-4, -3)$에서 연속이므로 $f(x)$는 주어진 구간에서 최댓값은 없고, $x=-4$일 때 최솟값 4를 갖는다.

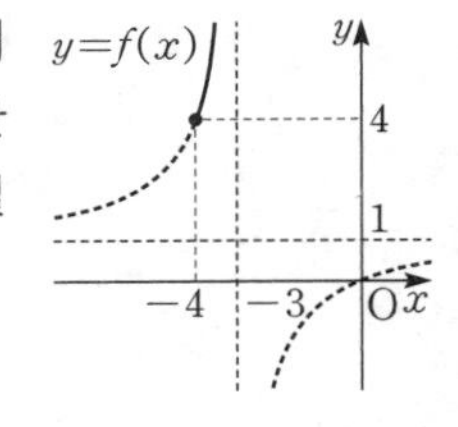

15 답 (가) **연속** (나) **연속** (다) **사잇값의 정리**

16 답 **풀이 참조**

풀이 함수 $f(x)=x^2+2x-1$은 모든 실수에서 연속이므로 닫힌구간 $[0, 1]$에서 연속이다.

또, $f(0)\neq f(1)$이고 $f(0)<-\dfrac{1}{3}<f(1)$이므로 사잇값의 정리에 의하여 $f(c)=-\dfrac{1}{3}$인 c가 열린구간 $(0, 1)$에 적어도 하나 존재한다.

17 답 **풀이 참조**

풀이 함수 $f(x)=x^3-4x^2+6$은 모든 실수에서 연속이므로 닫힌구간 $[-1, 1]$에서 연속이다.

또, $f(-1)\neq f(1)$이고 $f(-1)<2<f(1)$이므로 사잇값의 정리에 의하여 $f(c)=2$인 c가 열린구간 $(-1, 1)$에 적어도 하나 존재한다.

18 답 (가) $<$ (나) **사잇값의 정리** (다) **실근**

19 답 **풀이 참조**

풀이 (1) $f(x)=x^2-6x+2$라고 하면 함수 $f(x)$는 닫힌구간 $[-1, 1]$에서 연속이고

$f(-1)=9>0$, $f(1)=-3<0$이므로 $f(-1)f(1)<0$

따라서 사잇값의 정리에 의하여 방정식 $x^2-6x+2=0$은 열린구간 $(-1, 1)$에서 적어도 하나의 실근을 갖는다.

(2) $f(x)=x^4-2x^2-1$이라고 하면 함수 $f(x)$는 닫힌구간 $[-1, 2]$에서 연속이고

$f(-1)=-2<0$, $f(2)=7>0$이므로 $f(-1)f(2)<0$

따라서 사잇값의 정리에 의하여 방정식

$x^4-2x^2-1=0$은 열린구간 $(-1, 2)$에서 적어도 하나의 실근을 갖는다.

중단원 점검문제 | I-2. 함수의 연속 038쪽

01 답 **불연속**

풀이 $\displaystyle\lim_{x\to1-}f(x)=\lim_{x\to1-}\frac{-(x-1)}{x-1}=-1$,

$\displaystyle\lim_{x\to1+}f(x)=\lim_{x\to1+}\frac{x-1}{x-1}=1$

이므로 $\displaystyle\lim_{x\to1}f(x)$의 값이 존재하지 않는다.

따라서 함수 $f(x)$는 $x=1$에서 불연속이다.

02 답 12

풀이 함수 $f(x)$가 모든 실수 x에서 연속이려면 $x=2$에서 연속이어야 하므로

$\lim_{x\to2} f(x)=f(2)$

$\lim_{x\to2} \frac{x^2+ax-8}{x-2}=b$ ······ ㉠

㉠에서 $\lim_{x\to2} (x-2)=0$이므로

$\lim_{x\to2} (x^2+ax-8)=0$에서

$4+2a-8=0 \quad \therefore a=2$

$a=2$를 ㉠에 대입하면

$$\lim_{x\to2} \frac{x^2+2x-8}{x-2}=\lim_{x\to2} \frac{(x-2)(x+4)}{x-2}$$
$$=\lim_{x\to2}(x+4)$$
$$=6=b$$

$\therefore ab=2\times6=12$

03 답 $(-\infty, 3]$

풀이 $3-x\ge0$에서 $x\le3$

즉, 함수 $f(x)$는 $x\le3$인 모든 실수에서 연속이다.

따라서 연속인 구간은 $(-\infty, 3]$이다.

04 답 1

풀이 함수 $f(x)$가 모든 실수 x에서 연속이려면 $x=-1$에서 연속이어야 하므로

$\lim_{x\to-1-} f(x)=\lim_{x\to-1+} f(x)=f(-1)$

$\lim_{x\to-1-} (bx+2)=\lim_{x\to-1+} (x^2+a)=f(-1)$

$-b+2=1+a \quad \therefore a+b=1$

05 답 $\left(-\infty, \frac{1}{2}\right)\cup\left(\frac{1}{2}, \infty\right)$

풀이 $\frac{f(x)}{g(x)}=\frac{2x^2+9x-5}{2x-1}$는 유리함수이므로 $x\ne\frac{1}{2}$인 모든 실수에서 연속이다.

따라서 연속인 구간은 $\left(-\infty, \frac{1}{2}\right)\cup\left(\frac{1}{2}, \infty\right)$이다.

06 답 $\frac{4}{3}$

풀이 함수 $f(x)$는 닫힌구간 $[2, 4]$에서 연속이므로 $f(x)$는 주어진 구간에서 $x=2$일 때 최댓값 2, $x=4$일 때 최솟값 $\frac{2}{3}$를 갖는다.

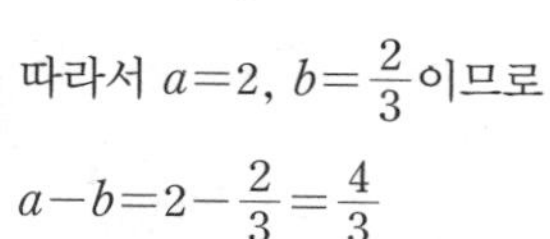

따라서 $a=2$, $b=\frac{2}{3}$이므로

$a-b=2-\frac{2}{3}=\frac{4}{3}$

07 답 풀이 참조

풀이 $f(x)=x^3-7x+3$이라고 하면 함수 $f(x)$는 닫힌구간 $[2, 3]$에서 연속이고 $f(2)=-3<0$, $f(3)=9>0$이므로

$f(2)f(3)<0$

따라서 사잇값의 정리에 의하여 방정식 $x^3-7x+3=0$은 열린구간 $(2, 3)$에서 적어도 하나의 실근을 가진다.

08 답 ㄴ

풀이 $f(x)=x^3+2x-2$라고 하면

$f(-1)=-5<0$, $f(0)=-2<0$, $f(1)=1>0$,

$f(2)=10>0$, $f(3)=31>0$

이므로 $f(0)f(1)<0$

따라서 사잇값의 정리에 의하여 방정식 $x^3+2x-2=0$은 열린구간 $(0, 1)$에서 적어도 하나의 실근을 갖는다.

Ⅱ 미분

Ⅱ-1 미분계수와 도함수 040~053쪽

01 답 (1) 2 (2) 3 (3) $2a+\Delta x$

풀이 (1) $\frac{\Delta y}{\Delta x}=\frac{f(5)-f(-3)}{5-(-3)}$

$=\frac{25-9}{8}=2$

(2) $\frac{\Delta y}{\Delta x}=\frac{f(2)-f(1)}{2-1}$

$=\frac{4-1}{1}=3$

(3) $\frac{\Delta y}{\Delta x}=\frac{f(a+\Delta x)-f(a)}{(a+\Delta x)-a}$

$=\frac{(a+\Delta x)^2-a^2}{\Delta x}$

$=\frac{2a\Delta x+(\Delta x)^2}{\Delta x}$

$=2a+\Delta x$

02 답 (1) -3 (2) 1 (3) $-2a-h+2$

풀이 (1) $\frac{\Delta y}{\Delta x}=\frac{f(4)-f(1)}{4-1}$

$=\frac{-8-1}{3}=-3$

(2) $\frac{\Delta y}{\Delta x}=\frac{f(3)-f(-2)}{3-(-2)}$

$=\frac{-3-(-8)}{5}=\frac{5}{5}=1$

(3) $\frac{\Delta y}{\Delta x}=\frac{f(a+h)-f(a)}{(a+h)-a}$

$=\frac{\{-(a+h)^2+2(a+h)\}-(-a^2+2a)}{h}$

$=\frac{-2ah-h^2+2h}{h}$

$=-2a-h+2$

03 답 (1) 5 (2) -18

풀이 (1) $\frac{\Delta y}{\Delta x}=\frac{f(3)-f(2)}{3-2}$

$=\frac{6-1}{1}=5$

(2) $\frac{\Delta y}{\Delta x}=\frac{f(3)-f(2)}{3-2}$

$=\frac{-24-(-6)}{1}=-18$

04 답 (1) -2 (2) 8 (3) -4

풀이 (1) $\frac{\Delta y}{\Delta x}=\frac{f(3)-f(-1)}{3-(-1)}$

$=\frac{-3-5}{4}=-2$

(2) $\frac{\Delta y}{\Delta x}=\frac{f(2)-f(1)}{2-1}$

$==\frac{10-2}{1}=8$

(3) $\frac{\Delta y}{\Delta x}=\frac{f(0)-f(-2)}{0-(-2)}$

$==\frac{5-13}{2}=-4$

05 답 (1) 2 (2) -1 (3) -1 (4) 4

풀이 (1) $f'(1)=\lim_{x\to1}\frac{f(x)-f(1)}{x-1}$

$=\lim_{x\to1}\frac{(2x-1)-1}{x-1}$

$=\lim_{x\to1}\frac{2(x-1)}{x-1}=2$

다른 풀이 1 $f'(1)=\lim_{\Delta x\to0}\frac{f(1+\Delta x)-f(1)}{\Delta x}$

$=\lim_{\Delta x\to0}\frac{(2\Delta x+1)-1}{\Delta x}$

$=\lim_{\Delta x\to0}\frac{2\Delta x}{\Delta x}=2$

다른 풀이 2 $f'(1)=\lim_{h\to0}\frac{f(1+h)-f(1)}{h}$

$=\lim_{h\to0}\frac{(2h+1)-1}{h}$

$=\lim_{h\to0}\frac{2h}{h}=2$

(2) $f'(1)=\lim_{x\to1}\frac{f(x)-f(1)}{x-1}$

$=\lim_{x\to1}\frac{-\frac{1}{2}x^2-\left(-\frac{1}{2}\right)}{x-1}$

$=\lim_{x\to1}\frac{-\frac{1}{2}(x+1)(x-1)}{x-1}$

$=\lim_{x\to1}\left\{-\frac{1}{2}(x+1)\right\}=-1$

(3) $f'(1)=\lim_{x\to1}\frac{f(x)-f(1)}{x-1}$

$=\lim_{x\to1}\frac{(x^2-3x)-(-2)}{x-1}$

$=\lim_{x\to1}\frac{(x-1)(x-2)}{x-1}$

$=\lim_{x\to1}(x-2)=-1$

(4) $f'(1)=\lim_{x\to1}\frac{f(x)-f(1)}{x-1}$

$=\lim_{x\to1}\frac{(x^3+x+4)-6}{x-1}$

$=\lim_{x\to1}\frac{(x-1)(x^2+x+2)}{x-1}$

$=\lim_{x\to1}(x^2+x+2)=4$

06 답 (1) -1 (2) -12 (3) -2 (4) -23

풀이 (1) $f'(-2)=\lim_{x\to-2}\frac{f(x)-f(-2)}{x-(-2)}$

$=\lim_{x\to-2}\frac{(-x+5)-7}{x-(-2)}$

$=\lim_{x\to-2}\frac{-(x+2)}{x+2}=-1$

(2) $f'(-2)=\lim_{x\to-2}\frac{f(x)-f(-2)}{x-(-2)}$

$=\lim_{x\to-2}\frac{3x^2-12}{x+2}$

$=\lim_{x\to-2}\frac{3(x+2)(x-2)}{x+2}$

$=\lim_{x\to-2}3(x-2)=-12$

(3) $f'(-2)=\lim_{x\to-2}\frac{f(x)-f(-2)}{x-(-2)}$

$=\lim_{x\to-2}\frac{(x^2+2x)-0}{x+2}$

$=\lim_{x\to-2}\frac{x(x+2)}{x+2}$

$=\lim_{x\to-2}x=-2$

(4) $f'(-2)=\lim_{x\to-2}\frac{f(x)-f(-2)}{x-(-2)}$

$=\lim_{x\to-2}\frac{(-2x^3+x-1)-13}{x+2}$

$=\lim_{x\to-2}\frac{(x+2)(-2x^2+4x-7)}{x+2}$

$=\lim_{x\to-2}(-2x^2+4x-7)=-23$

07 답 (1) 2 (2) -10 (3) -5 (4) 2 (5) 3

풀이 (1) 점 $(1,\ 4)$에서의 접선의 기울기는 $f'(1)$과 같으므로

$f'(1)=\lim_{h\to0}\frac{f(1+h)-f(1)}{h}$

$=\lim_{h\to0}\frac{\{(1+h)^2+3\}-4}{h}$

$=\lim_{h\to0}\frac{h^2+2h}{h}$

$=\lim_{h\to0}(h+2)=2$

(2) $f'(-1)=\lim_{h\to0}\frac{f(-1+h)-f(-1)}{h}$

$=\lim_{h\to0}\frac{5(-1+h)^2-5}{h}$

$=\lim_{h\to0}\frac{5h^2-10h}{h}$

$=\lim_{h\to0}(5h-10)=-10$

(3) $f'(2)=\lim_{h\to0}\frac{f(2+h)-f(2)}{h}$

$=\lim_{h\to0}\frac{\{-2(2+h)^2+3(2+h)\}-(-2)}{h}$

$=\lim_{h\to0}\frac{-2h^2-5h}{h}$

$=\lim_{h\to0}(-2h-5)=-5$

(4) $f'(0)=\lim_{h\to0}\frac{f(0+h)-f(0)}{h}$

$=\lim_{h\to0}\frac{(-h^2+2h+2)-2}{h}$

$=\lim_{h\to0}\frac{-h^2+2h}{h}$

$=\lim_{h\to0}(-h+2)=2$

(5) $f'(-1)=\lim_{h\to0}\frac{f(-1+h)-f(-1)}{h}$

$=\lim_{h\to0}\frac{\{(-1+h)^3-6\}-(-7)}{h}$

$=\lim_{h\to0}\frac{h^3-3h^2+3h}{h}$

$=\lim_{h\to0}(h^2-3h+3)=3$

08 답 (1) 3 (2) 2 (3) 4

풀이 (1) 직선 PQ의 기울기는 x의 값이 1에서 2까지 변할 때의 평균변화율과 같으므로

$\frac{\Delta y}{\Delta x}=\frac{f(2)-f(1)}{2-1}$

$=\frac{3-0}{1}=3$

(2) 점 $\mathrm{P}(1,\ 0)$에서의 접선의 기울기는 $f'(1)$과 같으므로

$f'(1)=\lim_{h\to0}\frac{f(1+h)-f(1)}{h}$

$=\lim_{h\to0}\frac{\{(1+h)^2-1\}-0}{h}$

$=\lim_{h\to0}\frac{h^2+2h}{h}$

$=\lim_{h\to0}(h+2)=2$

(3) 점 $\mathrm{Q}(2,\ 3)$에서의 접선의 기울기는 $f'(2)$와 같으므로

$f'(2)=\lim_{h\to0}\frac{f(2+h)-f(2)}{h}$

$=\lim_{h\to0}\frac{\{(2+h)^2-1\}-3}{h}$

$=\lim_{h\to0}\frac{h^2+4h}{h}$

$=\lim_{h\to0}(h+4)=4$

09 답 (1) 1 (2) -8 (3) 1

풀이 (1) 직선 PQ의 기울기는 x의 값이 -2에서 1까지 변할 때의 평균변화율과 같으므로

$\frac{\Delta y}{\Delta x}=\frac{f(1)-f(-2)}{1-(-2)}$

$=\frac{3-0}{3}=1$

(2) 점 P$(-2,\ 0)$에서의 접선의 기울기는 $f'(-2)$와 같으므로

$f'(-2)$

$=\lim_{h\to0}\frac{f(-2+h)-f(-2)}{h}$

$=\lim_{h\to0}\frac{\{-(-2+h)^3+4(-2+h)\}-0}{h}$

$=\lim_{h\to0}\frac{-h^3+6h^2-8h}{h}$

$=\lim_{h\to0}(-h^2+6h-8)=-8$

(3) 점 Q$(1,\ 3)$에서의 접선의 기울기는 $f'(1)$과 같으므로

$f'(1)=\lim_{h\to0}\frac{f(1+h)-f(1)}{h}$

$=\lim_{h\to0}\frac{\{-(1+h)^3+4(1+h)\}-3}{h}$

$=\lim_{h\to0}\frac{-h^3-3h^2+h}{h}$

$=\lim_{h\to0}(-h^2-3h+1)=1$

10 답 (1) $2f'(a)$ (2) $-3f'(a)$ (3) $2f'(a)$ (4) 0

풀이 (1) $\lim_{h\to0}\frac{f(a+2h)-f(a)}{h}$

$=\lim_{h\to0}\frac{f(a+2h)-f(a)}{2h}\times2$

$=2f'(a)$

(2) $\lim_{h\to0}\frac{f(a-3h)-f(a)}{h}$

$=\lim_{h\to0}\frac{f(a-3h)-f(a)}{-3h}\times(-3)$

$=-3f'(a)$

(3) $\lim_{h\to0}\frac{f(a+4h)-f(a)}{2h}$

$=\lim_{h\to0}\frac{f(a+4h)-f(a)}{4h}\times2$

$=2f'(a)$

(4) $\lim_{h\to0}\frac{f(a+h^2)-f(a)}{h}$

$=\lim_{h\to0}\left\{\frac{f(a+h^2)-f(a)}{h^2}\times h\right\}$

$=f'(a)\times0=0$

11 답 (1) 6 (2) -4

풀이 (1) $\lim_{h\to0}\frac{f(1+3h)-f(1)}{h}$

$=\lim_{h\to0}\frac{f(1+3h)-f(1)}{3h}\times3$

$=3f'(1)$

$=3\times2=6$

(2) $\lim_{h\to0}\frac{f(1-6h)-f(1)}{3h}$

$=\lim_{h\to0}\frac{f(1-6h)-f(1)}{-6h}\times(-2)$

$=-2f'(1)$

$=-2\times2=-4$

12 답 (1) 15 (2) 3

풀이 (1) $\lim_{h\to0}\frac{f(2+5h)-f(2)}{-h}$

$=\lim_{h\to0}\frac{f(2+5h)-f(2)}{5h}\times(-5)$

$=-5f'(2)$

$=-5\times(-3)=15$

(2) $\lim_{h\to0}\frac{f(2-4h)-f(2)}{4h}$

$=\lim_{h\to0}\frac{f(2-4h)-f(2)}{-4h}\times(-1)$

$=-f'(2)$

$=-(-3)=3$

13 답 (1) $2f'(a)$ (2) $f'(a)$

풀이 (1) $\lim_{h\to0}\frac{f(a+h)-f(a-h)}{h}$

$=\lim_{h\to0}\frac{f(a+h)-f(a)+f(a)-f(a-h)}{h}$

$=\lim_{h\to0}\left\{\frac{f(a+h)-f(a)}{h}-\frac{f(a-h)-f(a)}{h}\right\}$

$=\lim_{h\to0}\left\{\frac{f(a+h)-f(a)}{h}+\frac{f(a-h)-f(a)}{-h}\right\}$

$=f'(a)+f'(a)$

$=2f'(a)$

(2) $\lim_{h\to0}\frac{f(a+3h)-f(a+2h)}{h}$

$=\lim_{h\to0}\frac{f(a+3h)-f(a)+f(a)-f(a+2h)}{h}$

$=\lim_{h\to0}\left\{\frac{f(a+3h)-f(a)}{h}-\frac{f(a+2h)-f(a)}{h}\right\}$

$=\lim_{h\to0}\left\{\frac{f(a+3h)-f(a)}{3h}\times3-\frac{f(a+2h)-f(a)}{2h}\times2\right\}$

$=3f'(a)-2f'(a)$

$=f'(a)$

14 답 (1) -16 (2) 2

풀이 (1) $\lim_{h\to0}\frac{f(1-3h)-f(1+h)}{h}$

$=\lim_{h\to0}\frac{f(1-3h)-f(1)+f(1)-f(1+h)}{h}$

$=\lim_{h\to0}\left\{\frac{f(1-3h)-f(1)}{h}-\frac{f(1+h)-f(1)}{h}\right\}$

$=\lim_{h\to0}\left\{\frac{f(1-3h)-f(1)}{-3h}\times(-3)-\frac{f(1+h)-f(1)}{h}\right\}$

$=-3f'(1)-f'(1)$

$=-4f'(1)$

$=-4\times4=-16$

(2) $\lim_{h\to0}\frac{f(1-h)-f(1-2h)}{2h}$

$=\lim_{h\to0}\frac{f(1-h)-f(1)+f(1)-f(1-2h)}{2h}$

$=\lim_{h\to0}\left\{\frac{f(1-h)-f(1)}{2h}-\frac{f(1-2h)-f(1)}{2h}\right\}$

$=\lim_{h\to0}\left\{\frac{f(1-h)-f(1)}{-h}\times\left(-\frac{1}{2}\right)+\frac{f(1-2h)-f(1)}{-2h}\right\}$

$=-\frac{1}{2}f'(1)+f'(1)$

$=\frac{1}{2}f'(1)$

$=\frac{1}{2}\times4=2$

참고 미분가능한 함수 $f(x)$의 $x=a$에 y의 미분계수 $f'(a)$에 대하여

① $\lim_{h\to0}\frac{f(a+mh)-f(a)}{h}=mf'(a)$

② $\lim_{h\to0}\frac{f(a+mh)-f(a+nh)}{h}=(m-n)f'(a)$

15 답 (1) 1 (2) $\frac{2}{3}$ (3) $\frac{1}{2}$ (4) 4 (5) 2

풀이 (1) $\lim_{x\to1}\frac{f(x)-f(1)}{x^2-1}$

$=\lim_{x\to1}\left\{\frac{f(x)-f(1)}{x-1}\times\frac{1}{x+1}\right\}$

$=\frac{1}{2}f'(1)$

$=\frac{1}{2}\times2=1$

(2) $\lim_{x\to1}\frac{f(x)-f(1)}{x^3-1}$

$=\lim_{x\to1}\left\{\frac{f(x)-f(1)}{x-1}\times\frac{1}{x^2+x+1}\right\}$

$=\frac{1}{3}f'(1)$

$=\frac{1}{3}\times2=\frac{2}{3}$

(3) $\lim_{x\to1}\frac{f(\sqrt{x})-f(1)}{x^2-1}$

$=\lim_{x\to1}\left\{\frac{f(\sqrt{x})-f(1)}{\sqrt{x}-1}\times\frac{1}{(x+1)(\sqrt{x}+1)}\right\}$

$=\frac{1}{4}f'(1)$

$=\frac{1}{4}\times2=\frac{1}{2}$

(4) $\lim_{x\to1}\frac{f(x^2)-f(1)}{x-1}$

$=\lim_{x\to1}\left\{\frac{f(x^2)-f(1)}{x^2-1}\times(x+1)\right\}$

$=2f'(1)$

$=2\times2=4$

(5) $\lim_{x\to1}\frac{x^4-1}{f(x)-f(1)}$

$=\lim_{x\to1}\left\{\frac{x-1}{f(x)-f(1)}\times(x+1)(x^2+1)\right\}$

$=\lim_{x\to1}\left\{\frac{1}{\frac{f(x)-f(1)}{x-1}}\times(x+1)(x^2+1)\right\}$

$=\frac{4}{f'(1)}$

$=\frac{4}{2}=2$

참고 $\lim_{x\to a}\frac{f(x^n)-f(a^n)}{x-a}$

➡ $x^n-a^n=(x-a)(x^{n-1}+x^{n-2}a+\cdots+xa^{n-2}+a^{n-1})$임을 이용한다.

16 답 (1) $\frac{3}{4}$ (2) $\frac{1}{4}$ (3) $\frac{5}{8}$ (4) 20 (5) $\frac{32}{3}$

풀이 (1) $\lim_{x\to2}\frac{f(x)-1}{x^2-4}$

$=\lim_{x\to2}\left\{\frac{f(x)-f(2)}{x-2}\times\frac{1}{x+2}\right\}$

$=\frac{1}{4}f'(2)$

$=\frac{1}{4}\times3=\frac{3}{4}$

(2) $\lim_{x\to2}\frac{f(x)-1}{x^3-8}$

$=\lim_{x\to2}\left\{\frac{f(x)-f(2)}{x-2}\times\frac{1}{x^2+2x+4}\right\}$

$=\frac{1}{12}f'(2)$

$=\frac{1}{12}\times3=\frac{1}{4}$

(3) $\lim_{x\to4}\frac{f(x)-2}{x^2-16}$

$=\lim_{x\to4}\left\{\frac{f(x)-f(4)}{x-4}\times\frac{1}{x+4}\right\}$

$=\frac{1}{8}f'(4)$

$=\frac{1}{8}\times5=\frac{5}{8}$

(4) $\lim_{x\to2}\frac{f(x^2)-2}{x-2}$

$=\lim_{x\to2}\left\{\frac{f(x^2)-f(4)}{x^2-4}\times(x+2)\right\}$

$=4f'(4)=4\times5=20$

(5) $\lim_{x\to2}\frac{x^4-16}{f(x)-1}$

$=\lim_{x\to2}\left\{\frac{x-2}{f(x)-f(2)}\times(x+2)(x^2+4)\right\}$

$=\lim_{x\to2}\left\{\frac{1}{\frac{f(x)-f(2)}{x-2}}\times(x+2)(x^2+4)\right\}$

$=\frac{32}{f'(2)}=\frac{32}{3}$

17 답 (1) $f(a)-af'(a)$ (2) $2af(a)-a^2f'(a)$

풀이 (1) $\lim_{x\to a}\frac{xf(a)-af(x)}{x-a}$

$=\lim_{x\to a}\frac{xf(a)-af(a)+af(a)-af(x)}{x-a}$

$=\lim_{x\to a}\frac{f(a)(x-a)-a\{f(x)-f(a)\}}{x-a}$

$=\lim_{x\to a}\left\{f(a)-a\times\frac{f(x)-f(a)}{x-a}\right\}$

$=f(a)-af'(a)$

(2) $\lim_{x\to a}\frac{x^2f(a)-a^2f(x)}{x-a}$

$=\lim_{x\to a}\frac{x^2f(a)-a^2f(a)+a^2f(a)-a^2f(x)}{x-a}$

$=\lim_{x\to a}\frac{f(a)(x^2-a^2)-a^2\{f(x)-f(a)\}}{x-a}$

$=\lim_{x\to a}\left\{f(a)(x+a)-a^2\times\frac{f(x)-f(a)}{x-a}\right\}$

$=2af(a)-a^2f'(a)$

참고 $\lim_{x\to a}\frac{a^mf(x^n)-x^mf(a^n)}{x-a}$

➡ 분자에 $a^mf(a^n)$을 빼고 더해 두 조각을 낸다.

18 답 (1) -10 (2) -33

풀이 (1) $\lim_{x\to 3}\frac{xf(3)-3f(x)}{x-3}$

$=\lim_{x\to 3}\frac{xf(3)-3f(3)+3f(3)-3f(x)}{x-3}$

$=\lim_{x\to 3}\frac{f(3)(x-3)-3\{f(x)-f(3)\}}{x-3}$

$=\lim_{x\to 3}\left\{f(3)-3\times\frac{f(x)-f(3)}{x-3}\right\}$

$=f(3)-3f'(3)$

$=-1-3\times3=-10$

(2) $\lim_{x\to 3}\frac{x^2f(3)-9f(x)}{x-3}$

$=\lim_{x\to 3}\frac{x^2f(3)-9f(3)+9f(3)-9f(x)}{x-3}$

$=\lim_{x\to 3}\frac{f(3)(x^2-9)-9\{f(x)-f(3)\}}{x-3}$

$=\lim_{x\to 3}\left\{f(3)(x+3)-9\times\frac{f(x)-f(3)}{x-3}\right\}$

$=6f(3)-9f'(3)$

$=6\times(-1)-9\times3=-33$

19 답 (1) × (2) × (3) ○

풀이 (1) $x=a$에서 연속이 아니므로 $x=a$에서 미분가능하지 않다.

(2) $f'(a)$가 존재하지 않으므로 $x=a$에서 미분가능하지 않다.

(3) $f'(a)=0$이므로 $x=a$에서 미분가능하다.

20 답 (1) 연속이지만 미분가능하지 않다.
(2) 연속이지만 미분가능하지 않다.
(3) 연속이고 미분가능하다.

풀이 (1) (i) $\lim_{x\to 0}f(x)=\lim_{x\to 0}|x|=0$, $f(0)=0$이므로

$\lim_{x\to 0}f(x)=f(0)$

따라서 함수 $f(x)$는 $x=0$에서 연속이다.

(ii) $\lim_{x\to 0+}\frac{f(x)-f(0)}{x-0}=\lim_{x\to 0+}\frac{|x|-0}{x}$

$=\lim_{x\to 0+}\frac{x}{x}=1$

$\lim_{x\to 0-}\frac{f(x)-f(0)}{x-0}=\lim_{x\to 0-}\frac{|x|-0}{x}$

$=\lim_{x\to 0-}\frac{-x}{x}=-1$

이므로 $f'(0)$이 존재하지 않는다.

따라서 함수 $f(x)$는 $x=0$에서 연속이지만 미분가능하지 않다.

(2) (i) $\lim_{x\to 0}f(x)=\lim_{x\to 0}(|x|-x)=0$,

$f(0)=0$

이므로

$\lim_{x\to 0}f(x)=f(0)$

따라서 함수 $f(x)$는 $x=0$에서 연속이다.

(ii) $\lim_{x\to 0+}\frac{f(x)-f(0)}{x-0}=\lim_{x\to 0+}\frac{(|x|-x)-0}{x}$

$=\lim_{x\to 0+}\frac{x-x}{x}=\lim_{x\to 0+}0=0$

$\lim_{x\to 0-}\frac{f(x)-f(0)}{x-0}=\lim_{x\to 0-}\frac{(|x|-x)-0}{x}$

$=\lim_{x\to 0-}\frac{-x-x}{x}=\lim_{x\to 0-}\frac{-2x}{x}$

$=\lim_{x\to 0-}(-2)=-2$

이므로 $f'(0)$이 존재하지 않는다.

따라서 함수 $f(x)$는 $x=0$에서 연속이지만 미분가능하지 않다.

(3) (i) $\lim_{x\to 0}f(x)=\lim_{x\to 0}x^2=0$,

$f(0)=0$

이므로 $\lim_{x\to 0}f(x)=f(0)$

따라서 함수 $f(x)$는 $x=0$에서 연속이다.

(ii) $\lim_{x\to 0+}\frac{f(x)-f(0)}{x-0}=\lim_{x\to 0+}\frac{x^2-0}{x}$

$=\lim_{x\to 0+}x=0$

$\lim_{x\to 0-}\frac{f(x)-f(0)}{x-0}=\lim_{x\to 0-}\frac{0}{x}=0$

이므로 $f'(0)$이 존재한다.

따라서 함수 $f(x)$는 $x=0$에서 연속이고 미분가능하다.

21 답 (1) $f'(x)=2$ (2) $f'(x)=0$
(3) $f'(x)=2x-1$ (4) $f'(x)=-3x^2$

풀이 (1) $f'(x)=\lim_{h\to0}\frac{f(x+h)-f(x)}{h}$

$=\lim_{h\to0}\frac{\{2(x+h)+1\}-(2x+1)}{h}$

$=\lim_{h\to0}\frac{2h}{h}$

$=\lim_{h\to0}2=\underline{2}$

(2) $f'(x)=\lim_{h\to0}\frac{f(x+h)-f(x)}{h}$

$=\lim_{h\to0}\frac{4-4}{h}$

$=\lim_{h\to0}0=0$

(3) $f'(x)=\lim_{h\to0}\frac{f(x+h)-f(x)}{h}$

$=\lim_{h\to0}\frac{\{(x+h)^2-(x+h)\}-(x^2-x)}{h}$

$=\lim_{h\to0}\frac{2xh+h^2-h}{h}$

$=\lim_{h\to0}(2x+h-1)$

$=2x-1$

(4) $f'(x)=\lim_{h\to0}\frac{f(x+h)-f(x)}{h}$

$=\lim_{h\to0}\frac{-(x+h)^3-(-x^3)}{h}$

$=\lim_{h\to0}\frac{-3x^2h-3xh^2-h^3}{h}$

$=\lim_{h\to0}(-3x^2-3xh-h^2)$

$=-3x^2$

22 답 (1) $f'(x)=-2x$ (2) -2

풀이 (1) $f'(x)=\lim_{h\to0}\frac{f(x+h)-f(x)}{h}$

$=\lim_{h\to0}\frac{\{-(x+h)^2+3\}-(-x^2+3)}{h}$

$=\lim_{h\to0}\frac{-2xh-h^2}{h}$

$=\lim_{h\to0}(-2x-h)$

$=-2x$

(2) $x=1$에서의 미분계수는 $f'(1)$과 같다.

함수 $f(x)$의 도함수가 $f'(x)=\underline{-2x}$이므로

$f'(1)=-2\times1=\underline{-2}$

23 답 (1) -5 (2) 9 (3) 12

풀이 (1) $f'(x)=\lim_{h\to0}\frac{f(x+h)-f(x)}{h}$

$=\lim_{h\to0}\frac{\{-5(x+h)+2\}-(-5x+2)}{h}$

$=\lim_{h\to0}\frac{-5h}{h}$

$=\lim_{h\to0}(-5)=-5$

따라서 $x=2$에서의 미분계수는

$f'(2)=-5$

(2) $f'(x)=\lim_{h\to0}\frac{f(x+h)-f(x)}{h}$

$=\lim_{h\to0}\frac{\{2(x+h)^2+(x+h)\}-(2x^2+x)}{h}$

$=\lim_{h\to0}\frac{4xh+2h^2+h}{h}$

$=\lim_{h\to0}(4x+2h+1)$

$=4x+1$

따라서 $x=2$에서의 미분계수는

$f'(2)=4\times2+1=9$

(3) $f'(x)=\lim_{h\to0}\frac{f(x+h)-f(x)}{h}$

$=\lim_{h\to0}\frac{\{(x+h)^3-6\}-(x^3-6)}{h}$

$=\lim_{h\to0}\frac{3x^2h+3xh^2+h^3}{h}$

$=\lim_{h\to0}(3x^2+3xh+h^2)$

$=3x^2$

따라서 $x=2$에서의 미분계수는

$f'(2)=3\times2^2=12$

24 답 (1) $y'=3x^2$ (2) $y'=5x^4$ (3) $y'=8x^7$ (4) $y'=10x^9$ (5) $y'=26x^{25}$

풀이 (1) $y'=3x^{3-1}=\underline{3x^2}$

(2) $y'=5x^{5-1}=5x^4$

(3) $y'=8x^{8-1}=8x^7$

(4) $y'=10x^{10-1}=10x^9$

(5) $y'=26x^{26-1}=26x^{25}$

25 답 (1) $y'=0$ (2) $y'=0$ (3) $y'=0$ (4) $y'=0$

26 답 (1) $y'=-15x^2$ (2) $y'=4x^5$ (3) $y'=2$ (4) $y'=-4$ (5) $y'=12x$ (6) $y'=-2x+5$ (7) $y'=3x^2-4x$ (8) $y'=6x^2-8x+3$ (9) $y'=4x^3+6x$ (10) $y'=-4x^3-14x+2$ (11) $y'=10x^4-9x^2-10x$ (12) $y'=-15x^4+16x+2$

풀이 (1) $y'=(-5x^3)'=-5\times(x^3)'=-5\times3x^2=\underline{-15x^2}$

(2) $y'=\frac{2}{3}\times6x^5=4x^5$

(3) $y'=(2x)'+(7)'=2\times(x)'+(7)'=2\times1+0=\underline{2}$

(4) $y'=-4\times1+0=-4$

(5) $y'=6\times2x-0=12x$

(6) $y=-1\times2x+5\times1+0=-2x+5$

(7) $y'=3x^2-2\times2x=3x^2-4x$

(8) $y'=2\times3x^2-4\times2x+3\times1+0$

$=6x^2-8x+3$

(9) $y'=4x^3+3\times2x=4x^3+6x$

(10) $y'=-1\times4x^3-7\times2x+2\times1-0$

$=-4x^3-14x+2$

(11) $y'=2\times5x^4-3\times3x^2-5\times2x$

$=10x^4-9x^2-10x$

(12) $y'=-3\times5x^4+8\times2x+2\times1-0$

$=-15x^4+16x+2$

27 답 (1) $y'=x^3+x^2+x-1$ (2) $y'=4x^4-3x^3+2x^2$

풀이 (1) $y'=\frac{1}{4}\times4x^3+\frac{1}{3}\times3x^2+\frac{1}{2}\times2x-1$

$=x^3+x^2+x-1$

(2) $y'=\frac{4}{5}\times5x^4-\frac{3}{4}\times4x^3+\frac{2}{3}\times3x^2$

$=4x^4-3x^3+2x^2$

28 답 (1) 6 (2) -1 (3) 5 (4) 16

풀이 (1) 함수 $3f(x)$의 $x=1$에서의 미분계수는

$3f'(1)=3\times2=\underline{6}$

(2) 함수 $f(x)+g(x)$의 $x=1$에서의 미분계수는

$f'(1)+g'(1)=2+(-3)=-1$

(3) 함수 $f(x)-g(x)$의 $x=1$에서의 미분계수는

$f'(1)-g'(1)=2-(-3)=5$

(4) 함수 $2f(x)-4g(x)$의 $x=1$에서의 미분계수는

$2f'(1)-4g'(1)=2\times2-4\times(-3)=16$

29 답 (1) $y'=15x^2-10x-3$

(2) $y'=12x-7$

(3) $y'=-30x^4-8x^3$

(4) $y'=4x^3-3x^2+16x-6$

(5) $y'=10x^4-12x^3-8x+6$

(6) $y'=7x^6-16x^3-3x^2$

풀이 (1) $y'=(x-1)'(5x^2-3)+(x-1)(5x^2-3)'$

$=1\times(5x^2-3)+(x-1)\times10x$

$=\underline{15x^2-10x-3}$

(2) $y'=(2x-5)'(3x+4)+(2x-5)(3x+4)'$

$=2\times(3x+4)+(2x-5)\times3$

$=12x-7$

(3) $y'=(-2x^3)'(3x^2+x)+(-2x^3)(3x^2+x)'$

$=-6x^2\times(3x^2+x)-2x^3\times(6x+1)$

$=-30x^4-8x^3$

(4) $y'=(x^2+6)'(x^2-x+2)+(x^2+6)(x^2-x+2)'$

$=2x\times(x^2-x+2)+(x^2+6)(2x-1)$

$=4x^3-3x^2+16x-6$

(5) $y'=(2x^2-3x)'(x^3-2)+(2x^2-3x)(x^3-2)'$

$=(4x-3)(x^3-2)+(2x^2-3x)\times3x^2$

$=10x^4-12x^3-8x+6$

(6) $y'=(x^3-4)'(x^4-1)+(x^3-4)(x^4-1)'$

$=3x^2\times(x^4-1)+(x^3-4)\times4x^3$

$=7x^6-16x^3-3x^2$

30 답 (1) $y'=15x^2-4x-13$

(2) $y'=18x^2+38x+1$

(3) $y'=4x^3-3x^2+2x-1$

풀이 (1) $y'=(x+1)'(x-2)(5x+3)$

$+(x+1)(x-2)'(5x+3)+(x+1)(x-2)(5x+3)'$

$=1\times(x-2)(5x+3)+(x+1)\times1\times(5x+3)$

$+(x+1)(x-2)\times5$

$=\underline{15x^2-4x-13}$

(2) $y'=(2x-1)'(x+3)(3x+2)$

$+(2x-1)(x+3)'(3x+2)$

$+(2x-1)(x+3)(3x+2)'$

$=2(x+3)(3x+2)+(2x-1)\times1\times(3x+2)$

$+(2x-1)(x+3)\times3$

$=18x^2+38x+1$

(3) $y'=(x)'(x^2+1)(x-1)+x(x^2+1)'(x-1)$

$+x(x^2+1)(x-1)'$

$=1\times(x^2+1)(x-1)+x\times2x\times(x-1)$

$+x(x^2+1)\times1$

$=4x^3-3x^2+2x-1$

31 답 (1) $y'=9(3x-1)^2$

(2) $y'=5(x+2)^4$

(3) $y'=4x^3-6x^2+6x-2$

풀이 (1) $y'=3(3x-1)^2(3x-1)'$

$=3(3x-1)^2\times3$

$=\underline{9(3x-1)^2}$

(2) $y'=5(x+2)^4(x+2)'$

$=5(x+2)^4\times1$

$=5(x+2)^4$

(3) $y'=2(x^2-x+1)(x^2-x+1)'$

$=2(x^2-x+1)(2x-1)$

$=4x^3-6x^2+6x-2$

32 답 (1) 13 (2) 5 (3) 4

풀이 (1) $f'(x)=\underline{6x+1}$

따라서 $x=2$에서의 미분계수는

$f'(2)=6\times2+1=13$

(2) $f'(x)=3x^2-7$

따라서 $x=2$에서의 미분계수는

$f'(2)=3\times2^2-7=5$

(3) $f'(x)=4(x-1)^3(x-1)'$

$=4(x-1)^3\times1$

$=4(x-1)^3$

따라서 $x=2$에서의 미분계수는

$f'(2)=4\times(2-1)^3=4$

33 답 (1) -10 (2) 10 (3) -13

풀이 (1) $f'(x)=\underline{-10x}$

$\therefore f'(1)=-10\times1=\underline{-10}$

(2) $f'(x)=12x^2+2x$

$\therefore f'(-1)=12\times(-1)^2+2\times(-1)=10$

(3) $f'(x)=(2x^2-x)'(-x+1)+(2x^2-x)(-x+1)'$

$=(4x-1)(-x+1)+(2x^2-x)\times(-1)$

$=-6x^2+6x-1$

$\therefore f'(2)=-6\times2^2+6\times2-1=-13$

34 답 (1) $a=10$, $b=-5$ (2) $a=2$, $b=0$

(3) $a=\frac{3}{2}$, $b=\frac{1}{2}$ (4) $a=5$, $b=-7$

풀이 (1) (i) $f(x)$가 $x=1$에서 연속이므로

$\lim_{x\to1-} 5x^2=\lim_{x\to1+} (ax+b)=f(1)$

$\therefore a+b=5$ ...... ㉠

(ii) $f'(x)=\begin{cases} a & (x>1) \\ 10x & (x<1) \end{cases}$에서

$f'(1)$이 존재하므로

$\lim_{x\to1-} 10x=\lim_{x\to1+} a$ $\therefore a=10$

$a=10$을 ㉠에 대입하면 $b=-5$

(2) (i) $f(x)$가 $x=1$에서 연속이므로

$\lim_{x\to1-} (x^2-b)=\lim_{x\to1+} (ax-1)=f(1)$

$1-b=a-1$

$\therefore a+b=2$ ...... ㉠

(ii) $f'(x)=\begin{cases} a & (x>1) \\ 2x & (x<1) \end{cases}$에서

$f'(1)$이 존재하므로

$\lim_{x\to1-} 2x=\lim_{x\to1+} a$ $\therefore a=2$

$a=2$를 ㉠에 대입하면 $b=0$

(3) (i) $f(x)$가 $x=1$에서 연속이므로

$\lim_{x\to1-} (2x^2+bx)=\lim_{x\to1+} (ax^3+1)=f(1)$

$2+b=a+1$

$\therefore a-b=1$ ...... ㉠

(ii) $f'(x)=\begin{cases} 3ax^2 & (x>1) \\ 4x+b & (x<1) \end{cases}$에서

$f'(1)$이 존재하므로

$\lim_{x\to1-} (4x+b)=\lim_{x\to1+} 3ax^2$

$4+b=3a$

$\therefore 3a-b=4$ ...... ㉡

㉠, ㉡을 연립하여 풀면

$a=\frac{3}{2}$, $b=\frac{1}{2}$

(4) (i) $f(x)$가 $x=1$에서 연속이므로

$\lim_{x\to1-} (3x^2-4)=\lim_{x\to1+} (x^3+ax^2+bx)=f(1)$

$-1=1+a+b$

$\therefore a+b=-2$ ...... ㉠

(ii) $f'(x)=\begin{cases} 3x^2+2ax+b & (x>1) \\ 6x & (x<1) \end{cases}$에서

$f'(1)$이 존재하므로

$\lim_{x\to1-} 6x=\lim_{x\to1+} (3x^2+2ax+b)$

$6=3+2a+b$

$\therefore 2a+b=3$ ...... ㉡

㉠, ㉡을 연립하여 풀면

$a=5$, $b=-7$

35 답 (1) $-3x+5$ (2) $5x-4$ (3) $-10x-4$ (4) $9x+7$

풀이 (1) x^6-3x^3+4를 $(x-1)^2$으로 나눈 몫을 $Q(x)$, 나머지를 $ax+b$ (a, b는 상수)라고 하면

$x^6-3x^3+4=(x-1)^2Q(x)+ax+b$ ...... ㉠

㉠의 양변에 $x=1$을 대입하면

$a+b=2$ ...... ㉡

㉠의 양변을 x에 대하여 미분하면

$6x^5-9x^2=2(x-1)Q(x)+(x-1)^2Q'(x)+a$

양변에 $x=1$을 대입하면 $a=-3$

$a=-3$을 ㉡에 대입하면 $b=5$

따라서 구하는 나머지는 $-3x+5$이다.

(2) $x^{10}-x^5+1$을 $(x-1)^2$으로 나눈 몫을 $Q(x)$, 나머지를 $ax+b$ (a, b는 상수)라고 하면

$x^{10}-x^5+1=(x-1)^2Q(x)+ax+b$ ...... ㉠

㉠의 양변에 $x=1$을 대입하면

$a+b=1$ ...... ㉡

㉠의 양변을 x에 대하여 미분하면

$10x^9-5x^4=2(x-1)Q(x)+(x-1)^2Q'(x)+a$

양변에 $x=1$을 대입하면 $a=5$

$a=5$를 ㉡에 대입하면 $b=-4$

따라서 구하는 나머지는 $5x-4$이다.

(3) x^8-2x+3을 $(x+1)^2$으로 나눈 몫을 $Q(x)$, 나머지를 $ax+b$ (a, b는 상수)라고 하면

$x^8-2x+3=(x+1)^2Q(x)+ax+b$ ...... ㉠

㉠의 양변에 $x=-1$을 대입하면

$-a+b=6$ ...... ㉡

㉠의 양변을 x에 대하여 미분하면

$8x^7-2=2(x+1)Q(x)+(x+1)^2Q'(x)+a$

양변에 $x=-1$을 대입하면 $a=-10$

$a=-10$을 ㉡에 대입하면 $b=-4$

따라서 구하는 나머지는 $-10x-4$이다.

(4) x^9-1을 $(x+1)^2$으로 나눈 몫을 $Q(x)$, 나머지를 $ax+b$ (a, b는 상수)라고 하면

$x^9-1=(x+1)^2Q(x)+ax+b$ ...... ㉠

㉠의 양변에 $x=-1$을 대입하면

$-a+b=-2$ ...... ㉡

㉠의 양변을 x에 대하여 미분하면

$9x^8=2(x+1)Q(x)+(x+1)^2Q'(x)+a$

양변에 $x=-1$을 대입하면 $a=9$

$a=9$를 ㉡에 대입하면 $b=7$

따라서 구하는 나머지는 $9x+7$이다.

36 답 (1) $a=-7$, $b=6$ (2) $a=-32$, $b=48$

(3) $a=-2$, $b=16$ (4) $a=-4$, $b=16$

풀이 (1) x^7+ax+b를 $(x-1)^2$으로 나눈 몫을 $Q(x)$라고 하면

$x^7+ax+b=(x-1)^2Q(x)$ ...... ㉠

㉠의 양변에 $x=1$을 대입하면

$1+a+b=0$

$\therefore a+b=-1$ ...... ㉡

㉠의 양변을 x에 대하여 미분하면

$7x^6+a=2(x-1)Q(x)+(x-1)^2Q'(x)$

양변에 $x=1$을 대입하면

$7+a=0 \quad \therefore a=-7$

$a=-7$을 ㉡에 대입하면 $b=6$

(2) x^4-ax+b를 $(x+2)^2$으로 나눈 몫을 $Q(x)$라고 하면

$x^4-ax+b=(x+2)^2Q(x)$ ……㉠

㉠의 양변에 $x=-2$를 대입하면

$16+2a+b=0$

$\therefore 2a+b=-16$ ……㉡

㉠의 양변을 x에 대하여 미분하면

$4x^3-a=2(x+2)Q(x)+(x+2)^2Q'(x)$

양변에 $x=-2$를 대입하면

$-32-a=0 \quad \therefore a=-32$

$a=-32$를 ㉡에 대입하면 $b=48$

(3) $x^{10}+ax^3+bx+13$을 $(x+1)^2$으로 나눈 몫을 $Q(x)$라고 하면

$x^{10}+ax^3+bx+13=(x+1)^2Q(x)$ ……㉠

㉠의 양변에 $x=-1$을 대입하면

$1-a-b+13=0$

$\therefore a+b=14$ ……㉡

㉠의 양변을 x에 대하여 미분하면

$10x^9+3ax^2+b=2(x+1)Q(x)+(x+1)^2Q'(x)$

양변에 $x=-1$을 대입하면

$-10+3a+b=0$

$\therefore 3a+b=10$ ……㉢

㉡, ㉢을 연립하여 풀면

$a=-2,\ b=16$

(4) $x^4+ax^3+bx-16$을 $(x-2)^2$으로 나눈 몫을 $Q(x)$라고 하면

$x^4+ax^3+bx-16=(x-2)^2Q(x)$ ……㉠

㉠의 양변에 $x=2$를 대입하면

$16+8a+2b-16=0$

$\therefore 4a+b=0$ ……㉡

㉠의 양변을 x에 대하여 미분하면

$4x^3+3ax^2+b=2(x-2)Q(x)+(x-2)^2Q'(x)$

양변에 $x=2$를 대입하면

$32+12a+b=0$

$\therefore 12a+b=-32$ ……㉢

㉡, ㉢을 연립하여 풀면

$a=-4,\ b=16$

중단원 점검문제 | Ⅱ-1. 미분계수와 도함수 054-055쪽

01 답 -8

풀이 $\dfrac{\Delta y}{\Delta x}=\dfrac{f(1)-f(-2)}{1-(-2)}$

$=\dfrac{-4-20}{3}=-8$

02 답 1

풀이 $f'(-1)=\lim_{x\to-1}\dfrac{f(x)-f(-1)}{x-(-1)}$

$=\lim_{x\to-1}\dfrac{(-x^3+4x-5)-(-8)}{x+1}$

$=\lim_{x\to-1}\dfrac{(x+1)(-x^2+x+3)}{x+1}$

$=\lim_{x\to-1}(-x^2+x+3)=1$

03 답 10

풀이 점 $(2,\ 8)$에서의 접선의 기울기는 $f'(2)$와 같으므로

$f'(2)=\lim_{h\to0}\dfrac{f(2+h)-f(2)}{h}$

$=\lim_{h\to0}\dfrac{\{3(2+h)^2-2(2+h)\}-8}{h}$

$=\lim_{h\to0}\dfrac{3h^2+10h}{h}$

$=\lim_{h\to0}(3h+10)=10$

04 답 $6f'(a)$

풀이 $\lim_{h\to0}\dfrac{f(a-6h)-f(a)}{-h}$

$=\lim_{h\to0}\dfrac{f(a-6h)-f(a)}{-6h}\times6$

$=6f'(a)$

05 답 -3

풀이 $\lim_{h\to0}\dfrac{f(3+2h)-f(3-h)}{h}$

$=\lim_{h\to0}\dfrac{f(3+2h)-f(3)+f(3)-f(3-h)}{h}$

$=\lim_{h\to0}\left\{\dfrac{f(3+2h)-f(3)}{h}-\dfrac{f(3-h)-f(3)}{h}\right\}$

$=\lim_{h\to0}\left\{\dfrac{f(3+2h)-f(3)}{2h}\times2+\dfrac{f(3-h)-f(3)}{-h}\right\}$

$=2f'(3)+f'(3)=3f'(3)$

$=3\times(-1)=-3$

06 답 $-\dfrac{1}{2}$

풀이 $\lim_{x\to\sqrt{2}}\dfrac{f(x)-2}{x^2-2}=\lim_{x\to\sqrt{2}}\left\{\dfrac{f(x)-f(\sqrt{2})}{x-\sqrt{2}}\times\dfrac{1}{x+\sqrt{2}}\right\}$

$=\dfrac{1}{2\sqrt{2}}f'(\sqrt{2})$

$=\dfrac{1}{2\sqrt{2}}\times(-\sqrt{2})=-\dfrac{1}{2}$

07 답 -8

풀이 $\lim_{x\to1}\frac{x^2f(1)-f(x)}{x-1}$

$=\lim_{x\to1}\frac{x^2f(1)-f(1)+f(1)-f(x)}{x-1}$

$=\lim_{x\to1}\frac{f(1)(x^2-1)-\{f(x)-f(1)\}}{x-1}$

$=\lim_{x\to1}\left\{f(1)(x+1)-\frac{f(x)-f(1)}{x-1}\right\}$

$=2f(1)-f'(1)$

$=2\times(-3)-2=-8$

08 답 연속이지만 미분가능하지 않다.

풀이 (i) $\lim_{x\to2}f(x)=\lim_{x\to2}|x^2-4|=0$,

$f(2)=0$

이므로

$\lim_{x\to2}f(x)=f(2)$

따라서 함수 $f(x)$는 $x=2$에서 연속이다.

(ii) $\lim_{x\to2+}\frac{f(x)-f(2)}{x-2}=\lim_{x\to2+}\frac{(x^2-4)-0}{x-2}$

$=\lim_{x\to2+}\frac{(x+2)(x-2)}{x-2}$

$=\lim_{x\to2+}(x+2)=4$

$\lim_{x\to2-}\frac{f(x)-f(2)}{x-2}=\lim_{x\to2-}\frac{-(x^2-4)-0}{x-2}$

$=\lim_{x\to2-}\frac{-(x+2)(x-2)}{x-2}$

$=\lim_{x\to2-}\{-(x+2)\}=-4$

이므로 $f'(2)$가 존재하지 않는다.

따라서 함수 $f(x)$는 $x=2$에서 연속이지만 미분가능하지 않다.

09 답 (1) $f'(x)=-4x$ (2) $f'(x)=-4x$

풀이 (1) $f'(x)=\lim_{h\to0}\frac{f(x+h)-f(x)}{h}$

$=\lim_{h\to0}\frac{\{-2(x+h)^2+7\}-(-2x^2+7)}{h}$

$=\lim_{h\to0}\frac{-4xh-2h^2}{h}$

$=\lim_{h\to0}(-4x-2h)$

$=-4x$

(2) $f'(x)=-2\times2x+0=-4x$

10 답 $y'=20x^3-9x^2+12x-4$

풀이 $y'=5\times4x^3-3\times3x^2+6\times2x-4\times1$

$=20x^3-9x^2+12x-4$

11 답 $y'=12x(2x^2-3)^2$

풀이 $y'=3(2x^2-3)^2(2x^2-3)'$

$=3(2x^2-3)^2\times4x$

$=12x(2x^2-3)^2$

12 답 1

풀이 $f'(x)=\frac{8}{3}x+9$

따라서 $x=-3$에서의 미분계수는

$f'(-3)=\frac{8}{3}\times(-3)+9=1$

13 답 15

풀이 $f'(x)=(5x^2-4x)'(x^3+1)+(5x^2-4x)(x^3+1)'$

$=(10x-4)(x^3+1)+(5x^2-4x)\times3x^2$

$=25x^4-16x^3+10x-4$

$\therefore f'(1)=25-16+10-4=15$

14 답 -1

풀이 (i) $f(x)$가 $x=2$에서 연속이므로

$\lim_{x\to2-}(3x^2-1)=\lim_{x\to2+}(ax+b)=f(2)$

$\therefore 2a+b=11$ ······㉠

(ii) $f'(x)=\begin{cases}6x & (x<2)\\ a & (x>2)\end{cases}$에서

$f'(2)$가 존재하므로

$\lim_{x\to2-}6x=\lim_{x\to2+}a$ $\quad\therefore a=12$

$a=12$를 ㉠에 대입하면 $b=-13$

$\therefore a+b=12+(-13)=-1$

15 답 $-5x-12$

풀이 x^5+5x^2-11을 $(x+1)^2$으로 나눈 몫을 $Q(x)$, 나머지를 $ax+b$ (a, b는 상수)라고 하면

$x^5+5x^2-11=(x+1)^2Q(x)+ax+b$ ······㉠

㉠의 양변에 $x=-1$을 대입하면

$-a+b=-7$ ······㉡

㉠의 양변을 x에 대하여 미분하면

$5x^4+10x=2(x+1)Q(x)+(x+1)^2Q'(x)+a$

양변에 $x=-1$을 대입하면 $a=-5$

$a=-5$를 ㉡에 대입하면 $b=-12$

따라서 구하는 나머지는 $-5x-12$이다.

16 답 -4

풀이 x^7+ax^2+bx+2를 $(x-1)^2$으로 나눈 몫을 $Q(x)$라고 하면

$x^7+ax^2+bx+2=(x-1)^2Q(x)$ ······㉠

㉠의 양변에 $x=1$을 대입하면

$1+a+b+2=0$

$\therefore a+b=-3$ ······㉡

㉠의 양변을 x에 대하여 미분하면

$7x^6+2ax+b=2(x-1)Q(x)+(x-1)^2Q'(x)$

양변에 $x=1$을 대입하면

$7+2a+b=0$

$\therefore 2a+b=-7$ ······㉢

㉡, ㉢을 연립하여 풀면

$a=-4$, $b=1$

$\therefore ab=-4\times1=-4$

Ⅱ-2 도함수의 활용 056~085쪽

01 답 (1) $y=-2x-1$ (2) $y=2x+5$ (3) $y=4x$

풀이 (1) $f(x)=x^2-4x$로 놓으면

$f'(x)=2x-4$

이 곡선 위의 점 $(1, -3)$에서의 접선의 기울기는

$f'(1)=\underline{-2}$

따라서 구하는 접선의 방정식은

$y-(-3)=-2(x-1)$

$\therefore y=\underline{-2x-1}$

(2) $f(x)=-\frac{1}{2}x^2+3$으로 놓으면

$f'(x)=-x$

이 곡선 위의 점 $(-2, 1)$에서의 접선의 기울기는

$f'(-2)=2$

따라서 구하는 접선의 방정식은

$y-1=2\{x-(-2)\}$

$\therefore y=2x+5$

(3) $f(x)=-x^3-2x^2+3x$로 놓으면

$f'(x)=-3x^2-4x+3$

이 곡선 위의 점 $(-1, -4)$에서의 접선의 기울기는

$f'(-1)=4$

따라서 구하는 접선의 방정식은

$y-(-4)=4\{x-(-1)\}$

$\therefore y=4x$

02 답 (1) $y=\frac{1}{4}x+\frac{29}{4}$ (2) $y=\frac{1}{5}x-\frac{6}{5}$ (3) $y=-\frac{1}{3}x-7$

풀이 (1) $f(x)=2x^2+5$로 놓으면

$f'(x)=4x$

이 곡선 위의 점 $(-1, 7)$에서의 접선의 기울기는

$f'(-1)=-4$이므로 이 접선에 수직인 직선의 기울기는

$\frac{1}{4}$이다.

따라서 구하는 직선의 방정식은

$y-7=\frac{1}{4}\{x-(-1)\}$

$\therefore y=\underline{\frac{1}{4}x+\frac{29}{4}}$

(2) $f(x)=-4x^2+3x$로 놓으면

$f'(x)=-8x+3$

이 곡선 위의 점 $(1, -1)$에서의 접선의 기울기는

$f'(1)=-5$이므로 이 접선에 수직인 직선의 기울기는

$\frac{1}{5}$이다.

따라서 구하는 접선의 방정식은

$y-(-1)=\frac{1}{5}(x-1)$

$\therefore y=\frac{1}{5}x-\frac{6}{5}$

(3) $f(x)=\frac{1}{3}x^3+x^2-6$으로 놓으면

$f'(x)=x^2+2x$

이 곡선 위의 점 $(-3, -6)$에서의 접선의 기울기는

$f'(-3)=3$이므로 이 접선에 수직인 직선의 기울기는

$-\frac{1}{3}$이다.

따라서 구하는 접선의 방정식은

$y-(-6)=-\frac{1}{3}\{x-(-3)\}$

$\therefore y=-\frac{1}{3}x-7$

03 답 (1) $(2, 3)$ (2) $y=-x+5$

풀이 (1) $f(x)=-x^2+3x+1$로 놓으면

$f'(x)=-2x+3$

기울기가 -1이므로

$-2x+3=-1$ $\quad\therefore x=\underline{2}$

따라서 $f(2)=3$이므로 접점의 좌표는 $\underline{(2, 3)}$이다.

(2) 곡선 위의 점 $\underline{(2, 3)}$에서의 접선의 기울기가 -1이므로

구하는 접선의 방정식은

$y-3=-(x-2)$

$\therefore y=\underline{-x+5}$

04 답 (1) $(-1, -3)$, $(1, 3)$ (2) $y=5x+2$, $y=5x-2$

풀이 (1) $f(x)=x^3+2x$로 놓으면

$f'(x)=3x^2+2$

접선의 기울기가 5이므로

$3x^2+2=5$ $\quad\therefore x=\pm1$

따라서 $f(-1)=-3$, $f(1)=3$이므로 접점의 좌표는

$(-1, -3)$, $(1, 3)$이다.

(2) $y-(-3)=5\{x-(-1)\}$, $y-3=5(x-1)$

$\therefore y=5x+2$, $y=5x-2$

05 답 (1) $y=3x-2$ (2) $y=-2x-5$

(3) $y=-3x-4$ (4) $y=x-\frac{16}{3}$, $y=x+\frac{16}{3}$

풀이 (1) $f(x)=2x^2-x$로 놓으면

$f'(x)=4x-1$

기울기가 3이므로

$4x-1=3$ $\quad\therefore x=1$

$f(1)=1$이므로 접점의 좌표는 $(1, 1)$이다.

따라서 구하는 접선의 방정식은

$y-1=3(x-1)$

$\therefore y=3x-2$

(2) $f(x)=x^2+2x-1$로 놓으면

$f'(x)=2x+2$

기울기가 -2이므로

$2x+2=-2$ $\quad\therefore x=-2$

$f(-2)=-1$이므로 접점의 좌표는 $(-2, -1)$이다.

따라서 구하는 접선의 방정식은

$y-(-1)=-2\{x-(-2)\}$

$\therefore y=-2x-5$

(3) $f(x)=x^3-3x^2-5$로 놓으면

$f'(x)=3x^2-6x$

접선의 기울기가 -3이므로

$3x^2-6x=-3$, $x^2-2x+1=0$

$(x-1)^2=0 \quad \therefore x=1$

$f(1)=-7$이므로 접점의 좌표는 $(1, -7)$이다.

따라서 구하는 접선의 방정식은

$y-(-7)=-3(x-1)$

$\therefore y=-3x-4$

(4) $f(x)=-\frac{1}{3}x^3+5x$로 놓으면

$f'(x)=-x^2+5$

접선의 기울기가 1이므로

$-x^2+5=1 \quad \therefore x=\pm2$

$f(-2)=-\frac{22}{3}$, $f(2)=\frac{22}{3}$이므로 접점의 좌표는

$\left(-2, -\frac{22}{3}\right)$, $\left(2, \frac{22}{3}\right)$이다.

따라서 구하는 접선의 방정식은

$y-\left(-\frac{22}{3}\right)=1\times\{x-(-2)\}$, $y-\frac{22}{3}=1\times(x-2)$

$\therefore y=x-\frac{16}{3}$, $y=x+\frac{16}{3}$

06 답 (1) 2 (2) $(-1, 2)$ (3) $y=2x+4$

풀이 (1) 직선 $2x-y+3=0$에서

$y=2x+3$

이 직선에 평행한 접선의 기울기는 2이다.

(2) $f(x)=x^2+4x+5$로 놓으면 $f'(x)=2x+4$

기울기가 2이므로

$2x+4=2 \quad \therefore x=-1$

따라서 $f(-1)=2$이므로 접점의 좌표는 $(-1, 2)$이다.

(3) $y-2=2\{x-(-1)\}$

$\therefore y=2x+4$

07 답 (1) $y=-x-16$

(2) $y=-2x+6$

(3) $y=3x+4$, $y=3x$

풀이 (1) 직선 $y=-x+3$에 평행한 접선의 기울기는 -1이다.

$f(x)=x^2+7x$로 놓으면

$f'(x)=2x+7$

접선의 기울기가 -1이므로

$2x+7=-1 \quad \therefore x=-4$

$f(-4)=-12$이므로 접점의 좌표는 $(-4, -12)$이다.

따라서 구하는 접선의 방정식은

$y-(-12)=-\{x-(-4)\}$

$\therefore y=-x-16$

(2) 직선 $-2x-y+9=0$에서

$y=-2x+9$

이 직선에 평행한 접선의 기울기는 -2이다.

$f(x)=-x^2+4x-3$으로 놓으면

$f'(x)=-2x+4$

접선의 기울기가 -2이므로

$-2x+4=-2 \quad \therefore x=3$

$f(3)=0$이므로 접점의 좌표는 $(3, 0)$이다.

따라서 구하는 접선의 방정식은

$y-0=-2(x-3)$

$\therefore y=-2x+6$

(3) 직선 $y=3x-1$에 평행한 접선의 기울기는 3이다.

$f(x)=x^3+2$로 놓으면

$f'(x)=3x^2$

접선의 기울기가 3이므로

$3x^2=3 \quad \therefore x=\pm1$

$f(-1)=1$, $f(1)=3$이므로 접점의 좌표는 $(-1, 1)$, $(1, 3)$이다.

따라서 구하는 접선의 방정식은

$y-1=3\{x-(-1)\}$, $y-3=3(x-1)$

$\therefore y=3x+4$, $y=3x$

08 답 (1) 4 (2) $(2, 6)$ (3) $y=4x-2$

풀이 (1) 직선 $x+4y-2=0$에서

$y=-\frac{1}{4}x+\frac{1}{2}$

이 직선에 수직인 접선의 기울기는 4이다.

(2) $f(x)=-x^2+8x-6$으로 놓으면

$f'(x)=-2x+8$

기울기가 4이므로

$-2x+8=4 \quad \therefore x=2$

따라서 $f(2)=6$이므로 접점의 좌표는 $(2, 6)$이다.

(3) $y-6=4(x-2)$

$\therefore y=4x-2$

09 답 (1) $y=-x+2$ (2) $y=3x-16$, $y=3x+16$

풀이 (1) 직선 $y=x-2$에 수직인 접선의 기울기는 -1이다.

$f(x)=x^2-x+2$로 놓으면

$f'(x)=2x-1$

기울기가 -1이므로

$2x-1=-1 \quad \therefore x=0$

$f(0)=2$이므로 접점의 좌표는 $(0, 2)$이다.

따라서 구하는 접선의 방정식은

$y-2=-(x-0)$

$\therefore y=-x+2$

(2) 직선 $x+3y-3=0$에서

$y=-\frac{1}{3}x+1$

이 직선에 수직인 접선의 기울기는 3이다.

$f(x)=-x^3+15x$로 놓으면

$f'(x)=-3x^2+15$

기울기가 3이므로

$-3x^2+15=3 \quad \therefore x=\pm2$

$f(-2)=-22$, $f(2)=22$이므로 접점의 좌표는

$(-2, -22)$, $(2, 22)$이다.

따라서 구하는 접선의 방정식은

$y-(-22)=3\{x-(-2)\}$, $y-22=3(x-2)$

$\therefore$ $y=3x-16$, $y=3x+16$

10 답 (1) $y=-x-3$, $y=3x-3$ (2) $y=2x+1$, $y=-2x+9$

(3) $y=-7x$, $y=x$ (4) $y=3x-1$

(5) $y=x+1$

풀이 (1) $f(x)=x^2+x-2$로 놓으면

$f'(x)=2x+1$

접점의 좌표를 $(a,\ a^2+a-2)$라고 하면 접선의 기울기는 $f'(a)=2a+1$이므로 접선의 방정식은

$y-(a^2+a-2)=(2a+1)(x-a)$

$y=(2a+1)x-a^2-2$ ······㉠

이 직선이 점 $(0,\ -3)$을 지나므로

$-3=-a^2-2$ $\therefore$ $a=\pm1$

$a=\pm1$을 ㉠에 각각 대입하면 구하는 접선의 방정식은

$y=-x-3$, $y=3x-3$

(2) $f(x)=-x^2+4x$로 놓으면

$f'(x)=-2x+4$

접점의 좌표를 $(a,\ -a^2+4a)$라고 하면 접선의 기울기는 $f'(a)=-2a+4$이므로 접선의 방정식은

$y-(-a^2+4a)=(-2a+4)(x-a)$

$\therefore$ $y=(-2a+4)x+a^2$ ······㉠

이 직선이 점 $(2,\ 5)$를 지나므로

$5=(-2a+4)\times2+a^2$

$a^2-4a+3=0$

$(a-1)(a-3)=0$

$\therefore$ $a=1$ 또는 $a=3$

$a=1$, $a=3$을 ㉠에 각각 대입하면 구하는 접선의 방정식은

$y=2x+1$, $y=-2x+9$

(3) $f(x)=x^2-3x+4$로 놓으면

$f'(x)=2x-3$

접점의 좌표를 $(a,\ a^2-3a+4)$라고 하면 접선의 기울기는 $f'(a)=2a-3$이므로 접선의 방정식은

$y-(a^2-3a+4)=(2a-3)(x-a)$

$\therefore$ $y=(2a-3)x-a^2+4$ ······㉠

이 직선이 점 $(0,\ 0)$을 지나므로

$0=-a^2+4$ $\therefore$ $a=\pm2$

$a=\pm2$를 ㉠에 각각 대입하면 구하는 접선의 방정식은

$y=-7x$, $y=x$

(4) $f(x)=x^3+1$로 놓으면

$f'(x)=3x^2$

접점의 좌표를 $(a,\ a^3+1)$이라고 하면 접선의 기울기는 $f'(a)=3a^2$이므로 접선의 방정식은

$y-(a^3+1)=3a^2(x-a)$

$\therefore$ $y=3a^2x-2a^3+1$ ······㉠

이 직선이 점 $(0,\ -1)$을 지나므로

$-1=-2a^3+1$ $\therefore$ $a=1$

$a=1$을 ㉠에 대입하면 구하는 접선의 방정식은

$y=3x-1$

(5) $f(x)=x^3-3x^2+x+1$로 놓으면

$f'(x)=3x^2-6x+1$

접점의 좌표를 $(a,\ a^3-3a^2+a+1)$이라고 하면 접선의 기울기는 $f'(a)=3a^2-6a+1$이므로 접선의 방정식은

$y-(a^3-3a^2+a+1)=(3a^2-6a+1)(x-a)$

$\therefore$ $y=(3a^2-6a+1)x-2a^3+3a^2+1$ ······㉠

이 직선이 점 $(1,\ 2)$를 지나므로

$2=3a^2-6a+1-2a^3+3a^2+1$

$a^3-3a^2+3a=0$

$a(a^2-3a+3)=0$

$\therefore$ $a=0$ ($\because$ a는 실수)

$a=0$을 ㉠에 대입하면 구하는 접선의 방정식은

$y=x+1$

11 답 (1) $a=-2$, $b=1$ (2) $a=3$, $b=0$ (3) $a=-2$, $b=6$

풀이 (1) $f(x)=x^2+ax+b$로 놓으면

$f'(x)=2x+a$

점 $(2,\ 1)$이 곡선 위의 점이므로

$f(2)=4+2a+b=1$

$\therefore$ $2a+b=-3$ ······㉠

점 $(2,\ 1)$에서의 접선의 기울기가 2이므로

$f'(2)=4+a=2$ $\therefore$ $a=-2$

$a=-2$를 ㉠에 대입하면 $b=1$

(2) $f(x)=-x^2+ax+b$로 놓으면

$f'(x)=-2x+a$

점 $(1,\ 2)$가 곡선 위의 점이므로

$f(1)=-1+a+b=2$

$\therefore$ $a+b=3$ ······㉠

점 $(1,\ 2)$에서의 접선의 기울기가 1이므로

$f'(1)=-2+a=1$ $\therefore$ $a=3$

$a=3$을 ㉠에 대입하면 $b=0$

(3) $f(x)=-x^3+ax^2+bx$로 놓으면

$f'(x)=-3x^2+2ax+b$

점 $(1,\ 3)$이 곡선 위의 점이므로

$f(1)=-1+a+b=3$

$\therefore$ $a+b=4$ ······㉠

점 $(1,\ 3)$에서의 접선의 기울기가 -1이므로

$f'(1)=-3+2a+b=-1$

$\therefore$ $2a+b=2$ ······㉡

㉠, ㉡을 연립하여 풀면

$a=-2$, $b=6$

12 답 (1) $a=-5$, $b=3$ (2) $a=-1$, $b=-3$

(3) $a=4$, $b=-9$

풀이 (1) $f(x)=-x^3+3$, $g(x)=x^2+ax+2b$로 놓으면

$f'(x)=-3x^2$, $g'(x)=2x+a$

점 $(1,\ 2)$가 두 곡선 위의 점이므로

$f(1)=g(1)$에서 $-1+3=1+a+2b$

$\therefore a+2b=1$ ······ ㉠

점 (1, 2)에서의 접선의 기울기가 같으므로

$f'(1)=g'(1)$에서 $-3=2+a$

$\therefore a=-5$

$a=-5$를 ㉠에 대입하면 $b=3$

(2) $f(x)=x^3+ax+b$, $g(x)=x^2+4x$로 놓으면

$f'(x)=3x^2+a$, $g'(x)=2x+4$

점 $(-1, -3)$이 곡선 위의 점이므로

$f(-1)=g(-1)$에서 $-1-a+b=1-4$

$\therefore -a+b=-2$ ······ ㉠

점 $(-1, -3)$에서의 접선의 기울기가 같으므로

$f'(-1)=g'(-1)$에서 $3+a=-2+4$

$\therefore a=-1$

$a=-1$을 ㉠에 대입하면 $b=-3$

(3) $f(x)=x^3-5x$, $g(x)=ax^2+bx$로 놓으면

$f'(x)=3x^2-5$, $g'(x)=2ax+b$

점 $(2, -2)$가 곡선 위의 점이므로

$f(2)=g(2)$에서 $8-10=4a+2b$

$\therefore 2a+b=-1$ ······ ㉠

점 $(2, -2)$에서의 접선의 기울기가 같으므로

$f'(2)=g'(2)$에서 $12-5=4a+b$

$\therefore 4a+b=7$ ······ ㉡

㉠, ㉡을 연립하여 풀면

$a=4$, $b=-9$

13 답 (1) $\frac{3}{2}$ (2) 2 (3) 1 (4) $\frac{\sqrt{3}}{3}$ (5) $-\frac{5}{3}$ (6) 0

풀이 (1) 함수 $f(x)$는 닫힌구간 $[0, 3]$에서 연속이고 열린구간 $(0, 3)$에서 미분가능하며 $f(0)=f(3)=0$이므로 롤의 정리에 의하여 $f'(c)=0$ $(0<c<3)$인 c가 적어도 하나 존재한다.

$f'(x)=3-2x$이므로

$f'(c)=3-2c=0 \qquad \therefore c=\frac{3}{2}$

(2) 함수 $f(x)$는 닫힌구간 $[0, 4]$에서 연속이고 열린구간 $(0, 4)$에서 미분가능하며 $f(0)=f(4)=0$이므로 롤의 정리에 의하여 $f'(c)=0$ $(0<c<4)$인 c가 적어도 하나 존재한다.

$f'(x)=4x-8$이므로

$f'(c)=4c-8=0 \qquad \therefore c=2$

(3) 함수 $f(x)$는 닫힌구간 $[-1, 3]$에서 연속이고 열린구간 $(-1, 3)$에서 미분가능하며 $f(-1)=f(3)=0$이므로 롤의 정리에 의하여 $f'(c)=0$ $(-1<c<3)$인 c가 적어도 하나 존재한다.

$f'(x)=2x-2$이므로

$f'(c)=2c-2=0 \qquad \therefore c=1$

(4) 함수 $f(x)$는 닫힌구간 $[0, 1]$에서 연속이고 열린구간 $(0, 1)$에서 미분가능하며 $f(0)=f(1)=0$이므로 롤의 정리에 의하여 $f'(c)=0(0<c<1)$인 c가 적어도 하나 존재한다.

$f'(x)=3x^2-1$이므로

$f'(c)=3c^2-1=0 \qquad \therefore c=\frac{\sqrt{3}}{3}$ ($\because 0<c<1$)

(5) 함수 $f(x)$는 닫힌구간 $[-3, 1]$에서 연속이고 열린구간 $(-3, 1)$에서 미분가능하며 $f(-3)=f(1)=0$이므로 롤의 정리에 의하여 $f'(c)=0$ $(-3<c<1)$인 c가 적어도 하나 존재한다.

$f'(x)=3x^2+2x-5$이므로

$f'(c)=3c^2+2c-5=0$

$(3c+5)(c-1)=0$

$\therefore c=-\frac{5}{3}$ ($\because -3<c<1$)

(6) 함수 $f(x)$는 닫힌구간 $[-1, 1]$에서 연속이고 열린구간 $(-1, 1)$에서 미분가능하며 $f(-1)=f(1)=0$이므로 롤의 정리에 의하여 $f'(c)=0$ $(-1<c<1)$인 c가 적어도 하나 존재한다.

$f'(x)=-4x^3-2x$이므로

$f'(c)=-4c^3-2c=0$

$2c^3+c=0$

$c(2c^2+1)=0$

$\therefore c=0$ ($\because -1<c<1$)

14 답 (1) $\frac{1}{2}$ (2) $\frac{5}{2}$ (3) 2 (4) $\sqrt{3}$ (5) 1 (6) $-\frac{4}{3}$

풀이 (1) 함수 $f(x)$는 닫힌구간 $[-1, 2]$에서 연속이고 열린구간 $(-1, 2)$에서 미분가능하므로 평균값 정리에 의하여

$\frac{f(2)-f(-1)}{2-(-1)}=f'(c)(-1<c<2)$인 c가 적어도 하나 존재한다.

$f'(x)=2x$이므로

$\frac{3-0}{2-(-1)}=2c \qquad \therefore c=\frac{1}{2}$

(2) 함수 $f(x)$는 닫힌구간 $[1, 4]$에서 연속이고 열린구간 $(1, 4)$에서 미분가능하므로 평균값 정리에 의하여

$\frac{f(4)-f(1)}{4-1}=f'(c)(1<c<4)$인 c가 적어도 하나 존재한다.

$f'(x)=6-2x$이므로

$\frac{8-5}{4-1}=6-2c \qquad \therefore c=\frac{5}{2}$

(3) 함수 $f(x)$는 닫힌구간 $[1, 3]$에서 연속이고 열린구간 $(1, 3)$에서 미분가능하므로 평균값 정리에 의하여

$\frac{f(3)-f(1)}{3-1}=f'(c)(1<c<3)$인 c가 적어도 하나 존재한다.

$f'(x)=-2x+2$이므로

$\frac{0-4}{3-1}=-2c+2 \qquad \therefore c=2$

(4) 함수 $f(x)$는 닫힌구간 $[0, 3]$에서 연속이고 열린구간 $(0, 3)$에서 미분가능하므로 평균값 정리에 의하여

$\frac{f(3)-f(0)}{3-0}=f'(c)(0<c<3)$인 c가 적어도 하나 존재한다.

$f'(x)=-6x^2$이므로

$\frac{-54-0}{3-0}=-6c^2$

$\therefore c=\sqrt{3}$ ($\because$ $0<c<3$)

(5) 함수 $f(x)$는 닫힌구간 $[-1, 2]$에서 연속이고 열린구간 $(-1, 2)$에서 미분가능하므로 평균값 정리에 의하여

$\frac{f(2)-f(-1)}{2-(-1)}=f'(c)(-1<c<2)$인 c가 적어도 하나 존재한다.

$f'(x)=6x^2-5$이므로

$\frac{6-3}{2-(-1)}=6c^2-5$

$\therefore c=1$ ($\because$ $-1<c<2$)

(6) 함수 $f(x)$는 닫힌구간 $[-3, 2]$에서 연속이고 열린구간 $(-3, 2)$에서 미분가능하므로 평균값 정리에 의하여

$\frac{f(2)-f(-3)}{2-(-3)}=f'(c)(-3<c<2)$인 c가 적어도 하나 존재한다.

$f'(x)=3x^2-2x$이므로

$\frac{5-(-35)}{2-(-3)}=3c^2-2c$

$3c^2-2c-8=0$, $(3c+4)(c-2)=0$

$\therefore c=-\frac{4}{3}$ ($\because$ $-3<c<2$)

15 답 (1) 증가 (2) 감소 (3) 증가 (4) 감소

풀이 (1) $x_1<x_2$인 임의의 양수 x_1, x_2에 대하여

$f(x_1)-f(x_2)=2{x_1}^2-2{x_2}^2$

$=2(x_1+x_2)(x_1-x_2)<0$

이므로 $f(x_1)<f(x_2)$

따라서 함수 $f(x)$는 구간 $(0, \infty)$에서 증가한다.

(2) $x_1<x_2$인 임의의 두 양수 x_1, x_2에 대하여

$f(x_1)-f(x_2)=(-{x_1}^2+1)-(-{x_2}^2+1)$

$={x_2}^2-{x_1}^2$

$=(x_2+x_1)(x_2-x_1)>0$

이므로 $f(x_1)>f(x_2)$

따라서 함수 $f(x)$는 구간 $(0, \infty)$에서 감소한다.

(3) $x_1<x_2$인 임의의 두 실수 x_1, x_2에 대하여

$f(x_1)-f(x_2)={x_1}^3-{x_2}^3$

$=(x_1-x_2)({x_1}^2+x_1x_2+{x_2}^2)<0$

이므로 $f(x_1)<f(x_2)$

따라서 함수 $f(x)$는 구간 $(-\infty, \infty)$에서 증가한다.

(4) $x_1<x_2<-1$인 임의의 두 실수 x_1, x_2에 대하여

$f(x_1)-f(x_2)=\frac{1}{x_1}-\frac{1}{x_2}=\frac{x_2-x_1}{x_1x_2}>0$

이므로 $f(x_1)>f(x_2)$

따라서 함수 $f(x)$는 구간 $(-\infty, -1)$에서 감소한다.

16 답 (1) 증가 (2) 감소 (3) 증가 (4) 증가

풀이 (1) 열린구간 $(0, \infty)$에서 $f'(x)=2x+3>0$이므로 함수 $f(x)$는 증가한다.

(2) 열린구간 $(-1, \infty)$에서 $f'(x)=-8x-9<0$이므로 함수 $f(x)$는 감소한다.

(3) 열린구간 $(-\infty, \infty)$에서 $f'(x)=3x^2+7>0$이므로 함수 $f(x)$는 증가한다.

(4) 열린구간 $(2, \infty)$에서 $f'(x)=2x^3-5>0$이므로 함수 $f(x)$는 증가한다.

17 답 (1) 구간 $(-\infty, 0]$, $[2, \infty)$에서 증가, 구간 $[0, 2]$에서 감소

(2) 구간 $[2, \infty)$에서 증가, 구간 $(-\infty, 2]$에서 감소

(3) 구간 $(-\infty, 1]$에서 증가, 구간 $[1, \infty)$에서 감소

(4) 구간 $(-\infty, -1]$, $[2, \infty)$에서 증가, 구간 $[-1, 2]$에서 감소

(5) 구간 $[0, 6]$에서 증가, 구간 $(-\infty, 0]$, $[6, \infty)$에서 감소

(6) 구간 $(-\infty, \infty)$에서 증가

(7) 구간 $[-1, 0]$, $[1, \infty)$에서 증가, 구간 $(-\infty, -1]$, $[0, 1]$에서 감소

(8) 구간 $(-\infty, 1]$에서 증가, 구간 $[1, \infty)$에서 감소

풀이 (1) $f'(x)=3x^2-6x=3x(x-2)$

$f'(x)=0$에서 $x=0$ 또는 $x=2$

함수 $f(x)$의 증가와 감소를 표로 나타내면 다음과 같다.

x	$\cdots$	0	$\cdots$	2	$\cdots$
$f'(x)$	+	0	−	0	+
$f(x)$	↗	2	↘	−2	↗

따라서 함수 $f(x)$는 구간 $(-\infty, 0]$, $[2, \infty)$에서 증가하고, 구간 $[0, 2]$에서 감소한다.

(2) $f'(x)=2x-4$

$f'(x)=0$에서 $x=2$

함수 $f(x)$의 증가와 감소를 표로 나타내면 다음과 같다.

x	$\cdots$	2	$\cdots$
$f'(x)$	−	0	+
$f(x)$	↘	−3	↗

따라서 함수 $f(x)$는 구간 $[2, \infty)$에서 증가하고, 구간 $(-\infty, 2]$에서 감소한다.

(3) $f'(x)=-8x+8$

$f'(x)=0$에서 $x=1$

함수 $f(x)$의 증가와 감소를 표로 나타내면 다음과 같다.

x	$\cdots$	1	$\cdots$
$f'(x)$	+	0	−
$f(x)$	↗	4	↘

따라서 함수 $f(x)$는 구간 $(-\infty, 1]$에서 증가하고, 구간 $[1, \infty)$에서 감소한다.

(4) $f'(x)=6x^2-6x-12=6(x+1)(x-2)$

$f'(x)=0$에서 $x=-1$ 또는 $x=2$

함수 $f(x)$의 증가와 감소를 표로 나타내면 다음과 같다.

x	$\cdots$	-1	$\cdots$	2	$\cdots$
$f'(x)$	$+$	0	$-$	0	$+$
$f(x)$	↗	12	↘	-15	↗

따라서 함수 $f(x)$는 구간 $(-\infty, -1]$, $[2, \infty)$에서 증가하고, 구간 $[-1, 2]$에서 감소한다.

(5) $f'(x)=-3x^2+18x=-3x(x-6)$

$f'(x)=0$에서 $x=0$ 또는 $x=6$

함수 $f(x)$의 증가와 감소를 표로 나타내면 다음과 같다.

x	$\cdots$	0	$\cdots$	6	$\cdots$
$f'(x)$	$-$	0	$+$	0	$-$
$f(x)$	↘	-2	↗	106	↘

따라서 함수 $f(x)$는 구간 $[0, 6]$에서 증가하고,
구간 $(-\infty, 0]$, $[6, \infty)$에서 감소한다.

(6) $f'(x)=12x^2+24x+12=12(x+1)^2$이므로

$f'(x)=0$에서 $x=-1$

함수 $f(x)$의 증가와 감소를 표로 나타내면 다음과 같다.

x	$\cdots$	-1	$\cdots$
$f'(x)$	$+$	0	$+$
$f(x)$	↗	-4	↗

따라서 함수 $f(x)$는 구간 $(-\infty, \infty)$에서 증가한다.

(7) $f'(x)=4x^3-4x=4x(x+1)(x-1)$

$f'(x)=0$에서 $x=0$ 또는 $x=-1$ 또는 $x=1$

함수 $f(x)$의 증가와 감소를 표로 나타내면 다음과 같다.

x	$\cdots$	-1	$\cdots$	0	$\cdots$	1	$\cdots$
$f'(x)$	$-$	0	$+$	0	$-$	0	$+$
$f(x)$	↘	0	↗	1	↘	0	↗

따라서 함수 $f(x)$는 구간 $[-1, 0]$, $[1, \infty)$에서 증가하고, 구간 $(-\infty, -1]$, $[0, 1]$에서 감소한다.

(8) $f'(x)=-4x^3+4=-4(x-1)(x^2+x+1)$

$f'(x)=0$에서 $x=1$

함수 $f(x)$의 증가와 감소를 표로 나타내면 다음과 같다.

x	$\cdots$	1	$\cdots$
$f'(x)$	$+$	0	$-$
$f(x)$	↗	-4	↘

따라서 함수 $f(x)$는 구간 $(-\infty, 1]$에서 증가하고, 구간 $[1, \infty)$에서 감소한다.

18 답 (1) $0\le a\le\frac{1}{3}$ (2) $-3\le a\le 0$ (3) $-12\le a\le 0$

풀이 (1) 함수 $f(x)$가 증가하려면

$f'(x)=3x^2-6ax+a\ge 0$

위의 이차부등식이 모든 실수 x에 대하여 성립해야 하므로 이차방정식 $f'(x)=0$의 판별식을 D라고 하면

$\frac{D}{4}=9a^2-3a\le 0$

$3a(3a-1)\le 0$

$\therefore 0\le a\le\frac{1}{3}$

(2) 함수 $f(x)$가 증가하려면

$f'(x)=3x^2+4ax-4a\ge 0$

위의 이차부등식이 모든 실수 x에 대하여 성립해야 하므로 이차방정식 $f'(x)=0$의 판별식을 D라고 하면

$\frac{D}{4}=4a^2+12a\le 0$

$4a(a+3)\le 0$

$\therefore -3\le a\le 0$

(3) 함수 $f(x)$가 감소하려면

$f'(x)=-12x^2+2ax+a\le 0$

즉, $12x^2-2ax-a\ge 0$

위의 이차부등식이 모든 실수 x에 대하여 성립해야 하므로 이차방정식 $f'(x)=0$의 판별식을 D라고 하면

$\frac{D}{4}=a^2+12a\le 0$

$a(a+12)\le 0$

$\therefore -12\le a\le 0$

19 답 (1) $a\le 3$ (2) $a\le -24$ (3) $a\ge 33$

풀이 (1) 함수 $f(x)$가 감소하려면 $f'(x)=x^2-4x+a\le 0$이 열린 구간 $(1, 2)$에서 성립해야 한다. 따라서 $y=f'(x)$의 그래프가 오른쪽 그림과 같아야 하므로

$f'(1)=1-4+a\le 0$에서

$a\le 3$ ⋯⋯ ㉠

$f'(2)=4-8+a\le 0$에서

$a\le 4$ ⋯⋯ ㉡

㉠, ㉡에서 $a\le 3$

(2) 함수 $f(x)$가 감소하려면 $f'(x)=3x^2-6x+a\le 0$이 열린구간 $(-2, 1)$에서 성립해야 한다.

따라서 $y=f'(x)$의 그래프가 오른쪽 그림과 같아야 하므로

$f'(-2)=12+12+a\le 0$에서

$a\le -24$ ⋯⋯ ㉠

$f'(1)=3-6+a\le 0$에서

$a\le 3$ ⋯⋯ ㉡

㉠, ㉡에서 $a\le -24$

(3) 함수 $f(x)$가 증가하려면 $f'(x)=-3x^2+2x+a\ge 0$이 열린구간 $(-3, -1)$에서 성립해야 한다.

따라서 $y=f'(x)$의 그래프가 오른쪽 그림과 같아야 하므로

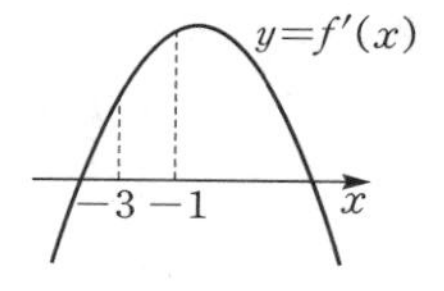

$f'(-3)=-27-6+a\ge 0$에서

$a\ge 33$ ⋯⋯ ㉠

$f'(-1)=-3-2+a\geq 0$에서

$a\geq 5$ ……㉡

㉠, ㉡에서 $a\geq 33$

20 답 (1) 극댓값: 3, 극솟값: -2

(2) 극댓값: 9, 극솟값: 3

(3) 극댓값: 없다., 극솟값: 0

풀이 (1) 함수 $y=f(x)$의 그래프는 $x=-2$의 좌우에서 증가하다 감소하므로 $x=-2$에서 극대이고 극댓값은 3이다. 또한, $x=1$의 좌우에서 감소하다 증가하므로 $x=1$에서 극소이고 극솟값은 -2이다.

(2) 함수 $y=f(x)$의 그래프는 $x=3$의 좌우에서 증가하다 감소하므로 $x=3$에서 극대이고 극댓값은 9이다. 또한, $x=-3$의 좌우에서 감소하다 증가하므로 $x=-3$에서 극소이고 극솟값은 3이다.

(3) 함수 $f(x)$의 극댓값은 없다. 함수 $y=f(x)$의 그래프는 $x=0$의 좌우에서 감소하다 증가하므로 $x=0$에서 극소이고 극솟값은 0이다.

21 답 (1) b, f (2) d, g

풀이 (1) 함수 $y=f(x)$의 그래프는 $x=b$, $x=f$의 좌우에서 증가하다가 감소하므로 $f(x)$가 극댓값을 갖는 x의 값은 b, f이다.

(2) 함수 $y=f(x)$의 그래프는 $x=d$, $x=g$의 좌우에서 감소하다가 증가하므로 $f(x)$가 극솟값을 갖는 x의 값은 d, g이다.

22 답 (1) $f'(x)=3x^2-12x+9$ (2) $x=1$ 또는 $x=3$

(3) 풀이 참조 (4) 극댓값: 4, 극솟값: 0

풀이 (2) $f'(x)=3x^2-12x+9=3(x-1)(x-3)$

$f'(x)=0$에서 $x=1$ 또는 $x=3$

(3)

x	$\cdots$	1	$\cdots$	3	$\cdots$
$f'(x)$	$+$	0	$-$	0	$+$
$f(x)$	↗	4	↘	0	↗

(4) $x=1$일 때 극댓값은 $f(1)=4$, $x=3$일 때 극솟값은 $f(3)=0$이다.

23 답 (1) $f'(x)=4x^3-4x^2$ (2) $x=0$ 또는 $x=1$

(3) 풀이 참조 (4) 극댓값: 없다., 극솟값: $-\frac{7}{3}$

풀이 (2) $f'(x)=4x^3-4x^2=4x^2(x-1)$

$f'(x)=0$에서 $x=0$ 또는 $x=1$

(3)

x	$\cdots$	0	$\cdots$	1	$\cdots$
$f'(x)$	$-$	0	$-$	0	$+$
$f(x)$	↘	-2	↘	$-\frac{7}{3}$	↗

(4) 극댓값은 없고, $x=1$일 때 극솟값은 $f(1)=-\frac{7}{3}$이다.

24 답 (1) 극댓값: 8, 극솟값: -24

(2) 극댓값: 4, 극솟값: 0

(3) 극댓값: 3, 극솟값: -5

(4) 극댓값: 0, 극솟값: -1

풀이 (1) $f'(x)=3x^2-6x-9=3(x+1)(x-3)$

$f'(x)=0$에서 $x=-1$ 또는 $x=3$

함수 $f(x)$의 증가와 감소를 표로 나타내면 다음과 같다.

x	$\cdots$	-1	$\cdots$	3	$\cdots$
$f'(x)$	$+$	0	$-$	0	$+$
$f(x)$	↗	8	↘	-24	↗

따라서 $x=-1$일 때 극댓값은 $f(-1)=8$, $x=3$일 때 극솟값은 $f(3)=-24$이다.

(2) $f'(x)=-3x^2+3=-3(x+1)(x-1)$

$f'(x)=0$에서 $x=-1$ 또는 $x=1$

함수 $f(x)$의 증가와 감소를 표로 나타내면 다음과 같다.

x	$\cdots$	-1	$\cdots$	1	$\cdots$
$f'(x)$	$-$	0	$+$	0	$-$
$f(x)$	↘	0	↗	4	↘

따라서 $x=1$일 때 극댓값은 $f(1)=4$, $x=-1$일 때 극솟값은 $f(-1)=0$이다.

(3) $f'(x)=6x^2-12x=6x(x-2)$

$f'(x)=0$에서 $x=0$ 또는 $x=2$

함수 $f(x)$의 증가와 감소를 표로 나타내면 다음과 같다.

x	$\cdots$	0	$\cdots$	2	$\cdots$
$f'(x)$	$+$	0	$-$	0	$+$
$f(x)$	↗	3	↘	-5	↗

따라서 $x=0$일 때 극댓값은 $f(0)=3$, $x=2$일 때 극솟값은 $f(2)=-5$이다.

(4) $f'(x)=4x^3-12x^2+8x=4x(x-1)(x-2)$

$f'(x)=0$에서 $x=0$ 또는 $x=1$ 또는 $x=2$

함수 $f(x)$의 증가와 감소를 표로 나타내면 다음과 같다.

x	$\cdots$	0	$\cdots$	1	$\cdots$	2	$\cdots$
$f'(x)$	$-$	0	$+$	0	$-$	0	$+$
$f(x)$	↘	-1	↗	0	↘	-1	↗

따라서 $x=1$일 때 극댓값은 $f(1)=0$, $x=0$, $x=2$일 때 극솟값은 $f(0)=f(2)=-1$이다.

25 답 (1) 극댓값: 2, 극솟값: 없다.

(2) 극댓값: 없다., 극솟값: $\frac{53}{32}$

(3) 극댓값: $\frac{11}{16}$, 극솟값: 없다.

(4) 극값을 갖지 않는다.

풀이 (1) $f'(x)=-12x^3+12x^2=-12x^2(x-1)$

$f'(x)=0$에서 $x=0$ 또는 $x=1$

함수 $f(x)$의 증가와 감소를 표로 나타내면 다음과 같다.

x	$\cdots$	0	$\cdots$	1	$\cdots$
$f'(x)$	$+$	0	$+$	0	$-$
$f(x)$	↗	1	↗	2	↘

따라서 $x=1$일 때 극댓값은 $f(1)=2$이고, 극솟값은 없다.

(2) $f'(x)=2x^3-3x^2+1=(2x+1)(x-1)^2$

$f'(x)=0$에서 $x=-\frac{1}{2}$ 또는 $x=1$

함수 $f(x)$의 증가와 감소를 표로 나타내면 다음과 같다.

x	$\cdots$	$-\frac{1}{2}$	$\cdots$	1	$\cdots$
$f'(x)$	$-$	0	$+$	0	$+$
$f(x)$	↘	$\frac{53}{32}$	↗	$\frac{5}{2}$	↗

따라서 극댓값은 없고, $x=-\frac{1}{2}$일 때 극솟값은

$f\left(-\frac{1}{2}\right)=\frac{53}{32}$이다.

(3) $f'(x)=-4x^3+6x^2=-2x^2(2x-3)$

$f'(x)=0$에서 $x=0$ 또는 $x=\frac{3}{2}$

함수 $f(x)$의 증가와 감소를 표로 나타내면 다음과 같다.

x	$\cdots$	0	$\cdots$	$\frac{3}{2}$	$\cdots$
$f'(x)$	$+$	0	$+$	0	$-$
$f(x)$	↗	-1	↗	$\frac{11}{16}$	↘

따라서 $x=\frac{3}{2}$일 때 극댓값은 $f\left(\frac{3}{2}\right)=\frac{11}{16}$이고, 극솟값은 없다.

(4) $f'(x)=6x^2-12x+6=6(x-1)^2$

$f'(x)=0$에서 $x=1$

함수 $f(x)$의 증가와 감소를 표로 나타내면 다음과 같다.

x	$\cdots$	1	$\cdots$
$f'(x)$	$+$	0	$+$
$f(x)$	↗	7	↗

따라서 $f(x)$는 극값을 갖지 않는다.

26 답 (1) $a=1$, $b=4$ (2) $a=-6$, $b=-4$
(3) $a=0$, $b=3$ (4) $a=3$, $b=-12$

풀이 (1) $f'(x)=-6x^2+6ax$

$x=1$에서 극댓값 5를 가지므로

$f(1)=-2+3a+b=5$

$3a+b=7$ ······㉠

$f'(1)=-6+6a=0$ $\therefore a=1$

$a=1$을 ㉠에 대입하면 $b=4$

(2) $f'(x)=3x^2+2ax+9$

$x=3$에서 극솟값 -4를 가지므로

$f(3)=27+9a+27+b=-4$

$9a+b=-58$ ······㉠

$f'(3)=27+6a+9=0$ $\therefore a=-6$

$a=-6$을 ㉠에 대입하면 $b=-4$

(3) $f'(x)=-3x^2+2ax+b$

$x=-1$에서 극솟값 0을 가지므로

$f(-1)=1+a-b+2=0$ $\therefore a-b=-3$ ······㉠

$f'(-1)=-3-2a+b=0$ $\therefore 2a-b=-3$ ······㉡

㉠, ㉡을 연립하여 풀면

$a=0$, $b=3$

(4) $f'(x)=6x^2+2ax+b$

$x=-2$에서 극댓값 16을 가지므로

$f(-2)=-16+4a-2b-4=16$

$\therefore 2a-b=18$ ······㉠

$f'(-2)=24-4a+b=0$

$\therefore 4a-b=24$ ······㉡

㉠, ㉡을 연립하여 풀면

$a=3$, $b=-12$

27 답 풀이 참조

풀이 (1) $f'(x)=3x^2-3=3(x+1)(x-1)$

$f'(x)=0$에서 $x=-1$ 또는 $x=1$

함수 $f(x)$의 증가와 감소를 표로 나타내면 다음과 같다.

x	$\cdots$	-1	$\cdots$	1	$\cdots$
$f'(x)$	$+$	0	$-$	0	$+$
$f(x)$	↗	2	↘	-2	↗

따라서 $x=-1$일 때 극댓값은 $f(-1)=2$, $x=1$일 때 극솟값은 $f(1)=-2$이므로 함수 $f(x)$의 그래프를 그리면 오른쪽 그림과 같다.

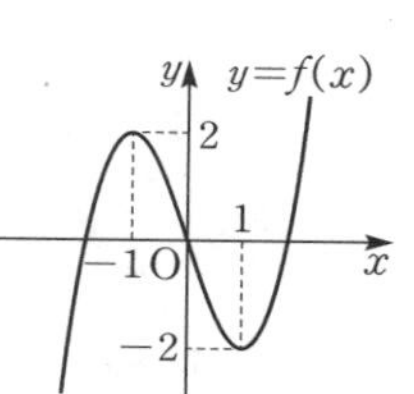

(2) $f'(x)=3x^2-12x=3x(x-4)$

$f'(x)=0$에서 $x=0$ 또는 $x=4$

함수 $f(x)$의 증가와 감소를 표로 나타내면 다음과 같다.

x	$\cdots$	0	$\cdots$	4	$\cdots$
$f'(x)$	$+$	0	$-$	0	$+$
$f(x)$	↗	10	↘	-22	↗

따라서 $x=0$일 때 극댓값은 $f(0)=10$, $x=4$일 때 극솟값은 $f(4)=-22$이므로 함수 $f(x)$의 그래프를 그리면 오른쪽 그림과 같다.

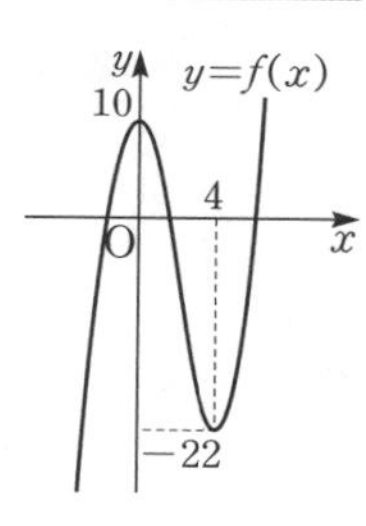

(3) $f'(x)=3x^2+12x+9$

$=3(x+3)(x+1)$

$f'(x)=0$에서 $x=-3$ 또는 $x=-1$

함수 $f(x)$의 증가와 감소를 표로 나타내면 다음과 같다.

x	$\cdots$	-3	$\cdots$	-1	$\cdots$
$f'(x)$	$+$	0	$-$	0	$+$
$f(x)$	↗	4	↘	0	↗

따라서 $x=-3$일 때 극댓값은 $f(-3)=4$, $x=-1$일 때 극솟값은 $f(-1)=0$이므로 함수 $f(x)$의 그래프를 그리면 오른쪽 그림과 같다.

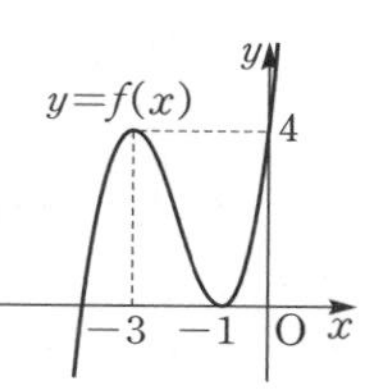

(4) $f'(x)=-3x^2+6x=-3x(x-2)$

$f'(x)=0$에서 $x=0$ 또는 $x=2$

함수 $f(x)$의 증가와 감소를 표로 나타내면 다음과 같다.

x	$\cdots$	0	$\cdots$	2	$\cdots$
$f'(x)$	$-$	0	$+$	0	$-$
$f(x)$	↘	-4	↗	0	↘

따라서 $x=2$일 때 극댓값은 $f(2)=0$, $x=0$일 때 극솟값은 $f(0)=-4$이므로 함수 $f(x)$의 그래프를 그리면 오른쪽 그림과 같다.

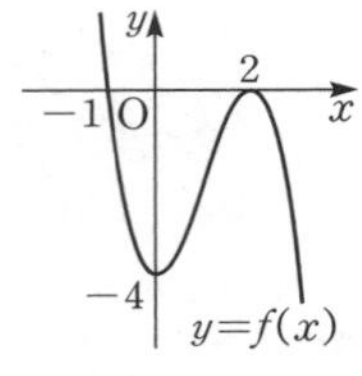

(5) $f'(x)=-6x^2+6$
$\quad=-6(x+1)(x-1)$

$f'(x)=0$에서 $x=-1$ 또는 $x=1$

함수 $f(x)$의 증가와 감소를 표로 나타내면 다음과 같다.

x	$\cdots$	-1	$\cdots$	1	$\cdots$
$f'(x)$	$-$	0	$+$	0	$-$
$f(x)$	↘	-1	↗	7	↘

따라서 $x=1$일 때 극댓값은 $f(1)=7$, $x=-1$일 때 극솟값은 $f(-1)=-1$이므로 함수 $f(x)$의 그래프를 그리면 오른쪽 그림과 같다.

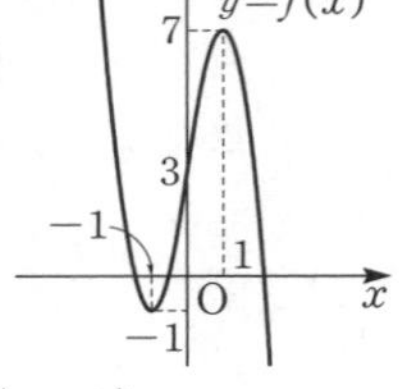

(6) $f'(x)=6x^2-18x+12=6(x-1)(x-2)$

$f'(x)=0$에서 $x=1$ 또는 $x=2$

함수 $f(x)$의 증가와 감소를 표로 나타내면 다음과 같다.

x	$\cdots$	1	$\cdots$	2	$\cdots$
$f'(x)$	$+$	0	$-$	0	$+$
$f(x)$	↗	2	↘	1	↗

따라서 $x=1$일 때 극댓값은 $f(1)=2$, $x=2$일 때 극솟값은 $f(2)=1$이므로 함수 $f(x)$의 그래프를 그리면 오른쪽 그림과 같다.

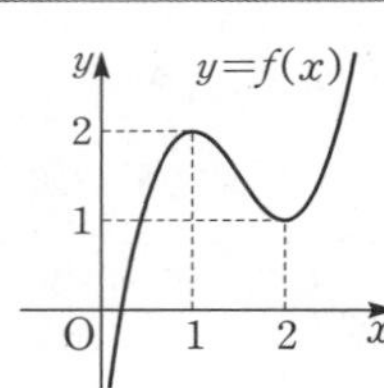

28 답 풀이 참조

풀이 (1) $f'(x)=3x^2-6x+3=3(x-1)^2$

$f'(x)=0$에서 $x=1$

함수 $f(x)$의 증가와 감소를 표로 나타내면 다음과 같다.

x	$\cdots$	1	$\cdots$
$f'(x)$	$+$	0	$+$
$f(x)$	↗	0	↗

따라서 $f(x)$는 극값을 갖지 않으므로 함수 $f(x)$의 그래프를 그리면 오른쪽 그림과 같다.

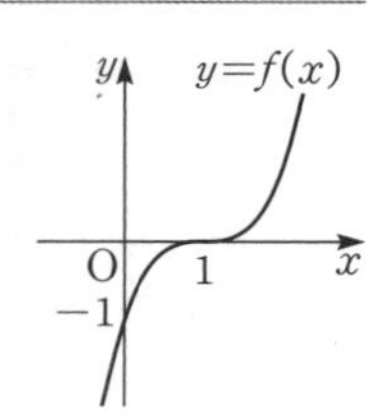

(2) $f'(x)=-3x^2+12x-12=-3(x-2)^2$

$f'(x)=0$에서 $x=2$

함수 $f(x)$의 증가와 감소를 표로 나타내면 다음과 같다.

x	$\cdots$	2	$\cdots$
$f'(x)$	$-$	0	$-$
$f(x)$	↘	-8	↘

따라서 $f(x)$는 극값을 갖지 않으므로 함수 $f(x)$의 그래프를 그리면 오른쪽 그림과 같다.

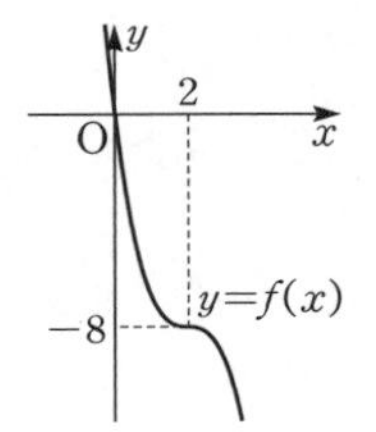

29 답 (1) $a<-\sqrt{3}$ 또는 $a>\sqrt{3}$ (2) $a>-3$
(3) $a<-6$ 또는 $a>0$ (4) $a<0$ 또는 $a>1$

풀이 (1) $f'(x)=3x^2+2ax+1$

함수 $f(x)$가 극값을 가지려면 방정식 $f'(x)=0$이 서로 다른 두 실근을 가져야 하므로 방정식 $f'(x)=0$의 판별식을 D라고 하면

$\frac{D}{4}=a^2-3>0$

$(a+\sqrt{3})(a-\sqrt{3})>0$

$\therefore$ $a<-\sqrt{3}$ 또는 $a>\sqrt{3}$

(2) $f'(x)=-3x^2-6x+a$

방정식 $f'(x)=0$의 판별식을 D라고 하면

$\frac{D}{4}=9+3a>0 \qquad \therefore a>-3$

(3) $f'(x)=6x^2+2ax-a$

방정식 $f'(x)=0$의 판별식을 D라고 하면

$\frac{D}{4}=a^2+6a>0$

$a(a+6)>0$

$\therefore$ $a<-6$ 또는 $a>0$

(4) $f'(x)=x^2-2ax+a$

방정식 $f'(x)=0$의 판별식을 D라고 하면

$\frac{D}{4}=a^2-a>0$, $a(a-1)>0$

$\therefore$ $a<0$ 또는 $a>1$

30 답 (1) $-9\le a\le 0$ (2) $a\le 0$ 또는 $a\ge 3$
(3) $-3\le a\le 0$ (4) $a\ge \frac{1}{6}$

풀이 (1) $f'(x)=3x^2+2ax-3a$

함수 $f(x)$가 극값을 갖지 않으려면 방정식 $f'(x)=0$이 중근 또는 허근을 가져야 하므로 방정식 $f'(x)=0$의 판별식을 D라고 하면

$\frac{D}{4}=a^2+9a\le 0$

$a(a+9)\le 0$

$\therefore -9\le a\le 0$

(2) $f'(x)=3x^2-2ax+a^2-2a$

방정식 $f'(x)=0$의 판별식을 D라고 하면

$\frac{D}{4}=a^2-3(a^2-2a)\le 0$

$a^2-3a\ge 0$

$a(a-3)\ge 0$

$\therefore\ a\le 0$ 또는 $a\ge 3$

(3) $f'(x)=-3x^2+2ax+a$

방정식 $f'(x)=0$의 판별식을 D라고 하면

$\frac{D}{4}=a^2+3a\le 0$

$a(a+3)\le 0$

$\therefore\ -3\le a\le 0$

(4) $f'(x)=6x^2+2x+a$

방정식 $f'(x)=0$의 판별식을 D라고 하면

$\frac{D}{4}=1-6a\le 0$

$\therefore\ a\ge \frac{1}{6}$

31 답 풀이 참조

풀이 **(1)** $f'(x)=4x^3-4x=4x(x+1)(x-1)$

$f'(x)=0$에서 $x=-1$ 또는 $x=0$ 또는 $x=1$

함수 $f(x)$의 증가와 감소를 표로 나타내면 다음과 같다.

x	$\cdots$	-1	$\cdots$	0	$\cdots$	1	$\cdots$
$f'(x)$	$-$	0	$+$	0	$-$	0	$+$
$f(x)$	↘	2	↗	3	↘	2	↗

따라서 $x=0$일 때 극댓값은 $f(0)=3$, $x=-1$, $x=1$일 때 극솟값은 $f(-1)=f(1)=2$이므로 함수 $f(x)$의 그래프를 그리면 오른쪽 그림과 같다.

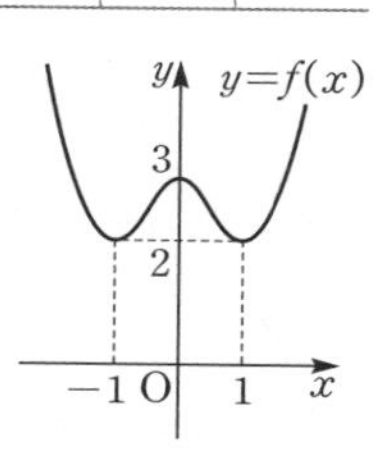

(2) $f'(x)=-4x^3+24x^2-32x=-4x(x-2)(x-4)$

$f'(x)=0$에서 $x=0$ 또는 $x=2$ 또는 $x=4$

함수 $f(x)$의 증가와 감소를 표로 나타내면 다음과 같다.

x	$\cdots$	0	$\cdots$	2	$\cdots$	4	$\cdots$
$f'(x)$	$+$	0	$-$	0	$+$	0	$-$
$f(x)$	↗	0	↘	-16	↗	0	↘

따라서 $x=0$, $x=4$일 때 극댓값은 $f(0)=f(4)=0$, $x=2$일 때 극솟값은 $f(2)=-16$이므로 함수 $f(x)$의 그래프를 그리면 오른쪽 그림과 같다.

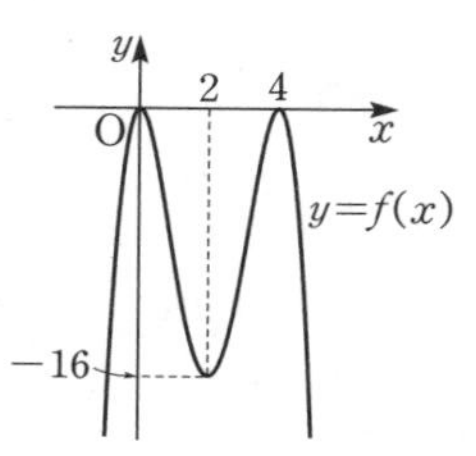

(3) $f'(x)=2x^3-6x^2+4x=2x(x-1)(x-2)$

$f'(x)=0$에서 $x=0$ 또는 $x=1$ 또는 $x=2$

함수 $f(x)$의 증가와 감소를 표로 나타내면 다음과 같다.

x	$\cdots$	0	$\cdots$	1	$\cdots$	2	$\cdots$
$f'(x)$	$-$	0	$+$	0	$-$	0	$+$
$f(x)$	↘	-1	↗	$-\frac{1}{2}$	↘	-1	↗

따라서 $x=1$일 때 극댓값은 $f(1)=-\frac{1}{2}$, $x=0$, $x=2$일 때 극솟값은 $f(0)=f(2)=-1$이므로 함수 $f(x)$의 그래프를 그리면 오른쪽 그림과 같다.

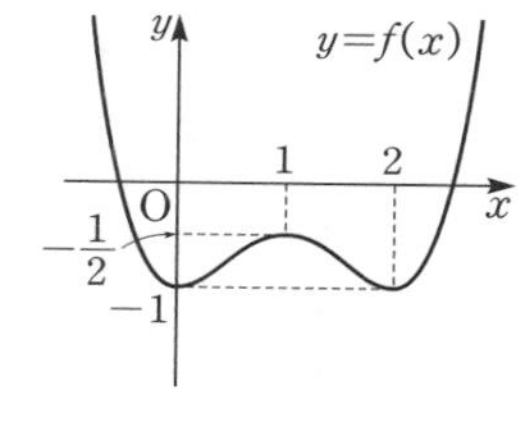

32 답 풀이 참조

풀이 **(1)** $f'(x)=12x^3-12x^2=12x^2(x-1)$

$f'(x)=0$에서 $x=0$ 또는 $x=1$

함수 $f(x)$의 증가와 감소를 표로 나타내면 다음과 같다.

x	$\cdots$	0	$\cdots$	1	$\cdots$
$f'(x)$	$-$	0	$-$	0	$+$
$f(x)$	↘	0	↘	-1	↗

따라서 $x=1$일 때 극솟값은 $f(1)=-1$이므로 함수 $f(x)$의 그래프는 오른쪽 그림과 같다.

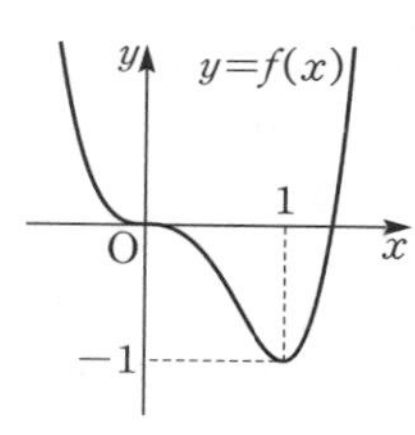

(2) $f'(x)=-4x^3-6x^2=-2x^2(2x+3)$

$f'(x)=0$에서 $x=-\frac{3}{2}$ 또는 $x=0$

함수 $f(x)$의 증가와 감소를 표로 나타내면 다음과 같다.

x	$\cdots$	$-\frac{3}{2}$	$\cdots$	0	$\cdots$
$f'(x)$	$+$	0	$-$	0	$-$
$f(x)$	↗	$\frac{43}{16}$	↘	1	↘

따라서 $x=-\frac{3}{2}$일 때 극댓값은 $f\left(-\frac{3}{2}\right)=\frac{43}{16}$이므로 함수 $f(x)$의 그래프를 그리면 오른쪽 그림과 같다.

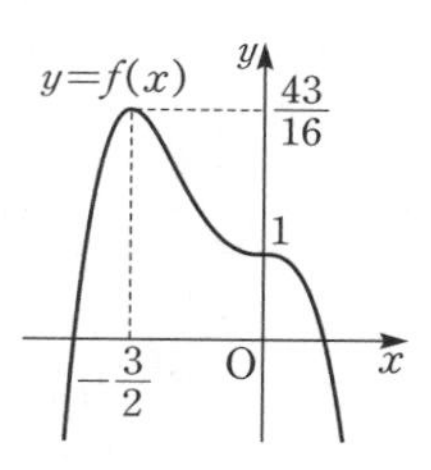

(3) $f'(x)=2x^3+6x^2=2x^2(x+3)$

$f'(x)=0$에서 $x=-3$ 또는 $x=0$

함수 $f(x)$의 증가와 감소를 표로 나타내면 다음과 같다.

x	$\cdots$	-3	$\cdots$	0	$\cdots$
$f'(x)$	$-$	0	$+$	0	$+$
$f(x)$	↘	$-\frac{15}{2}$	↗	6	↗

따라서 $x=-3$일 때 극솟값은 $f(-3)=-\frac{15}{2}$이므로 함수 $f(x)$의 그래프를 그리면 오른쪽 그림과 같다.

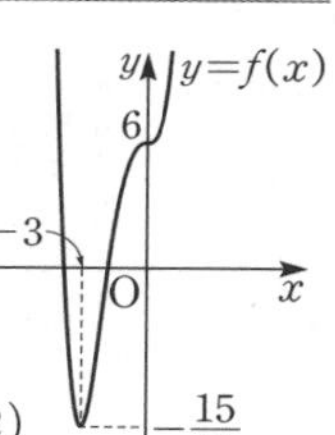

(4) $f'(x)=-12x^3+24x^2=-12x^2(x-2)$

$f'(x)=0$에서 $x=0$ 또는 $x=2$

함수 $f(x)$의 증가와 감소를 표로 나타내면 다음과 같다.

x	$\cdots$	0	$\cdots$	2	$\cdots$
$f'(x)$	+	0	+	0	−
$f(x)$	↗	−2	↗	14	↘

따라서 $x=2$일 때 극댓값은 $f(2)=14$이므로 함수 $f(x)$의 그래프를 그리면 오른쪽 그림과 같다.

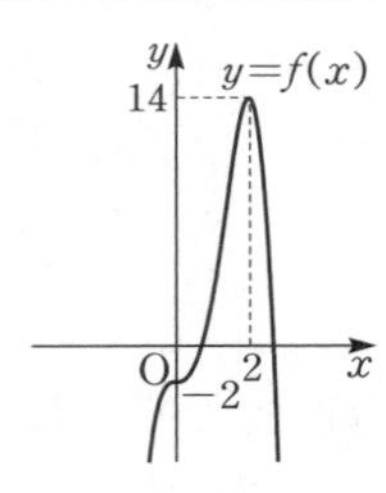

33 답 (1) $-\frac{9}{8}<a<0$ 또는 $a>0$

(2) $a=0$ 또는 $a\le-\frac{9}{8}$

풀이 (1) $f'(x)=4x^3+6x^2-2ax$
$=2x(2x^2+3x-a)$

사차항의 계수가 양수인 사차함수 $f(x)$가 극댓값을 가지려면 방정식 $f'(x)=0$이 서로 다른 세 실근을 가져야 한다. $f'(x)=0$의 한 근이 $x=0$이므로

$2x^2+3x-a=0$ ······㉠

은 0이 아닌 서로 다른 두 실근을 가져야 한다.

(i) $x=0$이 ㉠의 근이 아니므로 $a\ne0$

(ii) 방정식 ㉠의 판별식을 D라고 하면

$D=9+8a>0$

$\therefore a>-\frac{9}{8}$

(i), (ii)에서 $-\frac{9}{8}<a<0$ 또는 $a>0$

(2) 극댓값을 갖지 않을 조건은 극댓값을 가질 조건을 부정하면 된다.

따라서 (1)에서 구한 결과의 여집합을 구하면 되므로

$a=0$ 또는 $a\le-\frac{9}{8}$

다른 풀이 사차함수 $f(x)$가 극댓값을 갖지 않으려면 방정식 $f'(x)=0$이 한 실근과 두 허근 또는 한 실근과 중근(또는 삼중근)을 가져야 한다.

(i) 방정식 $f'(x)=0$이 한 실근과 두 허근을 가지는 경우

㉠이 허근을 가져야 하므로

$D=9+8a<0$

$\therefore a<-\frac{9}{8}$

(ii) 방정식 $f(x)=0$이 한 실근과 중근을 가지는 경우

㉠이 $x=0$을 근으로 가지거나 $x=0$이 아닌 실수를 중근으로 가져야 한다.

㉠이 $x=0$을 근으로 가지면 $a=0$

㉠이 $x=0$이 아닌 실수를 중근으로 가지면

$D=9+8a=0$

$\therefore a=-\frac{9}{8}$

(i), (ii)에서 $a=0$ 또는 $a\le-\frac{9}{8}$

34 답 (1) $a<0$ 또는 $0<a<6$ (2) $a=0$ 또는 $a\ge6$

풀이 $f'(x)=12x^3-48x^2+8ax$
$=4x(3x^2-12x+2a)$

(1) 방정식 $f'(x)=0$이 서로 다른 세 실근을 가지려면 $f'(x)=0$의 한 근이 $x=0$이므로 방정식

$3x^2-12x+2a=0$ ······㉠

은 0이 아닌 서로 다른 두 실근을 가져야 한다.

(i) $x=0$이 ㉠의 근이 아니므로 $a\ne0$

(ii) 방정식 ㉠의 판별식을 D라고 하면

$\frac{D}{4}=36-6a>0$

$\therefore a<6$

(i), (ii)에서 $a<0$ 또는 $0<a<6$

(2) (1)에서 구한 결과의 여집합을 구하면 되므로

$a=0$ 또는 $a\ge6$

35 답 (1) $a<-3$ 또는 $-3<a<-\frac{3}{4}$

(2) $a=-3$ 또는 $a\ge-\frac{3}{4}$

풀이 (1) $f'(x)=4x^3+4ax+4(a+1)$
$=4(x+1)(x^2-x+a+1)$

방정식 $f'(x)=0$이 서로 다른 세 실근을 가지려면 $f'(x)=0$의 한 근이 $x=-1$이므로 방정식

$x^2-x+a+1=0$ ······㉠

은 $x=-1$이 아닌 서로 다른 두 실근을 가져야 한다.

(i) $x=-1$이 ㉠의 근이 아니므로 $a\ne-3$

(ii) 방정식 ㉠의 판별식을 D라고 하면

$D=1-4(a+1)>0$

$\therefore a<-\frac{3}{4}$

(i), (ii)에서 $a<-3$ 또는 $-3<a<-\frac{3}{4}$

(2) (1)에서 구한 결과의 여집합을 구하면 되므로

$a=-3$ 또는 $a\ge-\frac{3}{4}$

36 답 (1) $a<0$ 또는 $0<a<\frac{3}{2}$

(2) $a=0$ 또는 $a\ge\frac{3}{2}$

풀이 (1) $f'(x)=-4x^3+12x^2-6ax$
$=-2x(2x^2-6x+3a)$

사차항의 계수가 음수인 사차함수 $f(x)$가 극솟값을 가지려면 방정식 $f'(x)=0$이 서로 다른 세 실근을 가져야 한다. $f'(x)=0$의 한 근이 $x=0$이므로 방정식

$2x^2-6x+3a=0$ ······㉠

은 $x=0$이 아닌 서로 다른 두 실근을 가져야 한다.

(i) $x=0$이 ㉠의 근이 아니므로 $a\ne0$

(ii) 방정식 ㉠의 판별식을 D라고 하면

$\frac{D}{4}=9-6a>0$

$\therefore a<\frac{3}{2}$

(i), (ii)에서 $a<0$ 또는 $0<a<\frac{3}{2}$

(2) (1)에서 구한 결과의 여집합을 구하면 되므로

$a=0$ 또는 $a\geq\frac{3}{2}$

37 답 **(1)** **최댓값**: 6, **최솟값**: 2

(2) **최댓값**: $\frac{5}{2}$, **최솟값**: -11

(3) **최댓값**: 3, **최솟값**: -29

(4) **최댓값**: 18, **최솟값**: -2

(5) **최댓값**: 7, **최솟값** : -25

(6) **최댓값**: 10, **최솟값**: 1

풀이 **(1)** $f'(x)=3x^2-12x+9=3(x-1)(x-3)$

$f'(x)=0$에서 $x=1$

구간 $[0, 2]$에서 함수 $f(x)$의 증가와 감소를 표로 나타내면 다음과 같다.

x	0	$\cdots$	1	$\cdots$	2
$f'(x)$		$+$	0	$-$	
$f(x)$	2	↗	6	↘	4

따라서 극값과 양 끝값을 비교하면 최댓값은 $f(1)=6$

최솟값은 $f(0)=2$이다.

(2) $f'(x)=3x^2-9x=3x(x-3)$

$f'(x)=0$에서 $x=0$ 또는 $x=3$

구간 $[0, 4]$에서 함수 $f(x)$의 증가와 감소를 표로 나타내면 다음과 같다.

x	0	$\cdots$	3	$\cdots$	4
$f'(x)$		$-$	0	$+$	
$f(x)$	$\frac{5}{2}$	↘	-11	↗	$-\frac{11}{2}$

따라서 최댓값은 $f(0)=\frac{5}{2}$, 최솟값은 $f(3)=-11$이다.

(3) $f'(x)=6x^2-24x=6x(x-4)$

$f'(x)=0$에서 $x=0$

구간 $[-1, 2]$에서 함수 $f(x)$의 증가와 감소를 표로 나타내면 다음과 같다.

x	-1	$\cdots$	0	$\cdots$	2
$f'(x)$		$+$	0	$-$	
$f(x)$	-11	↗	3	↘	-29

따라서 최댓값은 $f(0)=3$, 최솟값은 $f(2)=-29$이다.

(4) $f'(x)=-3x^2+3=-3(x+1)(x-1)$

$f'(x)=0$에서 $x=-1$ 또는 $x=1$

구간 $[-3, \sqrt{3}]$에서 함수 $f(x)$의 증가와 감소를 표로 나타내면 다음과 같다.

x	-3	$\cdots$	-1	$\cdots$	1	$\cdots$	$\sqrt{3}$
$f'(x)$		$-$	0	$+$	0	$-$	
$f(x)$	18	↘	-2	↗	2	↘	0

따라서 최댓값은 $f(-3)=18$, 최솟값은 $f(-1)=-2$이다.

(5) $f'(x)=4x^3-12x+8=4(x-1)^2(x+2)$

$f'(x)=0$에서 $x=-2$ 또는 $x=1$

구간 $[-3, 2]$에서 함수 $f(x)$의 증가와 감소를 표로 나타내면 다음과 같다.

x	-3	$\cdots$	-2	$\cdots$	1	$\cdots$	2
$f'(x)$		$-$	0	$+$	0	$+$	
$f(x)$	2	↘	-25	↗	2	↗	7

따라서 최댓값은 $f(2)=7$, 최솟값 $f(-2)=-25$이다.

(6) $f'(x)=\frac{4}{3}x^3-4x^2=\frac{4}{3}x^2(x-3)$

$f'(x)=0$에서 $x=3$

구간 $[1, 4]$에서 함수 $f(x)$의 증가와 감소를 표로 나타내면 다음과 같다.

x	1	$\cdots$	3	$\cdots$	4
$f'(x)$		$-$	0	$+$	
$f(x)$	9	↘	1	↗	10

따라서 최댓값은 $f(4)=10$, 최솟값 $f(3)=1$이다.

38 답 **(1)** 12 **(2)** 2 **(3)** $a=\frac{1}{3}$, $b=3$

풀이 **(1)** $f'(x)=3x^2-12x=3x(x-4)$

$f'(x)=0$에서 $x=4$

구간 $[1, 5]$에서 함수 $f(x)$의 증가와 감소를 표로 나타내면 다음과 같다.

x	1	$\cdots$	4	$\cdots$	5
$f'(x)$		$-$	0	$+$	
$f(x)$	$-5+a$	↘	$-32+a$	↗	$-25+a$

최솟값이 $f(4)=-32+a$이므로

$-32+a=-20$ $\therefore a=12$

(2) $f'(x)=6x^2-6x=6x(x-1)$

$f'(x)=0$에서 $x=0$ 또는 $x=1$

구간 $[-1, 2]$에서 함수 $f(x)$의 증가와 감소를 표로 나타내면 다음과 같다.

x	-1	$\cdots$	0	$\cdots$	1	$\cdots$	2
$f'(x)$		$+$	0	$-$	0	$+$	
$f(x)$	$-5+a$	↗	a	↘	$-1+a$	↗	$4+a$

최댓값이 $f(2)=a+4$이므로

$a+4=6$ $\therefore a=2$

(3) $f'(x)=4ax^3-12ax^2=4ax^2(x-3)$

$f'(x)=0$에서 $x=3$

구간 $[1, 4]$에서 함수 $f(x)$의 증가와 감소를 표로 나타내면 다음과 같다.

x	1	$\cdots$	3	$\cdots$	4
$f'(x)$		$-$	0	$+$	
$f(x)$	$-3a+b$	↘	$-27a+b$	↗	b

최댓값이 $f(4)=b$, 최솟값이 $f(3)=-27a+b$이므로

$b=3$, $-27a+b=-6$

$\therefore a=\frac{1}{3}, b=3$

39 답 (1) $0<x<2\sqrt{3}$

(2) $S(x)=-2x^3+24x\,(0<x<2\sqrt{3})$

(3) 32

풀이 (1) $-x^2+12=0$에서 $x^2-12=0$

$(x+2\sqrt{3})(x-2\sqrt{3})=0$

$\therefore x=\pm 2\sqrt{3}$

이때 $x>0$이므로 $0<x<2\sqrt{3}$

(2) $\mathrm{A}(-x, -x^2+12)$, $\mathrm{B}(-x, 0)$, $\mathrm{D}(x, -x^2+12)$이므로

$S(x)=2x(-x^2+12)$

$=-2x^3+24x\,(0<x<2\sqrt{3})$

(3) $S'(x)=-6x^2+24=-6(x+2)(x-2)$

$S'(x)=0$에서 $x=2$

$0<x<2\sqrt{3}$에서 $S(x)$의 증가와 감소를 표로 나타내면 다음과 같다.

x	(0)	$\cdots$	2	$\cdots$	$(2\sqrt{3})$
$S'(x)$		$+$	0	$-$	
$S(x)$		↗	32	↘	

따라서 직사각형 ABCD의 넓이는 $x=2$일 때 최대이고, 이때의 넓이는 32이다.

40 답 $12\sqrt{3}$

풀이 $\mathrm{C}(x, 0)$이라고 하면

$-x^2+9=0$에서 $x^2-9=0$

$(x+3)(x-3)=0$

$\therefore x=\pm 3$

이때 $x>0$이므로 $0<x<3$

직사각형 ABCD의 넓이를 $S(x)$라고 하면

$\mathrm{A}(-x, -x^2+9)$, $\mathrm{B}(-x, 0)$, $\mathrm{D}(x, -x^2+9)$

$S(x)=2x(-x^2+9)$

$=-2x^3+18x\ (0<x<3)$

$S'(x)=-6x^2+18=-6(x+\sqrt{3})(x-\sqrt{3})$

$S'(x)=0$에서 $x=\sqrt{3}$

$0<x<3$에서 $S(x)$의 증가와 감소를 표로 나타내면 다음과 같다.

x	(0)	$\cdots$	$\sqrt{3}$	$\cdots$	(3)
$S'(x)$		$+$	0	$-$	
$S(x)$		↗	$12\sqrt{3}$	↘	

따라서 직사각형 ABCD의 넓이는 $x=\sqrt{3}$일 때 최대이고, 이때의 넓이는 $12\sqrt{3}$이다.

41 답 (1) $0<x<3$

(2) $V(x)=4x^3-24x^2+36x\,(0<x<3)$

(3) 16 cm^3

풀이 (1) 상자의 밑면의 한 변의 길이는 $(6-2x)$ cm이므로

$0<6-2x<6$ $\quad\therefore 0<x<3$

(2) $V(x)=x(6-2x)^2=4x^3-24x^2+36x\ (0<x<3)$

(3) $V'(x)=12x^2-48x+36=12(x-1)(x-3)$

$V'(x)=0$에서 $x=1$

$0<x<3$에서 $V(x)$의 증가와 감소를 표로 나타내면 다음과 같다.

x	(0)	$\cdots$	1	$\cdots$	(3)
$V'(x)$		$+$	0	$-$	
$V(x)$		↗	16	↘	

따라서 상자의 부피는 $x=1$일 때 최대이고, 이때의 부피는 16 cm^3이다.

42 답 1024 cm^3

풀이 잘라 낸 정사각형의 한 변의 길이를 x cm라고 하면 상자의 밑면의 한 변의 길이는 $(24-2x)$ cm이므로

$0<24-2x<24$ $\quad\therefore 0<x<12$

상자의 부피를 $V(x)$ cm^3라고 하면

$V(x)=x(24-2x)^2=4x^3-96x^2+576x\ (0<x<12)$

$V'(x)=12x^2-192x+576=12(x-4)(x-12)$

$V'(x)=0$에서 $x=4$

$0<x<12$에서 $V(x)$의 증가와 감소를 표로 나타내면 다음과 같다.

x	(0)	$\cdots$	4	$\cdots$	(12)
$V'(x)$		$+$	0	$-$	
$V(x)$		↗	1024	↘	

따라서 구하는 상자의 부피는 $x=4$일 때 최대이고, 이때의 부피는 1024 cm^3이다.

43 답 (1) 3 (2) 2 (3) 1 (4) 3 (5) 2 (6) 4

풀이 (1) $f(x)=x^3-3x^2+2$라고 하면

$f'(x)=3x^2-6x=3x(x-2)$

$f'(x)=0$에서 $x=0$ 또는 $x=2$

함수 $f(x)$의 증가와 감소를 표로 나타내면 다음과 같다.

x	$\cdots$	0	$\cdots$	2	$\cdots$
$f'(x)$	$+$	0	$-$	0	$+$
$f(x)$	↗	2	↘	-2	↗

따라서 함수 $y=f(x)$의 그래프는 오른쪽 그림과 같고 x축과 서로 다른 세 점에서 만나므로 주어진 방정식의 서로 다른 실근의 개수는 3이다.

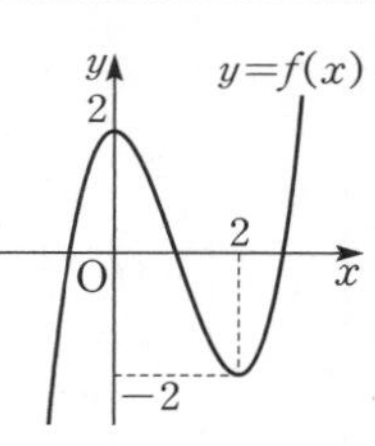

(2) $f(x)=-2x^3-3x^2$이라고 하면

$f'(x)=-6x^2-6x=-6x(x+1)$

$f'(x)=0$에서 $x=0$ 또는 $x=-1$

함수 $f(x)$의 증가와 감소를 표로 나타내면 다음과 같다.

x	$\cdots$	-1	$\cdots$	0	$\cdots$
$f'(x)$	$-$	0	$+$	0	$-$
$f(x)$	↘	-1	↗	0	↘

따라서 함수 $y=f(x)$의 그래프는 오른쪽 그림과 같고 x축과 서로 다른 두 점에서 만나므로 주어진 방정식의 서로 다른 실근의 개수는 2이다.

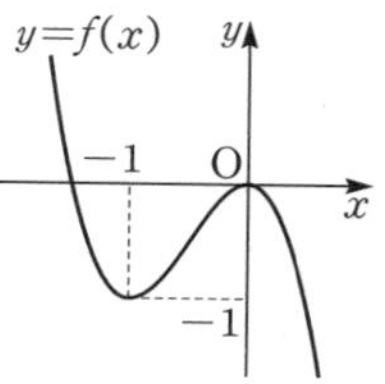

(3) $f(x)=x^3-6x^2+9x+2$라고 하면

$f'(x)=3x^2-12x+9=3(x-1)(x-3)$

$f'(x)=0$에서 $x=1$ 또는 $x=3$

함수 $f(x)$의 증가와 감소를 표로 나타내면 다음과 같다.

x	$\cdots$	1	$\cdots$	3	$\cdots$
$f'(x)$	+	0	−	0	+
$f(x)$	↗	6	↘	2	↗

따라서 함수 $y=f(x)$의 그래프는 오른쪽 그림과 같고 x축과 한 점에서 만나므로 주어진 방정식의 서로 다른 실근의 개수는 1이다.

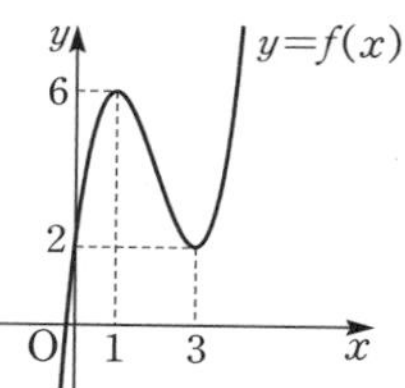

(4) $f(x)=2x^3-3x^2-12x+1$로 놓으면

$f'(x)=6x^2-6x-12=6(x+1)(x-2)$

$f'(x)=0$에서 $x=-1$ 또는 $x=2$

함수 $f(x)$의 증가와 감소를 표로 나타내면 다음과 같다.

x	$\cdots$	−1	$\cdots$	2	$\cdots$
$f'(x)$	+	0	−	0	+
$f(x)$	↗	8	↘	−19	↗

따라서 함수 $y=f(x)$의 그래프는 오른쪽 그림과 같고 x축과 서로 다른 세 점에서 만나므로 주어진 방정식의 서로 다른 실근의 개수는 3이다.

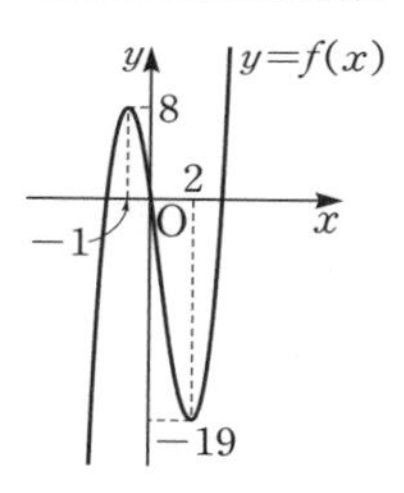

(5) $f(x)=x^4+2x^2-3$이라고 하면

$f'(x)=4x^3+4x=4x(x^2+1)$

$f'(x)=0$에서 $x=0$

함수 $f(x)$의 증가와 감소를 표로 나타내면 다음과 같다.

x	$\cdots$	0	$\cdots$
$f'(x)$	−	0	+
$f(x)$	↘	−3	↗

따라서 함수 $y=f(x)$의 그래프는 오른쪽 그림과 같고 x축과 두 점에서 만나므로 주어진 방정식의 서로 다른 실근의 개수는 2이다.

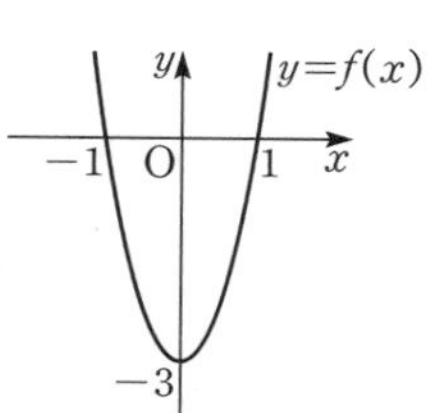

(6) $f(x)=x^4-4x^3-2x^2+12x+3$이라고 하면

$f'(x)=4x^3-12x^2-4x+12$

$\quad=4(x+1)(x-1)(x-3)$

$f'(x)=0$에서 $x=-1$ 또는 $x=1$ 또는 $x=3$

함수 $f(x)$의 증가와 감소를 표로 나타내면 다음과 같다.

x	$\cdots$	−1	$\cdots$	1	$\cdots$	3	$\cdots$
$f'(x)$	−	0	+	0	−	0	+
$f(x)$	↘	−6	↗	10	↘	−6	↗

따라서 함수 $y=f(x)$의 그래프는 오른쪽 그림과 같고 x축과 서로 다른 네 점에서 만나므로 주어진 방정식의 서로 다른 실근의 개수는 4이다.

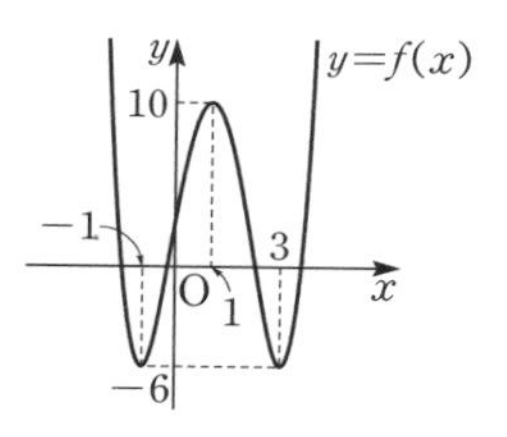

44 답 (1) 3 (2) 2 (3) 1

풀이 **(1)** $f(x)=x^3-6x^2+12$라고 하면

$f'(x)=3x^2-12x=3x(x-4)$

$f'(x)=0$에서 $x=0$ 또는 $x=4$

함수 $f(x)$의 증가와 감소를 표로 나타내면 다음과 같다.

x	$\cdots$	0	$\cdots$	4	$\cdots$
$f'(x)$	+	0	−	0	+
$f(x)$	↗	12	↘	−20	↗

극댓값은 12, 극솟값은 −20이므로

(극댓값)×(극솟값)<0

따라서 방정식의 실근의 개수는 3이다.

(2) $f(x)=x^3-3x^2-9x-5$라고 하면

$f'(x)=3x^2-6x-9=3(x+1)(x-3)$

$f'(x)=0$에서 $x=-1$ 또는 $x=3$

함수 $f(x)$의 증가와 감소를 표로 나타내면 다음과 같다.

x	$\cdots$	−1	$\cdots$	3	$\cdots$
$f'(x)$	+	0	−	0	+
$f(x)$	↗	0	↘	−32	↗

극댓값은 0, 극솟값은 −32이므로

(극댓값)×(극솟값)$=0$

따라서 방정식의 실근의 개수는 2이다.

(3) $f(x)=-2x^3+4x^2+3$이라고 하면

$f'(x)=-6x^2+8x=-2x(3x-4)$

$f'(x)=0$에서 $x=0$ 또는 $x=\frac{4}{3}$

함수 $f(x)$의 증가와 감소를 표로 나타내면 다음과 같다.

x	$\cdots$	0	$\cdots$	$\frac{4}{3}$	$\cdots$
$f'(x)$	−	0	+	0	−
$f(x)$	↘	3	↗	$\frac{145}{27}$	↘

극댓값은 $\frac{145}{27}$, 극솟값은 3이므로

(극댓값)×(극솟값)>0

따라서 방정식의 실근의 개수는 1이다.

45 답 (1) $0<a<4$

(2) $a=0$ 또는 $a=4$

(3) $a<0$ 또는 $a>4$

풀이 **(1)** $f(x)=x^3-6x^2+9x-a$라고 하면

$f'(x)=3x^2-12x+9=3(x-1)(x-3)$

$f'(x)=0$에서 $x=1$ 또는 $x=3$

함수 $f(x)$의 증가와 감소를 표로 나타내면 다음과 같다.

x	$\cdots$	1	$\cdots$	3	$\cdots$
$f'(x)$	$+$	0	$-$	0	$+$
$f(x)$	↗	$4-a$	↘	$-a$	↗

극댓값은 $4-a$, 극솟값은 $-a$이고 서로 다른 세 실근을 가지므로

(극댓값)×(극솟값)<0

$(4-a)\times(-a)<0$

$a(a-4)<0$

$\therefore\ 0<a<4$

(2) (극댓값)×(극솟값)$=0$이므로

$(4-a)\times(-a)=0$

$a(a-4)=0$

$\therefore\ a=0$ 또는 $a=4$

(3) (극댓값)×(극솟값)>0이므로

$(4-a)\times(-a)>0$

$a(a-4)>0$

$\therefore\ a<0$ 또는 $a>4$

46 답 (1) $-5<a<3$

(2) $a=-5$ **또는** $a=3$

(3) $a<-5$ **또는** $a>3$

풀이 (1) $f(x)=2x^3-6x+1+a$라고 하면

$f'(x)=6x^2-6=6(x+1)(x-1)$

$f'(x)=0$에서 $x=-1$ 또는 $x=1$

함수 $f(x)$의 증가와 감소를 표로 나타내면 다음과 같다.

x	$\cdots$	-1	$\cdots$	1	$\cdots$
$f'(x)$	$+$	0	$-$	0	$+$
$f(x)$	↗	$5+a$	↘	$-3+a$	↗

극댓값은 $5+a$, 극솟값은 $-3+a$이고 서로 다른 세 실근을 가지므로

(극댓값)×(극솟값)<0

$(5+a)(-3+a)<0$

$\therefore\ -5<a<3$

(2) (극댓값)×(극솟값)$=0$이므로

$(5+a)(-3+a)=0$

$\therefore\ a=-5$ 또는 $a=3$

(3) (극댓값)×(극솟값)>0이므로

$(5+a)(-3+a)>0$

$\therefore\ a<-5$ 또는 $a>3$

47 답 (1) $-1<a<1$

(2) $a=\pm1$

(3) $a<-1$ **또는** $a>1$

풀이 (1) 두 곡선이 서로 다른 세 점에서 만나므로

$-x^3+x=3x^3-2x+a$

즉, $4x^3-3x+a=0$ ······㉠

이 서로 다른 세 실근을 갖는다.

$f(x)=4x^3-3x+a$라고 하면

$f'(x)=12x^2-3=3(2x+1)(2x-1)$

$f'(x)=0$에서 $x=-\frac{1}{2}$ 또는 $x=\frac{1}{2}$

함수 $f(x)$의 증가와 감소를 표로 나타내면 다음과 같다.

x	$\cdots$	$-\frac{1}{2}$	$\cdots$	$\frac{1}{2}$	$\cdots$
$f'(x)$	$+$	0	$-$	0	$+$
$f(x)$	↗	$1+a$	↘	$-1+a$	↗

극댓값은 $1+a$, 극솟값은 $-1+a$이고 서로 다른 세 실근을 가지므로

(극댓값)×(극솟값)<0

$(1+a)(-1+a)<0$

$\therefore\ -1<a<1$

(2) 두 곡선이 서로 다른 두 점에서 만나므로 ㉠은 중근과 다른 한 실근을 갖는다.

(극댓값)×(극솟값)$=0$이므로

$(1+a)(-1+a)=0$

$\therefore\ a=\pm1$

(3) 두 곡선이 오직 한 점에서 만나므로 ㉠은 한 실근과 두 허근을 갖는다.

(극댓값)×(극솟값)>0이므로

$(1+a)(-1+a)>0$

$\therefore\ a<-1$ 또는 $a>1$

48 답 (1) $-27<a<5$

(2) $a=-27$ **또는** $a=5$

(3) $a<-27$ **또는** $a>5$

풀이 (1) 두 곡선이 서로 다른 세 점에서 만나므로

$x^3+4x^2+9x=2x^3+x^2-a$

즉 $x^3-3x^2-9x-a=0$ ······㉠

이 서로 다른 세 실근을 갖는다.

$f(x)=x^3-3x^2-9x-a$라고 하면

$f'(x)=3x^2-6x-9=3(x+1)(x-3)$

$f'(x)=0$에서 $x=-1$ 또는 $x=3$

함수 $f(x)$의 증가와 감소를 표로 나타내면 다음과 같다.

x	$\cdots$	-1	$\cdots$	3	$\cdots$
$f'(x)$	$+$	0	$-$	0	$+$
$f(x)$	↗	$5-a$	↘	$-27-a$	↗

극댓값은 $5-a$, 극솟값은 $-27-a$이고 서로 다른 세 실근을 가지므로

(극댓값)×(극솟값)<0

$(5-a)(-27-a)<0$

$\therefore\ -27<a<5$

(2) 두 곡선이 서로 다른 두 점에서 만나므로 ㉠은 중근과 다른 한 실근을 갖는다.

(극댓값)×(극솟값)$=0$이므로

$(5-a)(-27-a)=0$

$\therefore a=-27$ 또는 $a=5$

(3) 두 곡선이 오직 한 점에서 만나므로 ㉠은 한 실근과 두 허근을 갖는다.

(극댓값)×(극솟값)>0이므로

$(5-a)(-27-a)>0$

$\therefore a<-27$ 또는 $a>5$

49 답 풀이 참조

풀이 (1) $f(x)=x^3-3x^2+4$라고 하면

$f'(x)=3x^2-6x=3x(x-2)$

$f'(x)=0$에서 $x=0$ 또는 $x=2$

$x\geq0$일 때, 함수 $f(x)$의 증가와 감소를 표로 나타내면 다음과 같다.

x	0	$\cdots$	2	$\cdots$
$f'(x)$	0	$-$	0	$+$
$f(x)$	4	↘	0	↗

따라서 $x\geq0$에서 함수 $f(x)$는 $x=2$일 때 최솟값이 $f(2)=0$이므로 $x\geq0$일 때 $x^3-3x^2+4\geq0$이 성립한다.

(2) $f(x)=x^3-3x+5$라고 하면

$f'(x)=3x^2-3=3(x+1)(x-1)$

$f'(x)=0$에서 $x=1$

$x\geq1$일 때, 함수 $f(x)$의 증가와 감소를 표로 나타내면 다음과 같다.

x	1	$\cdots$
$f'(x)$	0	$+$
$f(x)$	3	↗

따라서 $x\geq1$에서 함수 $f(x)$는 $x=1$일 때 최솟값이 $f(1)=3$이므로 $x\geq1$일 때 $x^3-3x+5>0$이 성립한다.

(3) $f(x)=x^4+4x+3$이라고 하면

$f'(x)=4x^3+4=4(x+1)(x^2-x+1)$

$f'(x)=0$에서 $x=-1$

함수 $f(x)$의 증가와 감소를 표로 나타내면 다음과 같다.

x	$\cdots$	-1	$\cdots$
$f'(x)$	$-$	0	$+$
$f(x)$	↘	0	↗

따라서 $f(x)$는 $x=-1$일 때 최솟값이 $f(-1)=0$이므로 모든 실수 x에 대하여 $f(x)=x^4+4x+3\geq0$이 성립한다.

(4) $f(x)=3x^4-4x^3+2$이라고 하면

$f'(x)=12x^3-12x^2=12x^2(x-1)$

$f'(x)=0$에서 $x=0$ 또는 $x=1$

함수 $f(x)$의 증가와 감소를 표로 나타내면 다음과 같다.

x	$\cdots$	0	$\cdots$	1	$\cdots$
$f'(x)$	$-$	0	$-$	0	$+$
$f(x)$	↘	2	↘	1	↗

따라서 $f(x)$는 $x=1$일 때 최솟값이 $f(1)=1$이므로 모든 실수 x에 대하여 $f(x)=3x^4-4x^3+2>0$이 성립한다.

50 답 (1) 1 (2) 4

풀이 (1) 시각 t에서의 속도를 v라고 하면

$v=\dfrac{dx}{dt}=3t^2-2t$

따라서 $t=1$일 때의 속도는

$v=3\times1^2-2\times1=1$

(2) 시각 t에서의 가속도를 a라고 하면

$a=\dfrac{dv}{dt}=6t-2$

따라서 $t=1$일 때의 가속도는

$a=6\times1-2=4$

51 답 (1) -9 (2) -6

풀이 (1) 시각 t에서의 속도를 v라고 하면

$v=\dfrac{dx}{dt}=3t^2-18t+15$

따라서 $t=2$일 때의 속도는

$v=3\times2^2-18\times2+15=-9$

(2) 시각 t에서의 가속도를 a라고 하면

$a=\dfrac{dv}{dt}=6t-18$

따라서 $t=2$일 때의 가속도는

$a=6\times2-18=-6$

52 답 (1) 3 (2) 9

풀이 (1) 시각 t에서의 속도를 v라고 하면

$v=\dfrac{dx}{dt}=3t^2-8t$

따라서 $t=3$일 때의 속도는

$v=3\times3^2-8\times3=3$

(2) 시각 t에서의 속도를 v라고 하면

$v=\dfrac{dx}{dt}=-3t^2+12t$

따라서 $t=3$일 때의 속도는

$v=-3\times3^2+12\times3=9$

53 답 (1) 7 (2) -18

풀이 (1) 시각 t에서의 속도를 v, 가속도를 a라고 하면

$v=\dfrac{dx}{dt}=t^2-t$

$a=\dfrac{dv}{dt}=2t-1$

따라서 $t=4$일 때의 가속도는

$a=2\times4-1=7$

(2) 시각 t에서의 속도를 v, 가속도를 a라고 하면

$v=\dfrac{dx}{dt}=-6t^2+30t$

$a=\dfrac{dv}{dt}=-12t+30$

따라서 $t=4$일 때의 가속도는

$a=-12\times4+30=-18$

54 답 (1) -1 (2) 속도: 1, 가속도: 2 (3) $\frac{3}{2}$

풀이 (1) $\frac{f(2)-f(0)}{2-0}=\frac{-2-0}{2}=\underline{-1}$

(2) 시각 t에서의 속도를 v, 가속도를 a라고 하면

$v=\frac{dx}{dt}=2t-3$

$a=\frac{dv}{dt}=2$

따라서 $t=2$일 때의 속도와 가속도는

$v=2\times2-3=\underline{1}$

$a=\underline{2}$

(3) 운동 방향을 바꿀 때의 속도는 0이므로

$v=2t-3=0$

$\therefore t=\underline{\frac{3}{2}}$

55 답 (1) $-\frac{17}{3}$ (2) 속도: -27, 가속도: -6 (3) 12

풀이 (1) $\frac{f(1)-f(0)}{1-0}=\frac{\frac{10}{3}-9}{1}=-\frac{17}{3}$

(2) 시각 t에서의 속도를 v, 가속도를 a라고 하면

$v=\frac{dx}{dt}=t^2-12t$

$a=\frac{dv}{dt}=2t-12$

따라서 $t=3$일 때의 속도와 가속도는

$v=3^2-12\times3=-27$

$a=2\times3-12=-6$

(3) 운동 방향을 바꿀 때의 속도는 0이므로

$v=t^2-12t=0$

$t(t-12)=0$

$\therefore t=12$ ($\because t>0$)

56 답 (1) -1 (2) 속도: 9, 가속도: -6 (3) 2

풀이 (1) $\frac{f(3)-f(1)}{3-1}=\frac{9-11}{2}=-1$

(2) 시각 t에서의 속도를 v, 가속도를 a라고 하면

$v=\frac{dx}{dt}=-3t^2+12$

$a=\frac{dv}{dt}=-6t$

따라서 $t=1$일 때의 속도와 가속도는

$v=-3\times1^2+12=9$

$a=-6\times1=-6$

(3) 운동 방향을 바꿀 때의 속도는 0이므로

$v=-3t^2+12=0$

$t^2-4=0$

$(t+2)(t-2)=0$

$\therefore t=2$ ($\because t>0$)

57 답 (1) -5 m/초 (2) $\frac{1}{2}$초, $\frac{45}{4}$ m (3) -15 m/초

풀이 (1) t초 후의 속도를 v라고 하면

$v=\frac{dx}{dt}=-10t+5$

따라서 뛰어오른 지 1초 후의 속도는

$v=-10\times1+5$

$=\underline{-5}$(m/초)

(2) 가장 높은 곳에서의 속도는 0 m/초이므로

$v=-10t+5=0$

$\therefore t=\frac{1}{2}$(초)

따라서 가장 높은 곳에 도달할 때까지 걸린 시간은 $\frac{1}{2}$초

이고 그때의 높이는

$x=-5\times\left(\frac{1}{2}\right)^2+5\times\frac{1}{2}+10$

$=\underline{\frac{45}{4}}$(m)

(3) 수면에 닿는 순간의 높이는 0 m이므로

$-5t^2+5t+10=0$

$t^2-t-2=0$

$(t+1)(t-2)=0$

$\therefore t=2$(초) ($\because t>0$)

따라서 수면에 닿는 순간의 속도는

$v=-10\times2+5$

$=\underline{-15}$(m/초)

58 답 (1) 10 m/초 (2) 2초, 80 m (3) -40 m/초

풀이 (1) t초 후의 속도를 v라고 하면

$v=\frac{dx}{dt}=-10t+20$

따라서 쏘아 올린 지 1초 후의 속도는

$v=-10\times1+20$

$=10$(m/초)

(2) 가장 높은 곳에서의 속도는 0 m/초이므로

$v=-10t+20=0$

$\therefore t=2$(초)

따라서 가장 높은 곳에 도달할 때까지 걸린 시간은 2초

이고 그때의 높이는

$x=-5\times2^2+20\times2+60=80$(m)

(3) 물체가 지면에 떨어지는 순간의 높이는 0 m이므로

$-5t^2+20t+60=0$

$t^2-4t-12=0$

$(t+2)(t-6)=0$ $\therefore t=6$ ($\because t>0$)

따라서 물체가 지면에 떨어지는 순간의 속도는

$v=-10\times6+20$

$=-40$(m/초)

59 답 (1) 10 m/초 (2) 3초, 45 m (3) -30 m/초

풀이 (1) t초 후의 속도를 v라고 하면

$v=\frac{dx}{dt}=30-10t$

따라서 쏘아 올린 지 2초 후의 속도는

$v=30-10\times2$

$=10$(m/초)

(2) 가장 높은 곳에서의 속도는 0 m/초이므로

$v=30-10t=0$

$\therefore t=3$(초)

따라서 가장 높은 곳에 도달할 때까지 걸린 시간은 3초이고 그때의 높이는

$x=30\times3-5\times3^2$

$=45$(m)

(3) 물체가 다시 지면에 떨어지는 순간의 높이는 0 m이므로

$30t-5t^2=0$

$t^2-6t=0$

$t(t-6)=0$

$\therefore t=6$(초) ($\because t>0$)

따라서 물체가 다시 지면에 떨어지는 순간의 속도는

$v=30-10\times6$

$=-30$(m/초)

60 답 (1) $\frac{dl}{dt}=2t-4$ (2) 2

풀이 (2) $\frac{dl}{dt}=2t-4$이므로 $t=3$에서의 물체의 길이의 변화율은

$\frac{dl}{dt}=2\times3-4=2$

61 답 (1) $\frac{dl}{dt}=4t+1$ (2) 9

풀이 (2) $\frac{dl}{dt}=4t+1$이므로 $t=2$에서의 물체의 길이의 변화율은

$\frac{dl}{dt}=4\times2+1=9$

62 답 (1) $\frac{dS}{dt}=8t+3$ (2) 11

풀이 (2) $\frac{dS}{dt}=8t+3$이므로 $t=1$에서의 도형의 넓이의 변화율은

$\frac{dS}{dt}=8\times1+3=11$

63 답 (1) $\frac{dV}{dt}=3(t+3)^2$ (2) 75

풀이 (1) $\frac{dV}{dt}=3(t+3)^2(t+3)'$

$=3(t+3)^2\times1$

$=3(t+3)^2$

(2) $\frac{dV}{dt}=3(t+3)^2$이므로 $t=2$에서의 입체도형의 부피의 변화율은

$\frac{dV}{dt}=3\times(2+3)^2=75$

중단원 점검문제 | Ⅱ-2. 도함수의 활용 086-088쪽

01 답 $y=-7x+13$

풀이 $f(x)=-3x^2+5x+1$로 놓으면

$f'(x)=-6x+5$

이 곡선 위의 점 $(2, -1)$에서의 접선의 기울기는

$f'(2)=-7$

따라서 구하는 접선의 방정식은

$y-(-1)=-7(x-2)$

$\therefore y=-7x+13$

02 답 $y=\frac{1}{3}x+\frac{16}{3}$

풀이 $f(x)=x^3-6x$로 놓으면

$f'(x)=3x^2-6$

이 곡선 위의 점 $(-1, 5)$에서의 접선의 기울기는

$f'(-1)=-3$이므로 이 접선에 수직인 직선의 기울기는 $\frac{1}{3}$이다.

따라서 구하는 직선의 방정식은

$y-5=\frac{1}{3}\{x-(-1)\}$

$\therefore y=\frac{1}{3}x+\frac{16}{3}$

03 답 $y=2x+29$, $y=2x+2$

풀이 $f(x)=2x^3+3x^2-10x+9$로 놓으면

$f'(x)=6x^2+6x-10$

접선의 기울기가 2이므로

$6x^2+6x-10=2$

$x^2+x-2=0$

$(x+2)(x-1)=0$

$\therefore x=-2$ 또는 $x=1$

$f(-2)=25$, $f(1)=4$이므로 접점의 좌표는 $(-2, 25)$, $(1, 4)$이다.

따라서 구하는 접선의 방정식은

$y-25=2\{x-(-2)\}$, $y-4=2(x-1)$

$\therefore y=2x+29$, $y=2x+2$

04 답 $y=-2x+5$

풀이 직선 $2x+y-5=0$에서

$y=-2x+5$

이 직선에 평행한 접선의 기울기는 -2이다.

$f(x)=-x^2+2x+1$로 놓으면

$f'(x)=-2x+2$

접선의 기울기가 -2이므로

$-2x+2=-2$ $\therefore x=2$

$f(2)=1$이므로 접점의 좌표는 $(2, 1)$이다.

따라서 구하는 접선의 방정식은

$y-1=-2(x-2)$

$\therefore y=-2x+5$

05 답 $y=-x$, $y=3x-4$

풀이 $f(x)=x^2-x$로 놓으면

$f'(x)=2x-1$

접점의 좌표를 (a, a^2-a)라고 하면 접선의 기울기는

$f'(a)=2a-1$이므로 접선의 방정식은

$y-(a^2-a)=(2a-1)(x-a)$

$\therefore y=(2a-1)x-a^2$ ······ ㉠

이 직선이 점 $(1, -1)$을 지나므로

$-1=(2a-1)\times 1-a^2$

$a^2-2a=0$

$a(a-2)=0$

$\therefore a=0$ 또는 $a=2$

$a=0$, $a=2$를 ㉠에 각각 대입하면 구하는 접선의 방정식은

$y=-x$, $y=3x-4$

06 답 -2

풀이 $f(x)=-x^3+ax^2+b$로 놓으면

$f'(x)=-3x^2+2ax$

점 $(2, -1)$이 곡선 위의 점이므로

$f(2)=-8+4a+b=-1$

$\therefore 4a+b=7$ ······ ㉠

점 $(2, -1)$에서의 접선의 기울기가 -4이므로

$f'(2)=-12+4a=-4$

$\therefore a=2$

$a=2$를 ㉠에 대입하면 $b=-1$

$\therefore ab=2\times(-1)=-2$

07 답 2

풀이 $f(x)=x^3+x$, $g(x)=ax^2+b$로 놓으면

$f'(x)=3x^2+1$, $g'(x)=2ax$

점 $(1, 2)$가 두 곡선 위의 점이므로

$f(1)=g(1)$에서 $1+1=a+b$

$\therefore a+b=2$ ······ ㉠

점 $(1, 2)$에서의 접선의 기울기가 같으므로

$f'(1)=g'(1)$에서 $3+1=2a$

$\therefore a=2$

$a=2$를 ㉠에 대입하면 $b=0$

$\therefore a-b=2-0=2$

08 답 1

풀이 함수 $f(x)$는 닫힌구간 $[-1, 3]$에서 연속이고 열린구간 $(-1, 3)$에서 미분가능하며 $f(-1)=f(3)=0$이므로 롤의 정리에 의하여 $f'(c)=0\,(-1<c<3)$인 c가 적어도 하나 존재한다.

$f'(x)=8x-8$이므로

$f'(c)=8c-8=0$

$\therefore c=1$

09 답 -1

풀이 함수 $f(x)$는 닫힌구간 $[-2, 1]$에서 연속이고 열린구간 $(-2, 1)$에서 미분가능하므로 평균값 정리에 의하여

$\dfrac{f(1)-f(-2)}{1-(-2)}=f'(c)\,(-2<c<1)$인 c가 적어도 하나 존재한다.

$f'(x)=3x^2+2$이므로

$\dfrac{3-(-12)}{1-(-2)}=3c^2+2$

$3c^2+2=5$

$\therefore c=-1$ ($\because -2<c<1$)

10 답 **구간 $(-\infty, 1]$, $[2, \infty)$에서 증가, 구간 $[1, 2]$에서 감소**

풀이 $f'(x)=6x^2-18x+12=6(x-1)(x-2)$

$f'(x)=0$에서 $x=1$ 또는 $x=2$

함수 $f(x)$의 증가와 감소를 표로 나타내면 다음과 같다.

x	$\cdots$	1	$\cdots$	2	$\cdots$
$f'(x)$	+	0	−	0	+
$f(x)$	↗	5	↘	4	↗

따라서 함수 $f(x)$는 구간 $(-\infty, 1]$, $[2, \infty)$에서 증가하고, $[1, 2]$에서 감소한다.

11 답 $0\le a\le 3$

풀이 함수 $f(x)$가 증가하려면

$f'(x)=3x^2-2ax+a\ge 0$

위의 이차부등식이 모든 실수 x에 대하여 성립해야 하므로 이차방정식 $f'(x)=0$의 판별식을 D라고 하면

$\dfrac{D}{4}=a^2-3a\le 0$

$a(a-3)\le 0$

$\therefore 0\le a\le 3$

12 답 $a\le 9$

풀이 함수 $f(x)$가 감소하려면

$f'(x)=3x^2-12x+a\le 0$이 열린구간 $(1, 2)$에서 성립해야 한다.

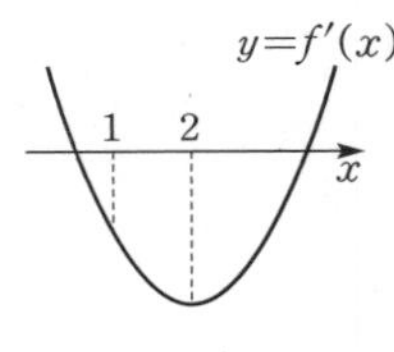

따라서 $y=f'(x)$의 그래프가 오른쪽 그림과 같아야 하므로

$f'(1)=3-12+a\le 0$에서

$a\le 9$ ······ ㉠

$f'(2)=12-24+a\le 0$에서

$a\le 12$ ······ ㉡

㉠, ㉡에서 $a\le 9$

13 답 **극댓값: $-\dfrac{1}{2}$, 극솟값: -1**

풀이 $f'(x)=-3x^2+9x-6=-3(x-1)(x-2)$

$f'(x)=0$에서 $x=1$ 또는 $x=2$

함수 $f(x)$의 증가와 감소를 표로 나타내면 다음과 같다.

x	$\cdots$	1	$\cdots$	2	$\cdots$
$f'(x)$	−	0	+	0	−
$f(x)$	↘	-1	↗	$-\dfrac{1}{2}$	↘

따라서 $x=2$일 때 극댓값은 $f(2)=-\frac{1}{2}$, $x=1$일 때 극솟값은 $f(1)=-1$이다.

14 답 15

풀이 $f'(x)=3x^2+2ax+b$

$x=1$에서 극댓값 7을 가지므로

$f(1)=7$에서 $1+a+b+3=7$

$\therefore a+b=3$ ……㉠

$f'(1)=0$에서 $3+2a+b=0$

$\therefore 2a+b=-3$ ……㉡

㉠, ㉡을 연립하여 풀면

$a=-6$, $b=9$

$\therefore b-a=9-(-6)=15$

15 답 풀이 참조

풀이 (1) $f'(x)=6x^2-18x+12=6(x-1)(x-2)$

$f'(x)=0$에서 $x=1$ 또는 $x=2$

함수 $f(x)$의 증가와 감소를 표로 나타내면 다음과 같다.

x	$\cdots$	1	$\cdots$	2	$\cdots$
$f'(x)$	+	0	−	0	+
$f(x)$	↗	2	↘	1	↗

따라서 $x=1$일 때 극댓값은 $f(1)=2$, $x=2$일 때 극솟값은 $f(2)=1$이므로 함수 $f(x)$의 그래프를 그리면 오른쪽 그림과 같다.

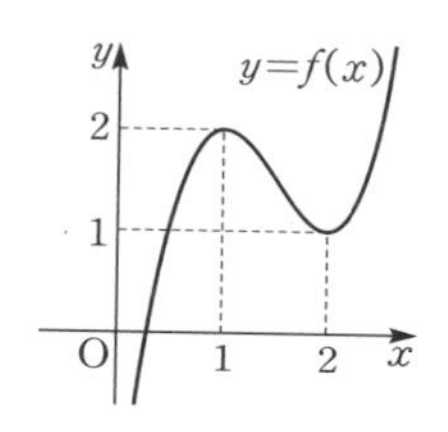

(2) $f'(x)=4x^3-12x=4x(x+\sqrt{3})(x-\sqrt{3})$

$f'(x)=0$에서 $x=-\sqrt{3}$ 또는 $x=0$ 또는 $x=\sqrt{3}$

함수 $f(x)$의 증가와 감소를 표로 나타내면 다음과 같다.

x	$\cdots$	$-\sqrt{3}$	$\cdots$	0	$\cdots$	$\sqrt{3}$	$\cdots$
$f'(x)$	−	0	+	0	−	0	+
$f(x)$	↘	−1	↗	8	↘	−1	↗

따라서 $x=0$일 때 극댓값은 $f(0)=8$, $x=-\sqrt{3}$, $x=\sqrt{3}$일 때 극솟값은 $f(-\sqrt{3})=f(\sqrt{3})=-1$이므로 함수 $f(x)$의 그래프를 그리면 오른쪽 그림과 같다.

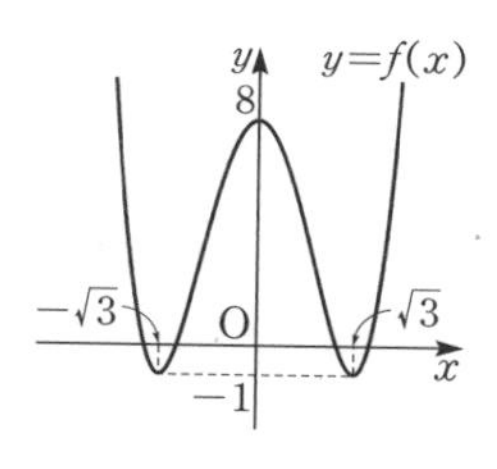

16 답 $0\le a\le 6$

풀이 $f'(x)=6x^2+2ax+a$

함수 $f(x)$가 극값을 갖지 않으려면 $f'(x)=0$이 중근 또는 허근을 가져야 하므로 방정식 $f'(x)=0$의 판별식을 D라고 하면

$\frac{D}{4}=a^2-6a\le 0$

$a(a-6)\le 0$

$\therefore 0\le a\le 6$

17 답 $a<0$ 또는 $0<a<\frac{9}{8}$

풀이 $f'(x)=12x^3-18x^2+6ax$
$=6x(2x^2-3x+a)$

사차항의 계수가 양수인 사차함수 $f(x)$가 극댓값을 가지려면 방정식 $f'(x)=0$이 서로 다른 세 실근을 가져야 한다.

$f'(x)=0$의 한 근이 $x=0$이므로

$2x^2-3x+a=0$ ……㉠

은 $x=0$이 아닌 서로 다른 두 실근을 가져야 한다.

(i) $x=0$이 ㉠의 근이 아니므로 $a\ne 0$

(ii) 방정식 ㉠의 판별식을 D라고 하면

$D=9-8a>0$

$\therefore a<\frac{9}{8}$

(i), (ii)에서 $a<0$ 또는 $0<a<\frac{9}{8}$

18 답 최댓값: 7, 최솟값: −20

풀이 $f'(x)=6x^2-6x-12=6(x+1)(x-2)$

$f'(x)=0$에서 $x=-1$ 또는 $x=2$

구간 $[-2, 3]$에서 함수 $f(x)$의 증가와 감소를 표로 나타내면 다음과 같다.

x	−2	$\cdots$	−1	$\cdots$	2	$\cdots$	3
$f'(x)$		+	0	−	0	+	
$f(x)$	−4	↗	7	↘	−20	↗	−9

따라서 최댓값은 $f(-1)=7$, 최솟값은 $f(2)=-20$이다.

19 답 5

풀이 $f'(x)=3x^2-6x=3x(x-2)$

$f'(x)=0$에서 $x=2$

구간 $[1, 4]$에서 함수 $f(x)$의 증가와 감소를 표로 나타내면 다음과 같다.

x	1	$\cdots$	2	$\cdots$	4
$f'(x)$		−	0	+	
$f(x)$	$-2+a$	↘	$-4+a$	↗	$16+a$

최솟값이 $f(2)=-4+a$이므로

$-4+a=1$ $\therefore a=5$

20 답 2

풀이 $f(x)=2x^3-6x-4$라고 하면

$f'(x)=6x^2-6=6(x+1)(x-1)$

$f'(x)=0$에서 $x=-1$ 또는 $x=1$

함수 $f(x)$의 증가와 감소를 표로 나타내면 다음과 같다.

x	$\cdots$	−1	$\cdots$	1	$\cdots$
$f'(x)$	+	0	−	0	+
$f(x)$	↗	0	↘	−8	↗

따라서 함수 $y=f(x)$의 그래프는 오른쪽 그림과 같고 x축과 서로 다른 두 점에서 만나므로 주어진 방정식의 서로 다른 실근의 개수는 2이다.

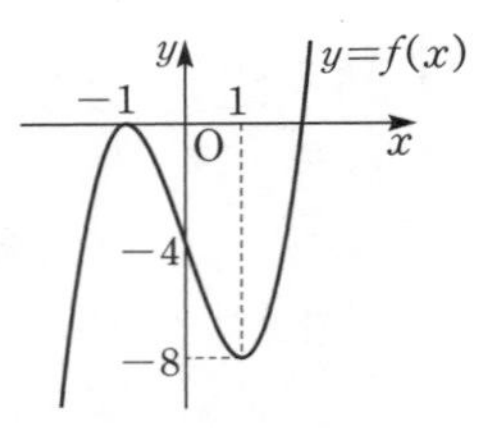

다른 풀이 극댓값은 $f(-1)=0$, 극솟값은 $f(1)=-8$이므로

(극댓값)×(극솟값)=0

따라서 주어진 방정식의 서로 다른 실근의 개수는 2이다.

21 답 풀이 참조

풀이 $f(x)=x^4+2x^2-8x+5$라고 하면

$f'(x)=4x^3+4x-8=4(x-1)(x^2+x+2)$

$f'(x)=0$에서 $x=1$

함수 $f(x)$의 증가와 감소를 표로 나타내면 다음과 같다.

x	$\cdots$	1	$\cdots$
$f'(x)$	$-$	0	$+$
$f(x)$	↘	0	↗

따라서 $f(x)$는 $x=1$일 때 최솟값이 $f(1)=0$이므로 모든 실수 x에 대하여 $f(x)=x^4+2x^2-8x+5\geq 0$이 성립한다.

22 답 속도: 4, 가속도: 12

풀이 시각 t에서의 속도를 v, 가속도를 a라고 하면

$v=\dfrac{dx}{dt}=3t^2-8$

$a=\dfrac{dv}{dt}=6t$

따라서 $t=2$일 때의 속도와 가속도는

$v=3\times 2^2-8=4$

$a=6\times 2=12$

23 답 1초, 35 m

풀이 t초 후의 속도를 v라고 하면

$v=\dfrac{dx}{dt}=-10t+10$

가장 높은 곳에서의 속도는 0 m/초이므로

$v=-10t+10=0$

$\therefore t=1$(초)

따라서 가장 높은 곳에 도달할 때까지 걸린 시간은 1초이고 그때의 높이는

$x=-5\times 1^2+10\times 1+30$

$=35$(m)

24 답 17

풀이 $\dfrac{dS}{dt}=(t+2)'(3t-1)+(t+2)(3t-1)'$

$=1\times(3t-1)+(t+2)\times 3$

$=6t+5$

따라서 $t=2$에서의 도형의 넓이의 변화율은

$\dfrac{dS}{dt}=6\times 2+5=17$

Ⅲ 적분

Ⅲ-1 부정적분 090~096쪽

01 답 (1) $f(x)=3$ (2) $f(x)=2x-4$ (3) $f(x)=-x+5$ (4) $f(x)=3x^2-4x+7$

풀이 (1) $f(x)=(3x+C)'=\underline{3}$

(2) $f(x)=(x^2-4x+C)'=2x-4$

(3) $f(x)=\left(-\frac{1}{2}x^2+5x+C\right)'=-x+5$

(4) $f(x)=(x^3-2x^2+7x+C)'=3x^2-4x+7$

02 답 (1) x^2+C (2) $9x+C$ (3) $-x^3+C$ (4) $2x^4+C$

풀이 (1) $(x^2)'=2x$이므로 $\int 2x\,dx=\underline{x^2}+C$

(단, C는 적분상수이다.)

(2) $(9x)'=9$이므로 $\int 9\,dx=9x+C$

(3) $(-x^3)'=-3x^2$이므로 $\int(-3x^2)dx=-x^3+C$

(4) $(2x^4)'=8x^3$이므로 $\int 8x^3dx=2x^4+C$

03 답 (1) $5x+C$ (2) $-\frac{1}{2}x+C$ (3) $\frac{1}{3}x^3+C$ (4) $\frac{1}{6}x^6+C$ (5) $\frac{1}{11}x^{11}+C$

풀이 (3) $\int x^2dx=\frac{1}{2+1}x^{2+1}+C=\underline{\frac{1}{3}}x^3+C$

(4) $\int x^5dx=\frac{1}{5+1}x^{5+1}+C=\frac{1}{6}x^6+C$

(5) $\int x^{10}dx=\frac{1}{10+1}x^{10+1}+C=\frac{1}{11}x^{11}+C$

04 답 (1) $2x^2+C$ (2) x^3+C (3) $-3x^4+C$ (4) $\frac{1}{25}x^5+C$ (5) x^8+C

풀이 (1) $\int 4x\,dx=4\int x\,dx=4\times\frac{1}{2}x^2+C=\underline{2x^2}+C$

(2) $\int 3x^2dx=3\int x^2dx=3\times\frac{1}{3}x^3+C=x^3+C$

(3) $\int(-12x^3)dx=-12\int x^3dx$

$=-12\times\frac{1}{4}x^4+C$

$=-3x^4+C$

(4) $\int\frac{1}{5}x^4dx=\frac{1}{5}\int x^4dx=\frac{1}{5}\times\frac{1}{5}x^5+C=\frac{1}{25}x^5+C$

(5) $\int 8x^7dx=8\int x^7dx=8\times\frac{1}{8}x^8+C=x^8+C$

05 답 (1) x^3-x^2+3x+C (2) $4x^2-7x+C$ (3) $5x^3+3x^2+C$ (4) $\frac{1}{2}x^4+\frac{1}{2}x^3+C$ (5) $-\frac{1}{7}x^7+2x^6+C$ (6) x^4-x^3+x+C (7) $2x^5+x^2-5x+C$ (8) $\frac{1}{15}x^5-4x^4-2x^2+C$ (9) $\frac{1}{4}x^4-\frac{1}{3}x^3+\frac{1}{2}x^2-x+C$ (10) $x^{10}-x^9+x^8-x^7+C$

풀이 (1) $\int(3x^2-2x+3)dx$

$=\int 3x^2dx-\int 2x\,dx+\int 3\,dx$

$=3\int x^2dx-2\int x\,dx+\int 3\,dx$

$=3\times\frac{1}{3}x^3-2\times\frac{1}{2}x^2+3x+C$

$=\underline{x^3-x^2+3x}+C$

(2) $\int(8x-7)dx=8\int x\,dx-\int 7\,dx$

$=8\times\frac{1}{2}x^2-7x+C$

$=4x^2-7x+C$

(3) $\int(15x^2+6x)dx=15\int x^2dx+6\int x\,dx$

$=15\times\frac{1}{3}x^3+6\times\frac{1}{2}x^2+C$

$=5x^3+3x^2+C$

(4) $\int\left(2x^3+\frac{3}{2}x^2\right)dx=2\int x^3dx+\frac{3}{2}\int x^2dx$

$=2\times\frac{1}{4}x^4+\frac{3}{2}\times\frac{1}{3}x^3+C$

$=\frac{1}{2}x^4+\frac{1}{2}x^3+C$

(5) $\int(-x^6+12x^5)dx=-\int x^6dx+12\int x^5dx$

$=-\frac{1}{7}x^7+12\times\frac{1}{6}x^6+C$

$=-\frac{1}{7}x^7+2x^6+C$

(6) $\int(4x^3-3x^2+1)dx$

$=4\int x^3dx-3\int x^2dx+\int 1\,dx$

$=4\times\frac{1}{4}x^4-3\times\frac{1}{3}x^3+x+C$

$=x^4-x^3+x+C$

(7) $\int(10x^4+2x-5)dx$

$=10\int x^4dx+2\int x\,dx-\int 5\,dx$

$=10\times\frac{1}{5}x^5+2\times\frac{1}{2}x^2-5x+C$

$=2x^5+x^2-5x+C$

(8) $\int\left(\frac{1}{3}x^4-16x^3-4x\right)dx$

$=\frac{1}{3}\int x^4dx-16\int x^3dx-4\int xdx$

$=\frac{1}{3}\times\frac{1}{5}x^5-16\times\frac{1}{4}x^4-4\times\frac{1}{2}x^2+C$

$=\frac{1}{15}x^5-4x^4-2x^2+C$

(9) $\int(x^3-x^2+x-1)dx$

$=\int x^3dx-\int x^2dx+\int xdx-\int 1dx$

$=\frac{1}{4}x^4-\frac{1}{3}x^3+\frac{1}{2}x^2-x+C$

(10) $\int(10x^9-9x^8+8x^7-7x^6)dx$

$=10\int x^9dx-9\int x^8dx+8\int x^7dx-7\int x^6dx$

$=10\times\frac{1}{10}x^{10}-9\times\frac{1}{9}x^9+8\times\frac{1}{8}x^8-7\times\frac{1}{7}x^7+C$

$=x^{10}-x^9+x^8-x^7+C$

06 답 (1) x^3+12x^2+C (2) $3x^4-\frac{2}{3}x^3+C$

(3) $2x^5+5x^4-10x^3+C$ (4) $\frac{2}{3}x^3-\frac{5}{2}x^2+3x+C$

(5) x^3-x^2-8x+C (6) $\frac{1}{4}x^4-\frac{9}{2}x^2+C$

(7) $\frac{1}{5}x^5-\frac{4}{3}x^3+C$ (8) $3x^3+3x^2+x+C$

(9) $\frac{1}{4}x^4-x^3+\frac{3}{2}x^2-x+C$ (10) $\frac{1}{4}x^4+\frac{8}{3}x^3+8x^2+C$

풀이 (1) $\int 3x(x+8)dx=\int(3x^2+24x)dx$

$=3\int x^2dx+24\int xdx$

$=3\times\frac{1}{3}x^3+24\times\frac{1}{2}x^2+C$

$=\underline{x^3+12x^2}+C$

(2) $\int 2x(6x^2-x)dx=\int(12x^3-2x^2)dx$

$=12\times\frac{1}{4}x^4-2\times\frac{1}{3}x^3+C$

$=3x^4-\frac{2}{3}x^3+C$

(3) $\int 10x^2(x^2+2x-3)dx$

$=\int(10x^4+20x^3-30x^2)dx$

$=10\times\frac{1}{5}x^5+20\times\frac{1}{4}x^4-30\times\frac{1}{3}x^3+C$

$=2x^5+5x^4-10x^3+C$

(4) $\int(x-1)(2x-3)dx=\int(2x^2-5x+3)dx$

$=2\times\frac{1}{3}x^3-5\times\frac{1}{2}x^2+3x+C$

$=\frac{2}{3}x^3-\frac{5}{2}x^2+3x+C$

(5) $\int(3x+4)(x-2)dx=\int(3x^2-2x-8)dx$

$=3\times\frac{1}{3}x^3-2\times\frac{1}{2}x^2-8\times x+C$

$=x^3-x^2-8x+C$

(6) $\int x(x-3)(x+3)dx=\int(x^3-9x)dx$

$=\frac{1}{4}x^4-9\times\frac{1}{2}x^2+C$

$=\frac{1}{4}x^4-\frac{9}{2}x^2+C$

(7) $\int x^2(x-2)(x+2)dx=\int(x^4-4x^2)dx$

$=\frac{1}{5}x^5-4\times\frac{1}{3}x^3+C$

$=\frac{1}{5}x^5-\frac{4}{3}x^3+C$

(8) $\int(3x+1)^2dx=\int(9x^2+6x+1)dx$

$=9\times\frac{1}{3}x^3+6\times\frac{1}{2}x^2+x+C$

$=3x^3+3x^2+x+C$

다른 풀이 $\int(3x+1)^2dx$

$=\frac{1}{3}\times\frac{1}{2+1}(3x+1)^{2+1}+C_1$

$=\frac{1}{9}(3x+1)^3+C_1$

$=\frac{1}{9}(27x^3+27x^2+9x+1)+C_1$

$=3x^3+3x^2+x+C$

(9) $\int(x-1)^3dx=\int(x^3-3x^2+3x-1)dx$

$=\frac{1}{4}x^4-3\times\frac{1}{3}x^3+3\times\frac{1}{2}x^2-x+C$

$=\frac{1}{4}x^4-x^3+\frac{3}{2}x^2-x+C$

(10) $\int x(x+4)^2dx=\int(x^3+8x^2+16x)dx$

$=\frac{1}{4}x^4+8\times\frac{1}{3}x^3+16\times\frac{1}{2}x^2+C$

$=\frac{1}{4}x^4+\frac{8}{3}x^3+8x^2+C$

07 답 (1) $\frac{1}{4}x^4-x+C$ (2) $\frac{1}{4}x^4+8x+C$

(3) $\frac{1}{2}x^2+x+C$ (4) $\frac{1}{2}x^2-3x+C$

(5) $\frac{1}{3}x^3-\frac{1}{2}x^2+x+C$

풀이 (1) $\int(x-1)(x^2+x+1)dx=\int(x^3-1)dx$

$=\frac{1}{4}x^4-x+C$

(2) $\int (x+2)(x^2-2x+4)dx=\int (x^3+8)dx$

$=\frac{1}{4}x^4+8x+C$

(3) $\int \frac{x^2-1}{x-1}dx=\int \frac{(x+1)(x-1)}{x-1}dx$

$=\int (x+1)dx$

$=\frac{1}{2}x^2+x+C$

(4) $\int \frac{x^2-9}{x+3}dx=\int \frac{(x+3)(x-3)}{x+3}dx$

$=\int (x-3)dx$

$=\frac{1}{2}x^2-3x+C$

(5) $\int \frac{x^3+1}{x+1}dx=\int \frac{(x+1)(x^2-x+1)}{x+1}dx$

$=\int (x^2-x+1)dx$

$=\frac{1}{3}x^3-\frac{1}{2}x^2+x+C$

08 답 (1) x^3+x^2+x+C (2) $-\frac{1}{4}x^4+2x^3-3x^2-8x+C$

(3) $2x^2+C$ (4) $\frac{1}{2}x^4+3x^2+C$

(5) $\frac{1}{2}x^2+2x+C$

풀이 (1) $\int (2x^2+3x)dx+\int (x^2-x+1)dx$

$=\int \{(2x^2+3x)+(x^2-x+1)\}dx$

$=\int (3x^2+2x+1)dx$

$=3\times\frac{1}{3}x^3+2\times\frac{1}{2}x^2+x+C$

$=\underline{x^3+x^2+x}+C$

(2) $\int (x^2-3x-8)dx-\int (x^3-5x^2+3x)dx$

$=\int (-x^3+6x^2-6x-8)dx$

$=-\frac{1}{4}x^4+6\times\frac{1}{3}x^3-6\times\frac{1}{2}x^2-8x+C$

$=-\frac{1}{4}x^4+2x^3-3x^2-8x+C$

(3) $\int (x+1)^2dx-\int (x-1)^2dx$

$=\int (x^2+2x+1)dx-\int (x^2-2x+1)dx$

$=\int 4x\,dx=4\times\frac{1}{2}x^2+C=2x^2+C$

(4) $\int (x+1)^3dx+\int (x-1)^3dx$

$=\int (x^3+3x^2+3x+1)dx+\int (x^3-3x^2+3x-1)dx$

$=\int (2x^3+6x)dx$

$=2\times\frac{1}{4}x^4+6\times\frac{1}{2}x^2+C$

$=\frac{1}{2}x^4+3x^2+C$

(5) $\int \frac{x^2}{x-2}dx-\int \frac{4}{x-2}dx=\int \frac{x^2-4}{x-2}dx$

$=\int \frac{(x+2)(x-2)}{x-2}dx$

$=\int (x+2)dx$

$=\frac{1}{2}x^2+2x+C$

09 답 (1) x^2-2x (2) x^2-2x+C

풀이 (1) $\frac{d}{dx}\left\{\int f(x)dx\right\}=f(x)=\underline{x^2-2x}$

(2) $\int \left\{\frac{d}{dx}f(x)\right\}dx=f(x)+C=\underline{x^2-2x}+C$

참고 (1) $\frac{d}{dx}\left\{\int f(x)dx\right\}=\frac{d}{dx}\left\{\int (x^2-2x)dx\right\}$

$=\frac{d}{dx}\left(\frac{1}{3}x^3-x^2+C\right)$

$=x^2-2x$

(2) $\int \left\{\frac{d}{dx}f(x)\right\}dx=\int \left\{\frac{d}{dx}(x^2-2x)\right\}dx$

$=\int (2x-2)dx$

$=x^2-2x+C$

따라서 $\int \left\{\frac{d}{dx}f(x)\right\}dx\neq\frac{d}{dx}\left\{\int f(x)dx\right\}$이다.

10 답 (1) $4x^3+7x^2-3$ (2) $4x^3+7x^2+C$

풀이 (1) $\frac{d}{dx}\left\{\int f(x)dx\right\}=f(x)=4x^3+7x^2-3$

(2) $\int \left\{\frac{d}{dx}f(x)\right\}dx=f(x)+C_1$

$=4x^3+7x^2-3+C_1$

$=4x^3+7x^2+C$

11 답 (1) $a=3$, $b=5$, $c=-6$ (2) $a=-1$, $b=-2$, $c=3$

(3) $a=4$, $b=-9$, $c=\frac{1}{3}$ (4) $a=-8$, $b=-4$, $c=3$

풀이 (1) $\frac{d}{dx}\left\{\int (ax^3+5x^2-6)dx\right\}=ax^3+5x^2-6$

즉, $ax^3+5x^2-6=3x^3+bx^2+c$이므로

$a=\underline{3}$, $b=\underline{5}$, $c=\underline{-6}$

(2) $-2x^2+ax+3=bx^2-x+c$이므로

$a=-1$, $b=-2$, $c=3$

(3) $\frac{1}{3}x^3+ax^2+bx=cx^3+4x^2-9x$이므로

$a=4$, $b=-9$, $c=\frac{1}{3}$

(4) $ax^4+3x^3+bx^2=-8x^4+cx^3-4x^2$이므로
$a=-8,\ b=-4,\ c=3$

12 답 (1) $f(x)=6x-2$ (2) $f(x)=\frac{1}{2}x^2+8$
(3) $f(x)=3x-1$ (4) $f(x)=x+2$

풀이 (1) 주어진 식의 양변을 미분하면
$\frac{d}{dx}\left\{\int xf(x)dx\right\}=(2x^3-x^2+C)'$
$xf(x)=6x^2-2x$
$\therefore f(x)=6x-2$

(2) 주어진 식의 양변을 미분하면
$\frac{d}{dx}\left\{\int xf(x)dx\right\}=\left(\frac{1}{8}x^4+4x^2+C\right)'$
$xf(x)=\frac{1}{2}x^3+8x$
$\therefore f(x)=\frac{1}{2}x^2+8$

(3) 주어진 식의 양변을 미분하면
$\frac{d}{dx}\left\{\int (x+1)f(x)dx\right\}=(x^3+x^2-x+C)'$
$(x+1)f(x)=3x^2+2x-1$
$(x+1)f(x)=(x+1)(3x-1)$
$\therefore f(x)=3x-1$

(4) 주어진 식의 양변을 미분하면
$\frac{d}{dx}\left\{\int (x-1)f(x)dx\right\}=\left(\frac{1}{3}x^3+\frac{1}{2}x^2-2x+C\right)'$
$(x-1)f(x)=x^2+x-2$
$(x-1)f(x)=(x-1)(x+2)$
$\therefore f(x)=x+2$

13 답 (1) $f(x)=x^3+x^2-5x+2$
(2) $f(x)=2x^3-2x^2+x+3$
(3) $f(x)=2x^4-x^3-x^2-5$
(4) $f(x)=\frac{1}{3}x^3-\frac{1}{2}x^2-6x-10$

풀이 (1) $f(x)=\int (3x^2+2x-5)dx$
$=x^3+x^2-5x+C$
이때 $f(0)=2$이므로 $C=2$
$\therefore f(x)=x^3+x^2-5x+2$

(2) $f(x)=\int (6x^2-4x+1)dx$
$=2x^3-2x^2+x+C$
이때 $f(1)=4$이므로
$2-2+1+C=4$ $\therefore C=3$
$\therefore f(x)=2x^3-2x^2+x+3$

(3) $f(x)=\int (8x^3-3x^2-2x)dx$
$=2x^4-x^3-x^2+C$
이때 $f(0)=-5$이므로 $C=-5$
$\therefore f(x)=2x^4-x^3-x^2-5$

(4) $f(x)=\int (x+2)(x-3)dx$
$=\int (x^2-x-6)dx$
$=\frac{1}{3}x^3-\frac{1}{2}x^2-6x+C$
이때 $f(-2)=-\frac{8}{3}$이므로
$-\frac{8}{3}-2+12+C=-\frac{8}{3}$ $\therefore C=-10$
$\therefore f(x)=\frac{1}{3}x^3-\frac{1}{2}x^2-6x-10$

중단원 점검문제 | Ⅲ-1. 부정적분 097쪽

01 답 $2x^7+x^5-\frac{1}{2}x^4-\frac{3}{2}x^2+C$

풀이 $\int (14x^6+5x^4-2x^3-3x)dx$
$=14\int x^6dx+5\int x^4dx-2\int x^3dx-3\int xdx$
$=14\times\frac{1}{7}x^7+5\times\frac{1}{5}x^5-2\times\frac{1}{4}x^4-3\times\frac{1}{2}x^2+C$
$=2x^7+x^5-\frac{1}{2}x^4-\frac{3}{2}x^2+C$

02 답 $\frac{2}{3}x^3+\frac{1}{2}x^2-15x+C$

풀이 $\int (x+3)(2x-5)dx=\int (2x^2+x-15)dx$
$=2\times\frac{1}{3}x^3+\frac{1}{2}x^2-15x+C$
$=\frac{2}{3}x^3+\frac{1}{2}x^2-15x+C$

03 답 $\frac{1}{3}x^3+6x^2+36x+C$

풀이 $\int (x+6)^2dx=\int (x^2+12x+36)dx$
$=\frac{1}{3}x^3+12\times\frac{1}{2}x^2+36x+C$
$=\frac{1}{3}x^3+6x^2+36x+C$

04 답 $\frac{1}{3}x^3+x^2+4x+C$

풀이 $\int \frac{x^3-8}{x-2}dx=\int \frac{(x-2)(x^2+2x+4)}{x-2}dx$
$=\int (x^2+2x+4)dx$
$=\frac{1}{3}x^3+x^2+4x+C$

05 답 $\frac{2}{3}x^3+18x+C$

풀이 $\int(x+3)^2dx+\int(x-3)^2dx$

$=\int(x^2+6x+9)dx+\int(x^2-6x+9)dx$

$=\int(2x^2+18)dx$

$=\frac{2}{3}x^3+18x+C$

06 답 5

풀이 $\frac{d}{dx}\left\{\int\left(\frac{1}{2}x^3+ax^2-2x\right)dx\right\}=\frac{1}{2}x^3+ax^2-2x$

즉, $\frac{1}{2}x^3+ax^2-2x=bx^3+6x^2+cx$이므로

$a=6,\ b=\frac{1}{2},\ c=-2$

$\therefore a+bc=6+\frac{1}{2}\times(-2)=5$

07 답 $f(x)=x+5$

풀이 주어진 식의 양변을 미분하면

$\frac{d}{dx}\left\{\int(2x-1)f(x)dx\right\}=\left(\frac{2}{3}x^3+\frac{9}{2}x^2-5x+C\right)'$

$(2x-1)f(x)=2x^2+9x-5$

$(2x-1)f(x)=(2x-1)(x+5)$

$\therefore f(x)=x+5$

08 답 1

풀이 $f(x)=\int(16x^3-2x)dx$

$=4x^4-x^2+C$

이때 $f(0)=-2$이므로 $C=-2$

따라서 $f(x)=4x^4-x^2-2$이므로

$f(-1)=4-1-2=1$

Ⅲ-2 | 정적분 098~111쪽

01 답 (1) 19 (2) -32 (3) 38 (4) -2

(5) 1 (6) $\frac{39}{2}$ (7) 63 (8) $-\frac{50}{3}$

풀이 (1) $\int_2^3 3x^2dx=\left[x^3\right]_2^3=27-8=\underline{19}$

(2) $\int_0^2(-8x^3)dx=\left[-2x^4\right]_0^2=-32-0=-32$

(3) $\int_1^3(10x-1)dx=\left[5x^2-x\right]_1^3$

$=(45-3)-(5-1)=38$

(4) $\int_{-1}^0(4x^3-9x^2+2)dx=\left[x^4-3x^3+2x\right]_{-1}^0$

$=0-(1+3-2)=-2$

(5) $\int_0^1(5x^4+12x^2-8x)dx=\left[x^5+4x^3-4x^2\right]_0^1$

$=1+4-4=1$

(6) $\int_1^2 2x(3x^2-1)dx=\int_1^2(6x^3-2x)dx=\left[\frac{3}{2}x^4-x^2\right]_1^2$

$=(24-4)-\left(\frac{3}{2}-1\right)=\frac{39}{2}$

(7) $\int_{-3}^0(x-3)^2dx=\int_{-3}^0(x^2-6x+9)dx$

$=\left[\frac{1}{3}x^3-3x^2+9x\right]_{-3}^0$

$=0-(-9-27-27)=63$

(8) $\int_0^2(2x+1)(x-4)dx=\int_0^2(2x^2-7x-4)dx$

$=\left[\frac{2}{3}x^3-\frac{7}{2}x^2-4x\right]_0^2$

$=\left(\frac{16}{3}-14-8\right)-0=-\frac{50}{3}$

02 답 (1) 0 (2) 0 (3) 0 (4) 0

03 답 (1) -80 (2) -10 (3) 1 (4) $-\frac{51}{4}$

풀이 (1) $\int_3^{-1}4x^3dx=-\int_{-1}^3 4x^3dx$

$=-\left[x^4\right]_{-1}^3$

$=-(81-1)=\underline{-80}$

(2) $\int_2^1(8x-2)dx=-\int_1^2(8x-2)dx$

$=-\left[4x^2-2x\right]_1^2$

$=-(12-2)=-10$

(3) $\int_0^{-1}(9x^2+10x+1)dx=-\int_{-1}^0(9x^2+10x+1)dx$

$=-\left[3x^3+5x^2+x\right]_{-1}^0$

$=-(0-1)=1$

(4) $\int_1^{-2}(x^3-3x+4)dx=-\int_{-2}^1(x^3-3x+4)dx$

$=-\left[\frac{1}{4}x^4-\frac{3}{2}x^2+4x\right]_{-2}^1$

$=-\left\{\frac{11}{4}-(-10)\right\}=-\frac{51}{4}$

04 답 (1) 2 (2) -6 (3) 18 (4) -3

(5) 6 (6) $\frac{9}{2}$ (7) 35 (8) -2

풀이 (1) $\int_0^1(2x-x^2)dx+\int_0^1(2x+x^2)dx$

$=\int_0^1\{(2x-x^2)+(2x+x^2)\}dx$

$=\int_0^1 4xdx$

$=\left[2x^2\right]_0^1$

$=2-0=\underline{2}$

(2) $\int_{1}^{2}(x^2+3x)dx-\int_{1}^{2}(4x^2+3x-1)dx$

$=\int_{1}^{2}\{(x^2+3x)-(4x^2+3x-1)\}dx$

$=\int_{1}^{2}(-3x^2+1)dx$

$=\Big[-x^3+x\Big]_{1}^{2}$

$=-6-0=-6$

(3) $\int_{0}^{3}(x^2+4)dx+2\int_{0}^{3}(x^2-x-2)dx$

$=\int_{0}^{3}\{(x^2+4)+2(x^2-x-2)\}dx$

$=\int_{0}^{3}(3x^2-2x)dx$

$=\Big[x^3-x^2\Big]_{0}^{3}$

$=18-0=18$

(4) $\int_{-1}^{2}(3x^3-x^2-x)dx+\int_{-1}^{2}(t^3-5t^2+t)dt$

$=\int_{-1}^{2}(3x^3-x^2-x)dx+\int_{-1}^{2}(x^3-5x^2+x)dx$

$=\int_{-1}^{2}\{(3x^3-x^2-x)+(x^3-5x^2+x)\}dx$

$=\int_{-1}^{2}(4x^3-6x^2)dx$

$=\Big[x^4-2x^3\Big]_{-1}^{2}$

$=0-3=-3$

(5) $\int_{-2}^{1}(t-1)^2dt-\int_{-2}^{1}(x+1)^2dx$

$=\int_{-2}^{1}(x-1)^2dx-\int_{-2}^{1}(x+1)^2dx$

$=\int_{-2}^{1}\{(x^2-2x+1)-(x^2+2x+1)\}dx$

$=\int_{-2}^{1}(-4x)dx$

$=\Big[-2x^2\Big]_{-2}^{1}$

$=-2-(-8)=6$

(6) $\int_{3}^{4}\frac{x^2}{x-1}dx-\int_{3}^{4}\frac{1}{x-1}dx$

$=\int_{3}^{4}\frac{x^2-1}{x-1}dx$

$=\int_{3}^{4}\frac{(x+1)(x-1)}{x-1}dx$

$=\int_{3}^{4}(x+1)dx$

$=\Big[\frac{1}{2}x^2+x\Big]_{3}^{4}$

$=12-\frac{15}{2}=\frac{9}{2}$

(7) $\int_{-2}^{3}(x^2-5x)dx-\int_{3}^{-2}(2x^2+5x)dx$

$=\int_{-2}^{3}(x^2-5x)dx+\int_{-2}^{3}(2x^2+5x)dx$

$=\int_{-2}^{3}3x^2dx$

$=\Big[x^3\Big]_{-2}^{3}$

$=27-(-8)=35$

(8) $\int_{0}^{1}(5x^3-15x^2+2x)dx+\int_{1}^{0}(x^3-2x)dx$

$=\int_{0}^{1}(5x^3-15x^2+2x)dx-\int_{0}^{1}(x^3-2x)dx$

$=\int_{0}^{1}(4x^3-15x^2+4x)dx$

$=\Big[x^4-5x^3+2x^2\Big]_{0}^{1}$

$=-2-0=-2$

05 답 (1) 60 (2) 4 (3) 0 (4) 72
(5) 21 (6) 3 (7) 0 (8) 86

풀이 (1) $\int_{1}^{2}(6x+5)dx+\int_{2}^{4}(6x+5)dx$

$=\int_{1}^{4}(6x+5)dx$

$=\Big[3x^2+5x\Big]_{1}^{4}$

$=68-8=\underline{60}$

(2) $\int_{0}^{1}(3x^2+2x-4)dx+\int_{1}^{2}(3x^2+2x-4)dx$

$=\int_{0}^{2}(3x^2+2x-4)dx$

$=\Big[x^3+x^2-4x\Big]_{0}^{2}$

$=4-0=4$

(3) $\int_{-2}^{1}(t^3-t)dt+\int_{1}^{2}(x^3-x)dx$

$=\int_{-2}^{1}(x^3-x)dx+\int_{1}^{2}(x^3-x)dx$

$=\int_{-2}^{2}(x^3-x)dx$

$=\Big[\frac{1}{4}x^4-\frac{1}{2}x^2\Big]_{-2}^{2}$

$=2-2=0$

(4) $\int_{-1}^{1}(4x^3-2)dx+\int_{1}^{2}(4x^3-2)dx+\int_{2}^{3}(4x^3-2)dx$

$=\int_{-1}^{3}(4x^3-2)dx$

$=\Big[x^4-2x\Big]_{-1}^{3}$

$=75-3=72$

(5) $\int_{0}^{2}(x+1)^2dx+\int_{2}^{3}(x+1)^2dx$

$=\int_{0}^{3}(x+1)^2dx$

$=\int_{0}^{3}(x^2+2x+1)dx$

$=\Big[\frac{1}{3}x^3+x^2+x\Big]_{0}^{3}$

$=21-0=21$

(6) $\int_1^2 (x-2)^2dx+\int_2^4 (t-2)^2dt$

$=\int_1^2 (x-2)^2dx+\int_2^4 (x-2)^2dx$

$=\int_1^4 (x-2)^2dx$

$=\int_1^4 (x^2-4x+4)dx$

$=\left[\frac{1}{3}x^3-2x^2+4x\right]_1^4$

$=\frac{16}{3}-\frac{7}{3}=3$

(7) $\int_{-1}^0 (1-3x^2)dx-\int_1^0 (1-3x^2)dx$

$=\int_{-1}^0 (1-3x^2)dx+\int_0^1 (1-3x^2)dx$

$=\int_{-1}^1 (1-3x^2)dx$

$=\left[x-x^3\right]_{-1}^1=0$

(8) $\int_1^2 (6x^2+12x-7)dx-\int_3^2 (6x^2+12x-7)dx$

$=\int_1^2 (6x^2+12x-7)dx+\int_2^3 (6x^2+12x-7)dx$

$=\int_1^3 (6x^2+12x-7)dx$

$=\left[2x^3+6x^2-7x\right]_1^3$

$=87-1=86$

06 답 (1) 4 (2) $\frac{25}{6}$ (3) $\frac{5}{4}$

풀이 (1) $\int_{-1}^1 f(x)dx$

$=\int_{-1}^0 f(x)dx+\int_0^1 f(x)dx$

$=\int_{-1}^0 (2x+3)dx+\int_0^1 (-3x^2+3)dx$

$=\left[x^2+3x\right]_{-1}^0+\left[-x^3+3x\right]_0^1$

$=2+2=\underline{4}$

(2) $\int_0^2 f(x)dx$

$=\int_0^1 f(x)dx+\int_1^2 f(x)dx$

$=\int_0^1 (x+2)dx+\int_1^2 (-x^2+4)dx$

$=\left[\frac{1}{2}x^2+2x\right]_0^1+\left[-\frac{1}{3}x^3+4x\right]_1^2$

$=\frac{5}{2}+\frac{5}{3}=\frac{25}{6}$

(3) $\int_1^3 f(x)dx$

$=\int_1^2 f(x)dx+\int_2^3 f(x)dx$

$=\int_1^2 \left(\frac{1}{2}x-1\right)dx+\int_2^3 (3x-6)dx$

$=\left[\frac{1}{4}x^2-x\right]_1^2+\left[\frac{3}{2}x^2-6x\right]_2^3$

$=-\frac{1}{4}+\frac{3}{2}=\frac{5}{4}$

07 답 (1) $f(x)=\begin{cases} x+1 & (x\le 1) \\ 2 & (x>1) \end{cases}$ (2) $\frac{23}{6}$

풀이 (1) 두 점 $(-1, 0)$, $(0, 1)$을 지나는 직선의 방정식은

$y-1=\frac{1-0}{0-(-1)}(x-0)$ $\quad\therefore y=\underline{x+1}$

$\therefore f(x)=\begin{cases} \underline{x+1} & (x\le 1) \\ 2 & (x>1) \end{cases}$

(2) $\int_0^2 xf(x)dx=\int_0^1 (x^2+x)dx+\int_1^2 2x\,dx$

$=\left[\frac{1}{3}x^3+\frac{1}{2}x^2\right]_0^1+\left[x^2\right]_1^2$

$=\frac{5}{6}+3=\underline{\frac{23}{6}}$

08 답 (1) $f(x)=\begin{cases} -2x-1 & (x\le 0) \\ -1 & (x>0) \end{cases}$ (2) $-\frac{2}{3}$

풀이 (1) 두 점 $\left(-\frac{1}{2}, 0\right)$, $(0, -1)$을 지나는 직선의 방정식은

$y-(-1)=\frac{-1-0}{0-\left(-\frac{1}{2}\right)}(x-0)$ $\quad\therefore y=-2x-1$

$\therefore f(x)=\begin{cases} -2x-1 & (x\le 0) \\ -1 & (x>0) \end{cases}$

(2) $\int_{-1}^1 xf(x)dx=\int_{-1}^0 (-2x^2-x)dx+\int_0^1 (-x)dx$

$=\left[-\frac{2}{3}x^3-\frac{1}{2}x^2\right]_{-1}^0+\left[-\frac{1}{2}x^2\right]_0^1$

$=-\frac{1}{6}+\left(-\frac{1}{2}\right)=-\frac{2}{3}$

09 답 (1) $\frac{5}{2}$ (2) 5 (3) 5 (4) $\frac{8}{3}$ (5) $\frac{8}{3}$ (6) $\frac{22}{3}$

풀이 (1) $f(x)=|x-1|$로 놓으면

$f(x)=\begin{cases} -x+1 & (x<1) \\ x-1 & (x\ge 1) \end{cases}$

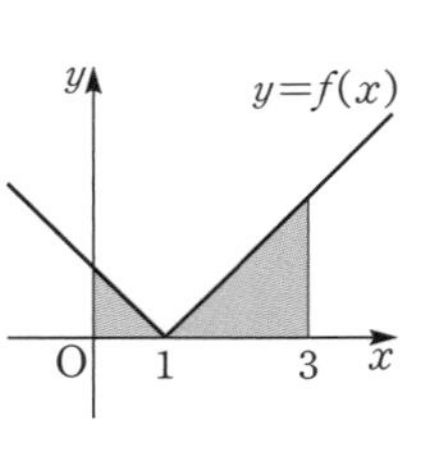

$\therefore \int_0^3 |x-1|dx$

$=\int_0^1 (-x+1)dx$

$+\int_1^3 (x-1)dx$

$=\left[-\frac{1}{2}x^2+x\right]_0^1+\left[\frac{1}{2}x^2-x\right]_1^3$

$=\frac{1}{2}+2=\underline{\frac{5}{2}}$

(2) $f(x)=|x-2|$로 놓으면

$$f(x)=\begin{cases}-x+2 & (x<2)\\ x-2 & (x\ge 2)\end{cases}$$

$$\therefore \int_{-1}^{3}|x-2|dx$$

$$=\int_{-1}^{2}(-x+2)dx+\int_{2}^{3}(x-2)dx$$

$$=\left[-\frac{1}{2}x^2+2x\right]_{-1}^{2}+\left[\frac{1}{2}x^2-2x\right]_{2}^{3}$$

$$=\frac{9}{2}+\frac{1}{2}=5$$

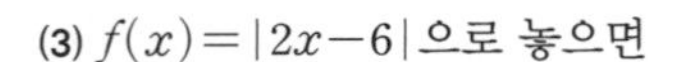

(3) $f(x)=|2x-6|$으로 놓으면

$$f(x)=\begin{cases}-2x+6 & (x<3)\\ 2x-6 & (x\ge 3)\end{cases}$$

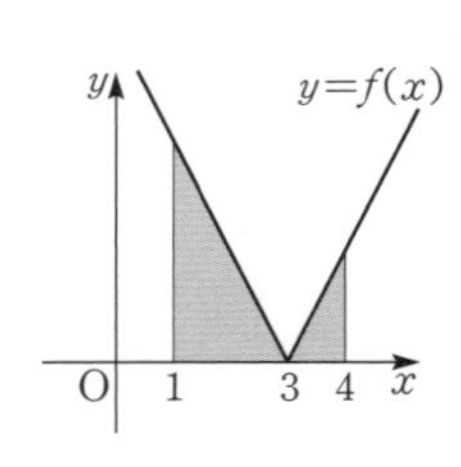

$$\therefore \int_{1}^{4}|2x-6|dx$$

$$=\int_{1}^{3}(-2x+6)dx+\int_{3}^{4}(2x-6)dx$$

$$=\left[-x^2+6x\right]_{1}^{3}+\left[x^2-6x\right]_{3}^{4}$$

$$=4+1=5$$

(4) $f(x)=|x^2-1|$로 놓으면

$$f(x)=\begin{cases}-x^2+1 & (-1<x<1)\\ x^2-1 & (x\le -1 \text{ 또는 } x\ge 1)\end{cases}$$

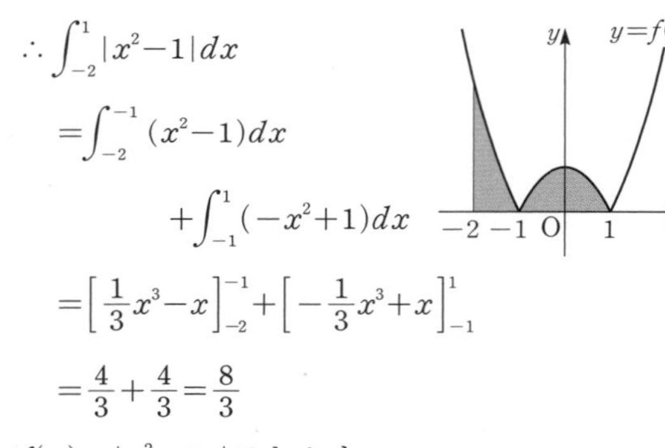

$$\therefore \int_{-2}^{1}|x^2-1|dx$$

$$=\int_{-2}^{-1}(x^2-1)dx+\int_{-1}^{1}(-x^2+1)dx$$

$$=\left[\frac{1}{3}x^3-x\right]_{-2}^{-1}+\left[-\frac{1}{3}x^3+x\right]_{-1}^{1}$$

$$=\frac{4}{3}+\frac{4}{3}=\frac{8}{3}$$

(5) $f(x)=|x^2-2x|$로 놓으면

$$f(x)=\begin{cases}-x^2+2x & (0<x<2)\\ x^2-2x & (x\le 0 \text{ 또는 } x\ge 2)\end{cases}$$

$$\therefore \int_{0}^{3}|x^2-2x|dx$$

$$=\int_{0}^{2}(-x^2+2x)dx+\int_{2}^{3}(x^2-2x)dx$$

$$=\left[-\frac{1}{3}x^3+x^2\right]_{0}^{2}+\left[\frac{1}{3}x^3-x^2\right]_{2}^{3}$$

$$=\frac{4}{3}+\frac{4}{3}=\frac{8}{3}$$

(6) $f(x)=|x^2-4x+3|$으로 놓으면

$$f(x)=\begin{cases}x^2-4x+3 & (x\le 1 \text{ 또는 } x\ge 3)\\ -x^2+4x-3 & (1<x<3)\end{cases}$$

$$\therefore \int_{-1}^{2}|x^2-4x+3|dx$$

$$=\int_{-1}^{1}(x^2-4x+3)dx+\int_{1}^{2}(-x^2+4x-3)dx$$

$$=\left[\frac{1}{3}x^3-2x^2+3x\right]_{-1}^{1}+\left[-\frac{1}{3}x^3+2x^2-3x\right]_{1}^{2}$$

$$=\frac{20}{3}+\frac{2}{3}=\frac{22}{3}$$

10 답 (1) -2 (2) 0 (3) 6 (4) -32 (5) 60 (6) 192 (7) $\frac{16}{3}$

풀이 (1) $\int_{-1}^{1}(-10x^4+1)dx=2\int_{0}^{1}(-10x^4+1)dx$

$$=2\left[-2x^5+x\right]_{0}^{1}$$

$$=2\times(-1)=\underline{-2}$$

(2) $\int_{-4}^{4}(2x^5-3x)dx=0$

(3) $\int_{-1}^{1}(x^3+9x^2+7x)dx=\int_{-1}^{1}(x^3+7x)dx+\int_{-1}^{1}9x^2dx$

$$=0+2\int_{0}^{1}9x^2dx$$

$$=2\left[3x^3\right]_{0}^{1}$$

$$=2\times 3=6$$

(4) $\int_{-2}^{2}(3x^5-5x^4+4x^3+6x^2+2x)dx$

$$=\int_{-2}^{2}(3x^5+4x^3+2x)dx+\int_{-2}^{2}(-5x^4+6x^2)dx$$

$$=0+2\int_{0}^{2}(-5x^4+6x^2)dx$$

$$=2\left[-x^5+2x^3\right]_{0}^{2}$$

$$=2\times(-16)=-32$$

(5) $\int_{-3}^{3}(x^7-2x^5-4x^3+3x^2-x+1)dx$

$$=\int_{-3}^{3}(x^7-2x^5-4x^3-x)dx+\int_{-3}^{3}(3x^2+1)dx$$

$$=0+2\int_{0}^{3}(3x^2+1)dx$$

$$=2\left[x^3+x\right]_{0}^{3}$$

$$=2\times 30=60$$

(6) $\int_{-2}^{1}(-2x^5+15x^4-x)dx+\int_{1}^{2}(-2x^5+15x^4-x)dx$

$$=\int_{-2}^{2}(-2x^5+15x^4-x)dx$$

$$=\int_{-2}^{2}(-2x^5-x)dx+\int_{-2}^{2}15x^4dx$$

$=0+2\int_0^2 15x^4dx$

$=2\Big[3x^5\Big]_0^2$

$=2\times96=192$

(7) $\int_{-1}^{0}(5x^4+3x^3-x^2+9x+2)dx$

$-\int_{1}^{0}(5x^4+3x^3-x^2+9x+2)dx$

$=\int_{-1}^{0}(5x^4+3x^3-x^2+9x+2)dx$

$+\int_{0}^{1}(5x^4+3x^3-x^2+9x+2)dx$

$=\int_{-1}^{1}(5x^4+3x^3-x^2+9x+2)dx$

$=\int_{-1}^{1}(5x^4-x^2+2)dx+\int_{-1}^{1}(3x^3+9x)dx$

$=2\int_{0}^{1}(5x^4-x^2+2)dx+0$

$=2\Big[x^5-\frac{1}{3}x^3+2x\Big]_0^1$

$=2\times\frac{8}{3}=\frac{16}{3}$

11 답 (1) $\frac{10}{3}$ (2) $\frac{80}{3}$ (3) $\frac{16}{3}$

풀이 (1) 조건 ㈏에서 $f(x)$는 주기가 2인 주기함수이므로

$\int_{-1}^{1}f(x)dx=\int_{1}^{3}f(x)dx=\int_{3}^{5}f(x)dx$ ······㉠

이때 $f(x)$가 짝함수이므로

$\int_{-1}^{1}f(x)dx=2\int_{0}^{1}f(x)dx$ ······㉡

㉠, ㉡에 의하여

$\int_{0}^{5}f(x)dx=\int_{0}^{1}f(x)dx+\int_{1}^{3}f(x)dx+\int_{3}^{5}f(x)dx$

$=5\int_{0}^{1}f(x)dx$

$=5\int_{0}^{1}(-x^2+1)dx$

$=5\Big[-\frac{1}{3}x^3+x\Big]_0^1=\frac{10}{3}$

(2) 조건 ㈏에서 $f(x)$는 주기가 4인 주기함수이므로

$\int_{-2}^{2}f(x)dx=\int_{2}^{6}f(x)dx=\int_{6}^{10}f(x)dx$ ······㉠

이때 $f(x)$가 짝함수이므로

$\int_{-2}^{2}f(x)dx=2\int_{0}^{2}f(x)dx$ ······㉡

㉠, ㉡에 의하여

$\int_{0}^{10}f(x)dx=\int_{0}^{2}f(x)dx+\int_{2}^{6}f(x)dx+\int_{6}^{10}f(x)dx$

$=5\int_{0}^{2}f(x)dx$

$=5\int_{0}^{2}(4-x^2)dx$

$=5\Big[4x-\frac{1}{3}x^3\Big]_0^2$

$=5\times\frac{16}{3}=\frac{80}{3}$

(3) 조건 ㈏에서 $f(x)$는 주기가 2인 주기함수이므로

$\int_{-4}^{-2}f(x)dx=\int_{-2}^{0}f(x)dx=\int_{0}^{2}f(x)dx=\int_{2}^{4}f(x)dx$

······㉠

㉠에 의하여

$\int_{-4}^{4}f(x)dx$

$=\int_{-4}^{-2}f(x)dx+\int_{-2}^{0}f(x)dx+\int_{0}^{2}f(x)dx+\int_{2}^{4}f(x)dx$

$=4\int_{0}^{2}f(x)dx=4\int_{0}^{2}(-x^2+2x)dx$

$=4\Big[-\frac{1}{3}x^3+x^2\Big]_0^2$

$=4\times\frac{4}{3}=\frac{16}{3}$

12 답 (1) x^2+3x-2 (2) $2x^2-x+5$ (3) $x^2-\frac{1}{2}x^3$

13 답 (1) $6x+3$ (2) $-8x-8$ (3) $-3x^2-3x$

풀이 (1) $\frac{d}{dx}\int_{x}^{x+1}(3t^2-1)dt$

$=\{3(x+1)^2-1\}-(3x^2-1)$

$=6x+3$

(2) $\frac{d}{dx}\int_{x}^{x+2}(-2t^2+5)dt$

$=\{-2(x+2)^2+5\}-(-2x^2+5)$

$=-8x-8$

(3) $\frac{d}{dx}\int_{x}^{x+1}(t-t^3)dt$

$=\{(x+1)-(x+1)^3\}-(x-x^3)$

$=-3x^2-3x$

14 답 (1) $f(x)=4x-8$ (2) $f(x)=6x^2-10x-\frac{9}{2}$

(3) $f(x)=-\frac{32}{15}x^3+3x^2$ (4) $f(x)=8x^2+4$

풀이 (1) $\int_{0}^{2}f(x)dx=k$ (k는 상수)로 놓으면

$f(x)=4x+k$

$\int_{0}^{2}(4x+k)dx=k$

$\Big[2x^2+kx\Big]_0^2=k$

$8+2k=k$ $\therefore k=-8$

$\therefore f(x)=4x-8$

(2) $\int_{0}^{3}f(x)dx=k$ (k는 상수)로 놓으면

$f(x)=6x^2-10x+k$

$\int_{0}^{3}(6x^2-10x+k)dx=k$

$\left[2x^3-5x^2+kx\right]_0^3=k$

$9+3k=k \qquad \therefore k=-\frac{9}{2}$

$\therefore f(x)=6x^2-10x-\frac{9}{2}$

(3) $\int_0^2 f(x)dx=k$ (k는 상수)로 놓으면

$f(x)=3x^2+4kx^3$

$\int_0^2 (3x^2+4kx^3)dx=k$

$\left[x^3+kx^4\right]_0^2=k$

$8+16k=k \qquad \therefore k=-\frac{8}{15}$

$\therefore f(x)=-\frac{32}{15}x^3+3x^2$

(4) $\int_0^1 xf(x)dx=k$ (k는 상수)로 놓으면

$f(x)=8x^2+k$

$\int_0^1 (8x^3+kx)dx=k$

$\left[2x^4+\frac{k}{2}x^2\right]_0^1=k$

$2+\frac{k}{2}=k \qquad \therefore k=4$

$\therefore f(x)=8x^2+4$

15 답 (1) $f(x)=5x+18$ (2) $f(x)=x^3-2x+4$
(3) $f(x)=2x^2+8$ (4) $f(x)=-3x^2+6x-27$

풀이 (1) $\int_0^3 f'(x)dx=k$ (k는 상수) ······ ㉠

로 놓으면 $f(x)=5x+3+k$

$f'(x)=5$를 ㉠에 대입하면

$\int_0^3 5dx=k$

$\left[5x\right]_0^3=k \qquad \therefore k=15$

$\therefore f(x)=5x+3+15=\underline{5x+18}$

(2) $\int_0^2 f'(x)dx=k$ (k는 상수) ······ ㉠

로 놓으면 $f(x)=x^3-2x+k$

$f'(x)=3x^2-2$를 ㉠에 대입하면

$\int_0^2 (3x^2-2)dx=k$

$\left[x^3-2x\right]_0^2=k \qquad \therefore k=4$

$\therefore f(x)=x^3-2x+4$

(3) $\int_0^1 f'(x)dx=k$ (k는 상수) ······ ㉠

로 놓으면 $f(x)=2x^2+4k$

$f'(x)=4x$를 ㉠에 대입하면

$\int_0^1 4xdx=k$

$\left[2x^2\right]_0^1=k \qquad \therefore k=2$

$\therefore f(x)=2x^2+8$

(4) $\int_0^3 xf'(x)dx=k$ (k는 상수) ······ ㉠

로 놓으면 $f(x)=-3x^2+6x+k$

$f'(x)=-6x+6$을 ㉠에 대입하면

$\int_0^3 (-6x^2+6x)dx=k$

$\left[-2x^3+3x^2\right]_0^3=k \qquad \therefore k=-27$

$\therefore f(x)=-3x^2+6x-27$

16 답 (1) $f(x)=2x-1$ (2) $f(x)=3x^2-x-3$
(3) $f(x)=10x-6$ (4) $f(x)=-36x^2+6x+9$

풀이 (1) 주어진 식의 양변에 $x=1$을 대입하면

$0=1-1+1-a \qquad \therefore a=1$

$\int_1^x f(t)dt=x^2-x$

양변을 x에 대하여 미분하면

$f(x)=\underline{2x-1}$

(2) 주어진 식의 양변에 $x=2$를 대입하면

$0=8+8a-6 \qquad \therefore a=-\frac{1}{4}$

$\int_2^x f(t)dt=x^3-\frac{1}{2}x^2-3x$

양변을 x에 대하여 미분하면

$f(x)=3x^2-x-3$

(3) 주어진 식의 양변에 $x=3$을 대입하면

$0=45+3a-27 \qquad \therefore a=-6$

$\int_3^x f(t)dt=5x^2-6x-27$

양변을 x에 대하여 미분하면

$f(x)=10x-6$

(4) 주어진 식의 양변에 $x=1$을 대입하면

$0=-12+3+a \qquad \therefore a=9$

$\int_1^x f(t)dt=-12x^3+3x^2+9x$

양변을 x에 대하여 미분하면

$f(x)=-36x^2+6x+9$

17 답 (1) $f(x)=9x^2-4x-1$
(2) $f(x)=-4x^3+2x+6$
(3) $f(x)=4x^2+3x-24$

풀이 (1) 양변을 x에 대하여 미분하면

$f(x)+xf'(x)=18x^2-4x+f(x)$

$xf'(x)=18x^2-4x$

이 식이 모든 실수 x에 대하여 성립하므로

$f'(x)=18x-4$

$\therefore f(x)=\int(18x-4)dx=9x^2-4x+C$ ······ ㉠

주어진 식의 양변에 $x=1$을 대입하면

$1\times f(1)=6-2+0 \quad \therefore f(1)=4$

㉠에서 $f(1)=9-4+C=4 \quad \therefore C=-1$

$C=-1$을 ㉠에 대입하면

$f(x)=9x^2-4x-1$

(2) 양변을 x에 대하여 미분하면

$f(x)+xf'(x)=-12x^3+2x+f(x)$

$xf'(x)=-12x^3+2x$

이 식이 모든 실수 x에 대하여 성립하므로

$f'(x)=-12x^2+2$

$\therefore f(x)=\int(-12x^2+2)dx=-4x^3+2x+C$ ……㉠

주어진 식의 양변에 $x=2$를 대입하면

$2f(2)=-48+4+0 \quad \therefore f(2)=-22$

㉠에서 $f(2)=-32+4+C=-22 \quad \therefore C=6$

$C=6$을 ㉠에 대입하면

$f(x)=-4x^3+2x+6$

(3) 양변을 x에 대하여 미분하면

$2xf(x)+x^2f'(x)=8x^3+3x^2+2xf(x)$

$x^2f'(x)=8x^3+3x^2$

이 식이 모든 실수 x에 대하여 성립하므로

$f'(x)=8x+3$

$\therefore f(x)=\int(8x+3)dx=4x^2+3x+C$ ……㉠

주어진 식의 양변에 $x=3$을 대입하면

$9f(3)=162+27+0 \quad \therefore f(3)=21$

㉠에서 $f(3)=36+9+C=21 \quad \therefore C=-24$

$C=-24$를 ㉠에 대입하면

$f(x)=4x^2+3x-24$

18 답 (1) 4 (2) 6 (3) 4

풀이 (1) $\int f(t)dt=F(t)+C$로 놓으면

$\int_1^x f(t)dt=\Big[F(x)\Big]_1^x=F(x)-F(1)$이므로

$\lim_{x\to1}\frac{1}{x-1}\int_1^x f(t)dt=\lim_{x\to1}\frac{F(x)-F(1)}{x-1}$

$=F'(1)=f(1)$

$=2-1+3=4$

(2) $\int f(t)dt=F(t)+C$로 놓으면

$\int_3^x f(t)dt=\Big[F(t)\Big]_3^x=F(x)-F(3)$이므로

$\lim_{x\to3}\frac{1}{x-3}\int_3^x f(t)dt=\lim_{x\to3}\frac{F(x)-F(3)}{x-3}$

$=F'(3)=f(3)$

$=-9+15=6$

(3) $\int f(t)dt=F(t)+C$로 놓으면

$\int_2^x f(t)dt=\Big[F(t)\Big]_2^x=F(x)-F(2)$이므로

$\lim_{x\to2}\frac{1}{x^2-4}\int_2^x f(t)dt=\lim_{x\to2}\left\{\frac{F(x)-F(2)}{x-2}\times\frac{1}{x+2}\right\}$

$=\frac{1}{4}F'(2)=\frac{1}{4}f(2)$

$=\frac{1}{4}\times16=4$

19 답 (1) 13 (2) 5 (3) $\frac{3}{2}$

풀이 (1) $\int(t^3-4t-2)dt=F(t)+C$ ……㉠

로 놓으면

$\int_3^x(t^3-4t-2)dt=\Big[F(t)\Big]_3^x=F(x)-F(3)$이므로

$\lim_{x\to3}\frac{1}{x-3}\int_3^x(t^3-4t-2)dt$

$=\lim_{x\to3}\frac{F(x)-F(3)}{x-3}=F'(3)$

㉠에서 $F'(t)=t^3-4t-2$

$\therefore F'(3)=13$

(2) $\int(t^3-3t^2+t+7)dt=F(t)+C$ ……㉠

로 놓으면

$\int_2^x(t^3-3t^2+t+7)dt=\Big[F(t)\Big]_2^x=F(x)-F(2)$이므로

$\lim_{x\to2}\frac{1}{x-2}\int_2^x(t^3-3t^2+t+7)dt$

$=\lim_{x\to2}\frac{F(x)-F(2)}{x-2}=F'(2)$

㉠에서 $F'(t)=t^3-3t^2+t+7$

$\therefore F'(2)=5$

(3) $\int(6t^2-4t+1)dt=F(t)+C$ ……㉠

로 놓으면

$\int_1^x(6t^2-4t+1)dt=\Big[F(t)\Big]_1^x=F(x)-F(1)$이므로

$\lim_{x\to1}\frac{1}{x^2-1}\int_1^x(6t^2-4t+1)dt$

$=\lim_{x\to1}\left\{\frac{F(x)-F(1)}{x-1}\times\frac{1}{x+1}\right\}$

$=\frac{1}{2}F'(1)$

㉠에서 $F'(t)=6t^2-4t+1$

$\therefore \frac{1}{2}F'(1)=\frac{1}{2}\times3=\frac{3}{2}$

20 답 (1) -4 (2) 126 (3) -32

풀이 (1) $\int f(x)dx=F(x)+C$로 놓으면

$\int_1^{1+2h}f(x)dx=\Big[F(x)\Big]_1^{1+2h}=F(1+2h)-F(1)$이므로

$$\lim_{h\to0}\frac{1}{h}\int_1^{1+2h}f(x)dx$$
$$=\lim_{h\to0}\frac{F(1+2h)-F(1)}{h}$$
$$=\lim_{h\to0}\frac{F(1+2h)-F(1)}{2h}\times2$$
$$=2F'(1)=2f(1)$$
$$=2\times(-2)=\underline{-4}$$

(2) $\int f(x)dx=F(x)+C$로 놓으면

$$\int_2^{2+3h}f(x)dx=\Big[F(x)\Big]_2^{2+3h}=F(2+3h)-F(2)$$

이므로

$$\lim_{h\to0}\frac{1}{h}\int_2^{2+3h}f(x)dx$$
$$=\lim_{h\to0}\frac{F(2+3h)-F(2)}{h}$$
$$=\lim_{h\to0}\frac{F(2+3h)-F(2)}{3h}\times3$$
$$=3F'(2)=3f(2)$$
$$=3\times42=126$$

(3) $\int f(x)dx=F(x)+C$로 놓으면

$$\int_3^{3-2h}f(x)dx=\Big[F(x)\Big]_3^{3-2h}=F(3-2h)-F(3)$$

이므로

$$\lim_{h\to0}\frac{1}{h}\int_3^{3-2h}f(x)dx$$
$$=\lim_{h\to0}\frac{F(3-2h)-F(3)}{h}$$
$$=\lim_{h\to0}\frac{F(3-2h)-F(3)}{-2h}\times(-2)$$
$$=-2F'(3)=-2f(3)$$
$$=-2\times16=-32$$

21 답 (1) 0 (2) -24 (3) 14

풀이 (1) $\int(-x^2+3x)dx=F(x)+C$ ……㉠

로 놓으면

$$\int_3^{3+h}(-x^2+3x)dx=\Big[F(x)\Big]_3^{3+h}=F(3+h)-F(3)$$

이므로

$$\lim_{h\to0}\frac{1}{h}\int_3^{3+h}(-x^2+3x)dx$$
$$=\lim_{h\to0}\frac{F(3+h)-F(3)}{h}$$
$$=F'(3)$$

㉠에서 $F'(x)=-x^2+3x$

$\therefore F'(3)=0$

(2) $\int(2x^3-7x^2-x)dx=F(x)+C$ ……㉠

로 놓으면

$$\int_1^{1+4h}(2x^3-7x^2-x)dx=\Big[F(x)\Big]_1^{1+4h}$$
$$=F(1+4h)-F(1)$$

이므로

$$\lim_{h\to0}\frac{1}{h}\int_1^{1+4h}(2x^3-7x^2-x)dx$$
$$=\lim_{h\to0}\frac{F(1+4h)-F(1)}{h}$$
$$=\lim_{h\to0}\frac{F(1+4h)-F(1)}{4h}\times4$$
$$=4F'(1)$$

㉠에서 $F'(x)=2x^3-7x^2-x$

$\therefore 4F'(1)=4\times(-6)=-24$

(3) $\int(x^4+6x^3)dx=F(x)+C$ ……㉠

로 놓으면

$$\int_{1-h}^{1+h}(x^4+6x^3)dx=\Big[F(x)\Big]_{1-h}^{1+h}$$
$$=F(1+h)-F(1-h)$$

이므로

$$\lim_{h\to0}\frac{1}{h}\int_{1-h}^{1+h}(x^4+6x^3)dx$$
$$=\lim_{h\to0}\frac{F(1+h)-F(1-h)}{h}$$
$$=\lim_{h\to0}\frac{F(1+h)-F(1)+F(1)-F(1-h)}{h}$$
$$=\lim_{h\to0}\left\{\frac{F(1+h)-F(1)}{h}+\frac{F(1-h)-F(1)}{-h}\right\}$$
$$=F'(1)+F'(1)=2F'(1)$$

㉠에서 $F'(x)=x^4+6x^3$

$\therefore 2F'(1)=2\times7=14$

22 답 (1) $f'(x)=x^2+x-2$ (2) $x=-2$ 또는 $x=1$
(3) -2, 1 (4) $\frac{10}{3}$ (5) $-\frac{7}{6}$

풀이 (1) 주어진 식의 양변을 x에 대하여 미분하면

$f'(x)=\underline{x^2+x-2}$

(2) $f'(x)=0$에서 $x^2+x-2=0$

$(x+2)(x-1)=0$

$\therefore x=\underline{-2}$ 또는 $x=1$

(4) 함수 $f(x)$는 $x=\underline{-2}$에서 극대이므로 극댓값은

$$f(-2)=\int_0^{-2}(t^2+t-2)dt$$
$$=\left[\frac{1}{3}t^3+\frac{1}{2}t^2-2t\right]_0^{-2}=\frac{10}{3}$$

(5) 함수 $f(x)$는 $x=1$에서 극소이므로 극솟값은

$$f(1)=\int_0^1(t^2+t-2)dt$$
$$=\left[\frac{1}{3}t^3+\frac{1}{2}t^2-2t\right]_0^1=-\frac{7}{6}$$

23 답 (1) 극댓값: $\frac{13}{6}$, 극솟값: $-\frac{56}{3}$

(2) 극댓값: $\frac{16}{3}$, 극솟값: $-\frac{16}{3}$

(3) 극댓값: 없다., 극솟값: $-\frac{27}{2}$

풀이 (1) 주어진 식의 양변을 x에 대하여 미분하면

$f'(x)=x^2-3x-4=(x+1)(x-4)$

$f'(x)=0$에서 $x=-1$ 또는 $x=4$

함수 $f(x)$의 증가와 감소를 표로 나타내면 다음과 같다.

x	$\cdots$	-1	$\cdots$	4	$\cdots$
$f'(x)$	$+$	0	$-$	0	$+$
$f(x)$	↗	극대	↘	극소	↗

함수 $f(x)$는 $x=-1$에서 극대이므로 극댓값은

$$f(-1)=\int_0^{-1}(t^2-3t-4)dt$$
$$=\left[\frac{1}{3}t^3-\frac{3}{2}t^2-4t\right]_0^{-1}=\frac{13}{6}$$

또한 함수 $f(x)$는 $x=4$에서 극소이므로 극솟값은

$$f(4)=\int_0^4(t^2-3t-4)dt$$
$$=\left[\frac{1}{3}t^3-\frac{3}{2}t^2-4t\right]_0^4=-\frac{56}{3}$$

(2) 주어진 식의 양변을 x에 대하여 미분하면

$f'(x)=-x^2+2x+3=-(x+1)(x-3)$

$f'(x)=0$에서 $x=-1$ 또는 $x=3$

함수 $f(x)$의 증가와 감소를 표로 나타내면 다음과 같다.

x	$\cdots$	-1	$\cdots$	3	$\cdots$
$f'(x)$	$-$	0	$+$	0	$-$
$f(x)$	↘	극소	↗	극대	↘

함수 $f(x)$는 $x=3$에서 극대이므로 극댓값은

$$f(3)=\int_1^3(-t^2+2t+3)dt$$
$$=\left[-\frac{1}{3}t^3+t^2+3t\right]_1^3=\frac{16}{3}$$

또한 함수 $f(x)$는 $x=-1$에서 극소이므로 극솟값은

$$f(-1)=\int_1^{-1}(-t^2+2t+3)dt$$
$$=-2\int_0^1(-t^2+3)dt$$
$$=-2\left[-\frac{1}{3}t^3+3t\right]_0^1=-\frac{16}{3}$$

(3) 주어진 식의 양변을 x에 대하여 미분하면

$f'(x)=6x^3-12x^2=6x^2(x-2)$

$f'(x)=0$에서 $x=0$ 또는 $x=2$

함수 $f(x)$의 증가와 감소를 표로 나타내면 다음과 같다.

x	$\cdots$	0	$\cdots$	2	$\cdots$
$f'(x)$	$-$	0	$-$	0	$+$
$f(x)$	↘		↘	극소	↗

함수 $f(x)$의 극댓값은 없고 $x=2$에서 극소이므로 극솟값은

$$f(2)=\int_{-1}^2(6t^3-12t^2)dt$$
$$=\left[\frac{3}{2}t^4-4t^3\right]_{-1}^2=-\frac{27}{2}$$

중단원 점검문제 | Ⅲ-2. 정적분 112-113쪽

01 답 61

풀이 $\int_{-1}^2 4x^3dx+\int_1^3(12x-1)dx=\left[x^4\right]_{-1}^2+\left[6x^2-x\right]_1^3$

$=15+46=61$

02 답 8

풀이 $\int_{-1}^{-1}(3x^4-2x^2)dx-\int_0^{-1}(6x^2-2x+5)dx$

$=0+\int_{-1}^0(6x^2-2x+5)dx$

$=\left[2x^3-x^2+5x\right]_{-1}^0=8$

03 답 10

풀이 $\int_0^2(3x^3+2x^2-2)dx-\int_0^2(x^3-x^2+1)dx$

$=\int_0^2\{(3x^3+2x^2-2)-(x^3-x^2+1)\}dx$

$=\int_0^2(2x^3+3x^2-3)dx$

$=\left[\frac{1}{2}x^4+x^3-3x\right]_0^2=10$

04 답 50

풀이 $\int_{-2}^1(4x^3-6x)dx+\int_1^3(4t^3-6t)dt$

$=\int_{-2}^1(4x^3-6x)dx+\int_1^3(4x^3-6x)dx$

$=\int_{-2}^3(4x^3-6x)dx$

$=\left[x^4-3x^2\right]_{-2}^3$

$=54-4=50$

05 답 $\frac{2}{3}$

풀이 $\int_0^1(x-1)^2dx-\int_2^1(x-1)^2dx$

$=\int_0^1(x-1)^2dx+\int_1^2(x-1)^2dx$

$=\int_0^2(x-1)^2dx$

$=\int_0^2(x^2-2x+1)dx$

$=\left[\frac{1}{3}x^3-x^2+x\right]_0^2=\frac{2}{3}$

06 답 $-\frac{10}{3}$

풀이 $\int_{-1}^2 f(x)dx=\int_{-1}^1 f(x)dx+\int_1^2 f(x)dx$

$=\int_{-1}^1(x-1)dx+\int_1^2(-x^2+1)dx$

$=\left[\frac{1}{2}x^2-x\right]_{-1}^{1}+\left[-\frac{1}{3}x^3+x\right]_{1}^{2}$

$=-2+\left(-\frac{4}{3}\right)=-\frac{10}{3}$

07 답 $\frac{23}{3}$

풀이 $f(x)=|x^2-4|$로 놓으면

$f(x)=\begin{cases} x^2-4 & (x\le -2 \text{ 또는 } x\ge 2) \\ -x^2+4 & (-2<x<2) \end{cases}$

$\therefore \int_0^3 |x^2-4|dx$

$=\int_0^2 (-x^2+4)dx$

$+\int_2^3 (x^2-4)dx$

$=\left[-\frac{1}{3}x^3+4x\right]_0^2+\left[\frac{1}{3}x^3-4x\right]_2^3$

$=\frac{16}{3}+\frac{7}{3}=\frac{23}{3}$

08 답 $\frac{16}{15}$

풀이 $\int_{-1}^{1}(-x^5+x^4-x^3+x^2-x)dx$

$=\int_{-1}^{1}(-x^5-x^3-x)dx+\int_{-1}^{1}(x^4+x^2)dx$

$=0+2\int_0^1 (x^4+x^2)dx$

$=2\left[\frac{1}{5}x^5+\frac{1}{3}x^3\right]_0^1$

$=2\times\frac{8}{15}=\frac{16}{15}$

09 답 90

풀이 조건 (나)에서 $f(x)$는 주기가 6인 주기함수이므로

$\int_{-3}^{3} f(x)dx=\int_3^9 f(x)dx=\int_9^{15} f(x)dx$ ⋯⋯ ㉠

이때 $f(x)$가 짝함수이므로

$\int_{-3}^{3} f(x)dx=2\int_0^3 f(x)dx$ ⋯⋯ ㉡

㉠, ㉡에 의하여

$\int_0^{15} f(x)dx=\int_0^3 f(x)dx+\int_3^9 f(x)dx+\int_9^{15} f(x)dx$

$=5\int_0^3 f(x)dx$

$=5\int_0^3 (-x^2+9)dx$

$=5\left[-\frac{1}{3}x^3+9x\right]_0^3$

$=5\times 18=90$

10 답 $-\frac{14}{3}$

풀이 $\int_0^2 f(x)dx=k$ (k는 상수)로 놓으면

$f(x)=4x^3-2x+5k$

$\int_0^2 (4x^3-2x+5k)dx=k$

$\left[x^4-x^2+5kx\right]_0^2=k$

$12+10k=k \qquad \therefore k=-\frac{4}{3}$

따라서 $f(x)=4x^3-2x-\frac{20}{3}$이므로

$f(1)=4-2-\frac{20}{3}=-\frac{14}{3}$

11 답 $f(x)=-9x^2+x-\frac{11}{2}$

풀이 $\int_0^1 xf'(x)dx=k$ (k는 상수) ⋯⋯ ㉠

로 놓으면 $f(x)=-9x^2+x+k$

$f'(x)=-18x+1$을 ㉠에 대입하면

$\int_0^1 (-18x^2+x)dx=k$

$\left[-6x^3+\frac{1}{2}x^2\right]_0^1=k \qquad \therefore k=-\frac{11}{2}$

$\therefore f(x)=-9x^2+x-\frac{11}{2}$

12 답 14

풀이 주어진 식의 양변에 $x=3$을 대입하면

$0=27-9a+9 \qquad \therefore a=4$

$\int_3^x f(t)dt=x^3-4x^2+3x$

양변을 x에 대하여 미분하면

$f(x)=3x^2-8x+3$

$\therefore f(-1)=3+8+3=14$

13 답 $f(x)=10x^2-12x+3$

풀이 주어진 식의 양변을 x에 대하여 미분하면

$2xf(x)+x^2f'(x)=20x^3-12x^2+2xf(x)$

$x^2f'(x)=20x^3-12x^2$

이 식이 모든 실수 x에 대하여 성립하므로

$f'(x)=20x-12$

$\therefore f(x)=\int (20x-12)dx=10x^2-12x+C$ ⋯⋯ ㉠

주어진 식의 양변에 $x=1$을 대입하면

$1\times f(1)=5-4+0=1$

㉠에서 $f(1)=10-12+C=1 \qquad \therefore C=3$

$C=3$을 ㉠에 대입하면

$f(x)=10x^2-12x+3$

14 답 -4

풀이 $\int f(t)dt=F(t)+C$로 놓으면

$\int_{-1}^{x} f(t)dt=\left[F(t)\right]_{-1}^{x}=F(x)-F(-1)$이므로

$$\lim_{x \to -1} \frac{1}{x^2-1} \int_{-1}^{x} f(t)dt$$
$$=\lim_{x \to -1} \left\{ \frac{F(x)-F(-1)}{x+1} \times \frac{1}{x-1} \right\}$$
$$=-\frac{1}{2}F'(-1)=-\frac{1}{2}f(-1)$$
$$=-\frac{1}{2}\times 8=-4$$

15 답 11

풀이 $\int \left(\frac{1}{2}x^2+5x-1\right)dx=F(x)+C$ ……㉠

로 놓으면

$$\int_{2}^{2+h} \left(\frac{1}{2}x^2+5x-1\right)dx=\Big[F(x)\Big]_{2}^{2+h}$$
$$=F(2+h)-F(2)$$

이므로

$$\lim_{h \to 0} \frac{1}{h}\int_{2}^{2+h} \left(\frac{1}{2}x^2+5x-1\right)dx=\lim_{h \to 0} \frac{F(2+h)-F(2)}{h}$$
$$=F'(2)$$

㉠에서 $F'(x)=\frac{1}{2}x^2+5x-1$

$\therefore F'(2)=11$

16 답 극댓값: $\frac{22}{3}$, 극솟값: $-\frac{27}{2}$

풀이 주어진 식의 양변을 x에 대하여 미분하면

$f'(x)=(x+2)(x-3)$

$f'(x)=0$에서 $x=-2$ 또는 $x=3$

함수 $f(x)$의 증가와 감소를 표로 나타내면 다음과 같다.

x	$\cdots$	-2	$\cdots$	3	$\cdots$
$f'(x)$	$+$	0	$-$	0	$+$
$f(x)$	↗	극대	↘	극소	↗

함수 $f(x)$는 $x=-2$에서 극대이므로 극댓값은

$$f(-2)=\int_{0}^{-2}(t+2)(t-3)dt$$
$$=\int_{0}^{-2}(t^2-t-6)dt$$
$$=\left[\frac{1}{3}t^3-\frac{1}{2}t^2-6t\right]_{0}^{-2}=\frac{22}{3}$$

또한 함수 $f(x)$는 $x=3$에서 극소이므로 극솟값은

$$f(3)=\int_{0}^{3}(t^2-t-6)dt$$
$$=\left[\frac{1}{3}t^3-\frac{1}{2}t^2-6t\right]_{0}^{3}=-\frac{27}{2}$$

Ⅲ-3 정적분의 활용 114~126쪽

01 답 (1) $x=0$ 또는 $x=2$ (2) $y\le 0$ (3) $\frac{4}{3}$

풀이 (1) $x^2-2x=0$에서

$x(x-2)=0$

따라서 $x=0$ 또는 $x=2$

(2) 구간 $[0, 2]$에서 $y\le 0$이다.

(3) $S=-\int_{0}^{2}(x^2-2x)dx$

$$=-\left[\frac{1}{3}x^3-x^2\right]_{0}^{2}=\frac{4}{3}$$

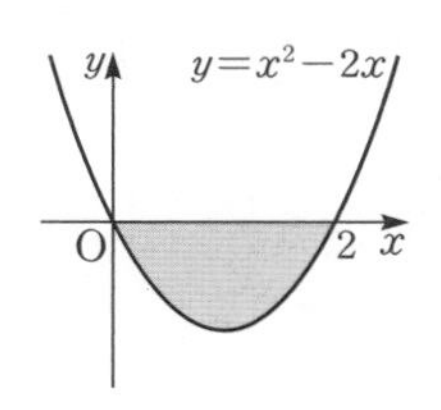

02 답 (1) $\frac{9}{2}$ (2) $\frac{32}{3}$

풀이 (1) $x^2-5x+4=0$에서

$(x-1)(x-4)=0$

$\therefore x=1$ 또는 $x=4$

구간 $[1, 4]$에서 $y\le 0$이므로

$$S=-\int_{1}^{4}(x^2-5x+4)dx$$
$$=-\left[\frac{1}{3}x^3-\frac{5}{2}x^2+4x\right]_{1}^{4}=\frac{9}{2}$$

(2) $-x^2+2x+3=0$에서

$-(x+1)(x-3)=0$

$\therefore x=-1$ 또는 $x=3$

구간 $[-1, 3]$에서

$y\ge 0$이므로

$$S=\int_{-1}^{3}(-x^2+2x+3)dx$$
$$=\left[-\frac{1}{3}x^3+x^2+3x\right]_{-1}^{3}=\frac{32}{3}$$

03 답 (1) $x=0$ 또는 $x=2$ 또는 $x=3$

(2) $y\ge 0$인 구간: $[0, 2]$, $y\le 0$인 구간: $[2, 3]$

(3) $\frac{37}{12}$

풀이 (1) $x(x-2)(x-3)=0$

$\therefore x=0$ 또는 $x=2$ 또는 $x=3$

(2) 구간 $[0, 2]$에서 $y\ge 0$, 구간 $[2, 3]$에서 $y\le 0$이다.

(3) $S=\int_{0}^{2}(x^3-5x^2+6x)dx$

$$-\int_{2}^{3}(x^3-5x^2+6x)dx$$
$$=\left[\frac{1}{4}x^4-\frac{5}{3}x^3+3x^2\right]_{0}^{2}$$
$$-\left[\frac{1}{4}x^4-\frac{5}{3}x^3+3x^2\right]_{2}^{3}$$
$$=\frac{8}{3}-\left(-\frac{5}{12}\right)=\frac{37}{12}$$

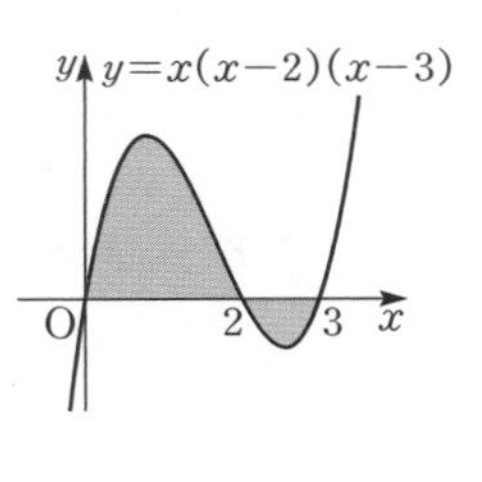

04 답 (1) $\frac{1}{2}$ (2) 2

풀이 (1) $-x^3+x=0$에서
$-x(x+1)(x-1)=0$
$\therefore x=-1$ 또는 $x=0$
또는 $x=1$
구간 $[-1, 0]$에서 $y\le0$,
구간 $[0, 1]$에서 $y\ge0$이므로

$$S=-\int_{-1}^{0}(-x^3+x)dx+\int_{0}^{1}(-x^3+x)dx$$
$$=-\left[-\frac{1}{4}x^4+\frac{1}{2}x^2\right]_{-1}^{0}+\left[-\frac{1}{4}x^4+\frac{1}{2}x^2\right]_{0}^{1}$$
$$=-\left(-\frac{1}{4}\right)+\frac{1}{4}=\frac{1}{2}$$

(2) $4x^3-12x^2+8x=0$에서
$4x(x-1)(x-2)=0$
$\therefore x=0$ 또는 $x=1$ 또는 $x=2$
구간 $[0, 1]$에서 $y\ge0$,
구간 $[1, 2]$에서 $y\le0$이므로

$$S=\int_{0}^{1}(4x^3-12x^2+8x)dx-\int_{1}^{2}(4x^3-12x^2+8x)dx$$
$$=\left[x^4-4x^3+4x^2\right]_{0}^{1}-\left[x^4-4x^3+4x^2\right]_{1}^{2}$$
$$=1-(-1)=2$$

05 답 (1) $x=0$ 또는 $x=4$
(2) $y\ge0$인 구간: $[-1, 0]$, $y\le0$인 구간: $[0, 2]$
(3) $\frac{23}{3}$

풀이 (1) $x^2-4x=0$에서
$x(x-4)=0$
$\therefore x=0$ 또는 $x=4$

(2) 구간 $[-1, 0]$에서 $y\ge0$, 구간 $[0, 2]$에서 $y\le0$이다.

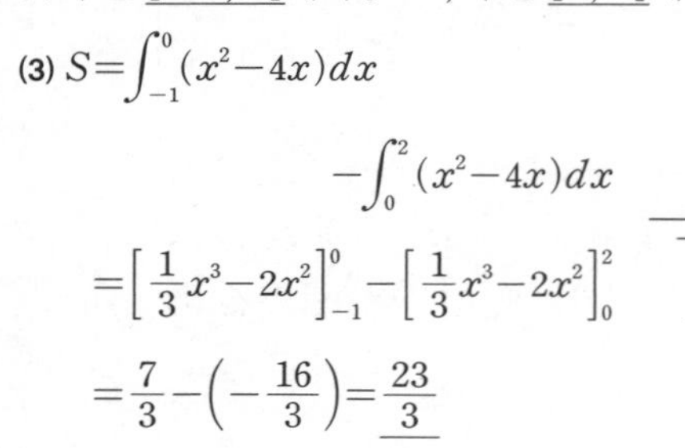

(3) $S=\int_{-1}^{0}(x^2-4x)dx$
$$-\int_{0}^{2}(x^2-4x)dx$$
$$=\left[\frac{1}{3}x^3-2x^2\right]_{-1}^{0}-\left[\frac{1}{3}x^3-2x^2\right]_{0}^{2}$$
$$=\frac{7}{3}-\left(-\frac{16}{3}\right)=\frac{23}{3}$$

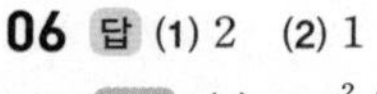

06 답 (1) 2 (2) 1

풀이 (1) $-x^2+2x=0$에서
$-x(x-2)=0$
$\therefore x=0$ 또는 $x=2$
구간 $[1, 2]$에서 $y\ge0$,
구간 $[2, 3]$에서 $y\le0$이므로

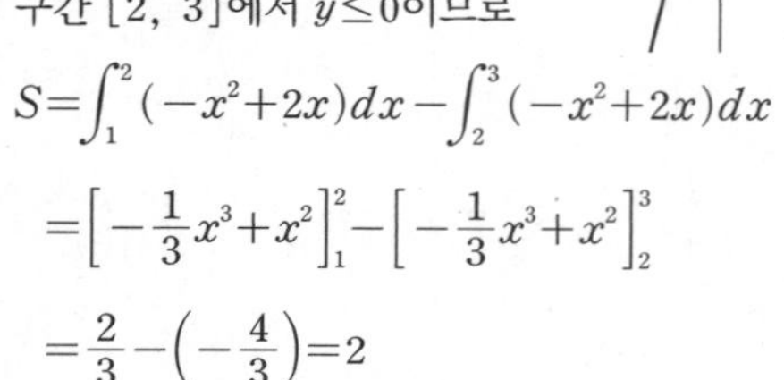

$$S=\int_{1}^{2}(-x^2+2x)dx-\int_{2}^{3}(-x^2+2x)dx$$
$$=\left[-\frac{1}{3}x^3+x^2\right]_{1}^{2}-\left[-\frac{1}{3}x^3+x^2\right]_{2}^{3}$$
$$=\frac{2}{3}-\left(-\frac{4}{3}\right)=2$$

(2) $x^2+3x+2=0$에서
$(x+2)(x+1)=0$
$\therefore x=-2$ 또는 $x=-1$
구간 $[-2, -1]$에서 $y\le0$,
구간 $[-1, 0]$에서 $y\ge0$이므로

$$S=-\int_{-2}^{-1}(x^2+3x+2)dx+\int_{-1}^{0}(x^2+3x+2)dx$$
$$=-\left[\frac{1}{3}x^3+\frac{3}{2}x^2+2x\right]_{-2}^{-1}+\left[\frac{1}{3}x^3+\frac{3}{2}x^2+2x\right]_{-1}^{0}$$
$$=-\left(-\frac{1}{6}\right)+\frac{5}{6}=1$$

07 답 (1) $\frac{1}{3}$ (2) $\frac{4}{3}$ (3) $\frac{4}{3}$

풀이 (1) $0\le y\le1$에서 $x\ge0$이므로

$$S=\int_{0}^{1}y^2dy=\left[\frac{1}{3}y^3\right]_{0}^{1}=\frac{1}{3}$$

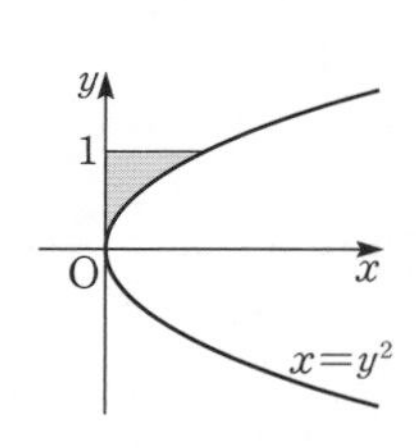

(2) $y^2-1=0$에서
$(y+1)(y-1)=0$
$\therefore y=-1$ 또는 $y=1$
$1\le y\le2$에서 $x\ge0$이므로

$$S=\int_{1}^{2}(y^2-1)dy$$
$$=\left[\frac{1}{3}y^3-y\right]_{1}^{2}=\frac{4}{3}$$

(3) $-y^2+2y=0$에서
$-y(y-2)=0$
$\therefore y=0$ 또는 $y=2$
$2\le y\le3$에서 $x\le0$이므로

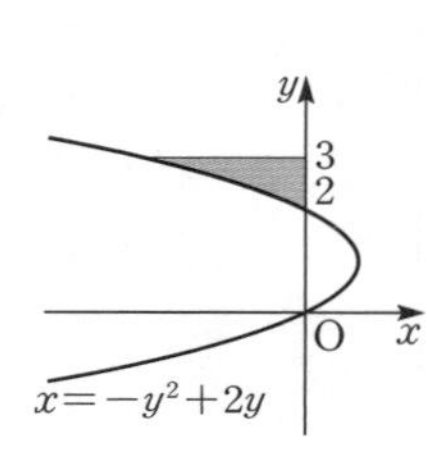

$$S=-\int_{2}^{3}(-y^2+2y)dy$$
$$=-\left[-\frac{1}{3}y^3+y^2\right]_{2}^{3}=\frac{4}{3}$$

08 답 (1) 1 (2) 13

풀이 (1) $y^2-y=0$에서
$y(y-1)=0$
$\therefore y=0$ 또는 $y=1$
$0\le y\le1$에서 $x\le0$,
$1\le y\le2$에서 $x\ge0$이므로

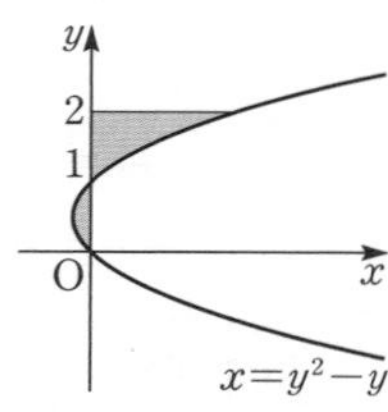

$$S=-\int_{0}^{1}(y^2-y)dy+\int_{1}^{2}(y^2-y)dy$$
$$=-\left[\frac{1}{3}y^3-\frac{1}{2}y^2\right]_{0}^{1}+\left[\frac{1}{3}y^3-\frac{1}{2}y^2\right]_{1}^{2}$$
$$=-\left(-\frac{1}{6}\right)+\frac{5}{6}=1$$

(2) $-y^2+4=0$에서
$-(y+2)(y-2)=0$
$\therefore y=-2$ 또는 $y=2$
$-2\le y\le2$에서 $x\ge0$,
$2\le y\le3$에서 $x\le0$이므로

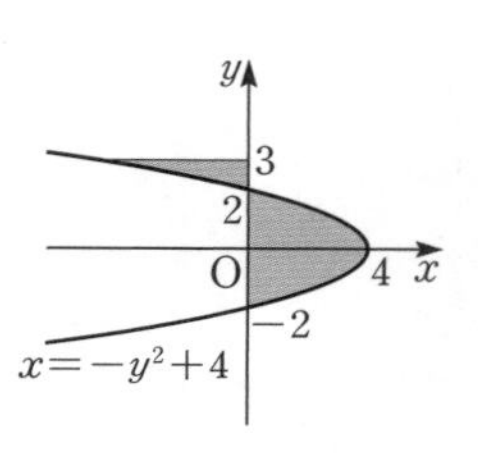

$$S=\int_{-2}^{2}(-y^2+4)dy-\int_{2}^{3}(-y^2+4)dy$$
$$=\left[-\frac{1}{3}y^3+4y\right]_{-2}^{2}-\left[-\frac{1}{3}y^3+4y\right]_{2}^{3}$$
$$=\frac{32}{3}+\frac{7}{3}=13$$

09 답 (1) $\frac{1}{6}$ (2) $\frac{9}{2}$ (3) $\frac{9}{2}$

풀이 (1) 곡선과 직선의 교점의 x 좌표는 $x^2=x$에서 $x^2-x=0$

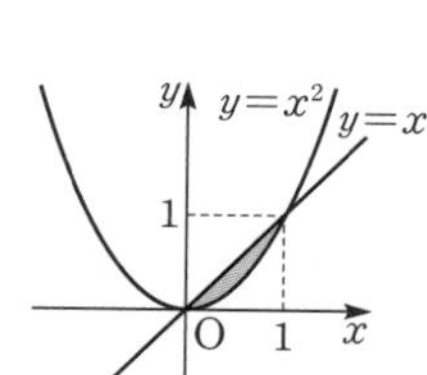

$x(x-1)=0$

$\therefore x=0$ 또는 $x=\underline{1}$

$$\therefore S=\int_{0}^{1}(x-x^2)dx$$
$$=\left[\frac{1}{2}x^2-\frac{1}{3}x^3\right]_{0}^{1}=\underline{\frac{1}{6}}$$

(2) $x^2+2x=x+2$에서

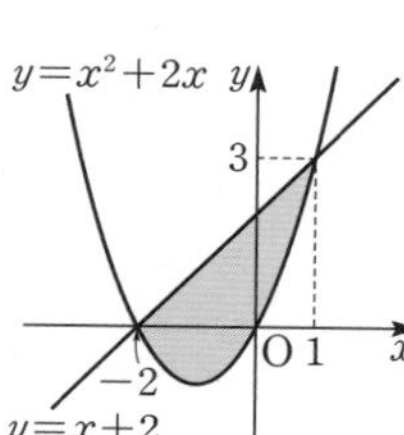

$x^2+x-2=0$

$(x+2)(x-1)=0$

$\therefore x=-2$ 또는 $x=1$

$$\therefore S=\int_{-2}^{1}\{(x+2)-(x^2+2x)\}dx$$
$$=\int_{-2}^{1}(-x^2-x+2)dx$$
$$=\left[-\frac{1}{3}x^3-\frac{1}{2}x^2+2x\right]_{-2}^{1}=\frac{9}{2}$$

(3) $x^2+x-3=2x-1$에서

$x^2-x-2=0$

$(x+1)(x-2)=0$

$\therefore x=-1$ 또는 $x=2$

$$\therefore S=\int_{-1}^{2}\{(2x-1)-(x^2+x-3)\}dx$$
$$=\int_{-1}^{2}(-x^2+x+2)dx$$
$$=\left[-\frac{1}{3}x^3+\frac{1}{2}x^2+2x\right]_{-1}^{2}=\frac{9}{2}$$

10 답 (1) $\frac{37}{12}$ (2) $\frac{37}{12}$

풀이 (1) 곡선과 직선의 교점의 x 좌표는 $x(x-2)^2=x$에서

$x^3-4x^2+3x=0$

$x(x-1)(x-3)=0$

$\therefore x=0$ 또는 $x=1$ 또는 $x=3$

$$\therefore S=\int_{0}^{1}\{x(x-2)^2-x\}dx+\int_{1}^{3}\{x-x(x-2)^2\}dx$$
$$=\int_{0}^{1}(x^3-4x^2+3x)dx+\int_{1}^{3}(-x^3+4x^2-3x)dx$$
$$=\left[\frac{1}{4}x^4-\frac{4}{3}x^3+\frac{3}{2}x^2\right]_{0}^{1}+\left[-\frac{1}{4}x^4+\frac{4}{3}x^3-\frac{3}{2}x^2\right]_{1}^{3}$$
$$=\frac{5}{12}+\frac{8}{3}=\frac{37}{12}$$

(2) $-x^3+x^2+x=-x$에서

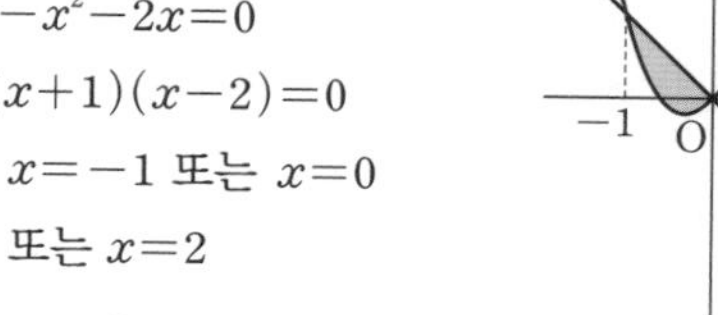

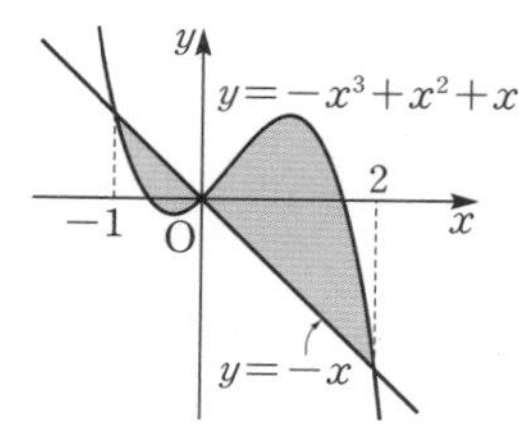

$x^3-x^2-2x=0$

$x(x+1)(x-2)=0$

$\therefore x=-1$ 또는 $x=0$ 또는 $x=2$

$$\therefore S=\int_{-1}^{0}\{-x-(-x^3+x^2+x)\}dx+\int_{0}^{2}\{(-x^3+x^2+x)-(-x)\}dx$$
$$=\int_{-1}^{0}(x^3-x^2-2x)dx+\int_{0}^{2}(-x^3+x^2+2x)dx$$
$$=\left[\frac{1}{4}x^4-\frac{1}{3}x^3-x^2\right]_{-1}^{0}+\left[-\frac{1}{4}x^4+\frac{1}{3}x^3+x^2\right]_{0}^{2}$$
$$=\frac{5}{12}+\frac{8}{3}=\frac{37}{12}$$

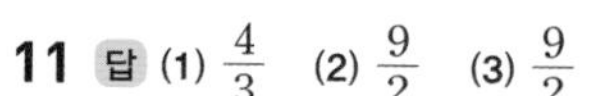

11 답 (1) $\frac{4}{3}$ (2) $\frac{9}{2}$ (3) $\frac{9}{2}$

풀이 (1) 곡선과 직선의 교점의 y 좌표는 $y^2=2y$에서

$y^2-2y=0$

$y(y-2)=0$

$\therefore y=0$ 또는 $y=\underline{2}$

$$\therefore S=\int_{0}^{2}(2y-y^2)dy$$
$$=\left[y^2-\frac{1}{3}y^3\right]_{0}^{2}=\frac{4}{3}$$

참고 y축 적분 꼴의 두 곡선 사이의 넓이

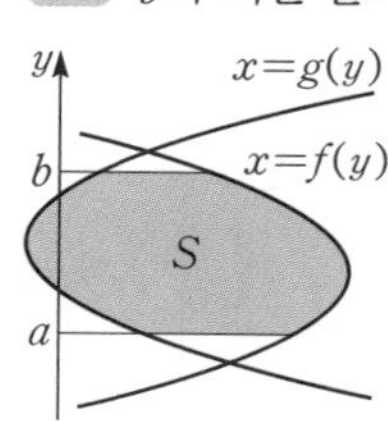

$$S=\int_{a}^{b}|f(y)-g(y)|dy$$

(2) $y^2+1=y+3$에서

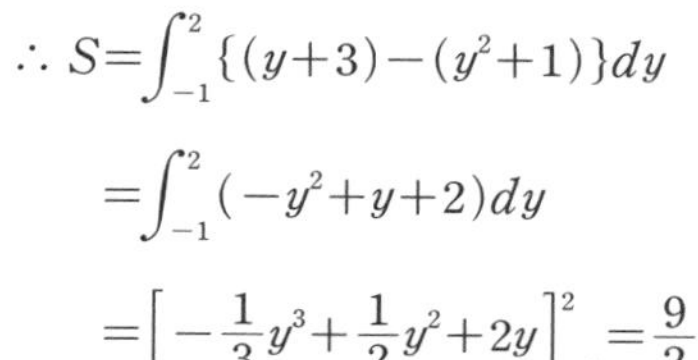

$y^2-y-2=0$

$(y+1)(y-2)=0$

$\therefore y=-1$ 또는 $y=2$

$$\therefore S=\int_{-1}^{2}\{(y+3)-(y^2+1)\}dy$$
$$=\int_{-1}^{2}(-y^2+y+2)dy$$
$$=\left[-\frac{1}{3}y^3+\frac{1}{2}y^2+2y\right]_{-1}^{2}=\frac{9}{2}$$

(3) $-y^2+2y=-y$에서

$-y^2+3y=0$

$-y(y-3)=0$

$\therefore y=0$ 또는 $y=3$

$$\therefore S=\int_0^3\{(-y^2+2y)-(-y)\}dy$$

$$=\int_0^3(-y^2+3y)dy$$

$$=\left[-\frac{1}{3}y^3+\frac{3}{2}y^2\right]_0^3=\frac{9}{2}$$

12 답 (1) 9 (2) $\frac{125}{3}$ (3) $\frac{1}{2}$

풀이 (1) 두 곡선의 교점의 x좌표는 $x^2-1=-x^2+2x+3$에서

$2x^2-2x-4=0$

$2(x+1)(x-2)=0$

$\therefore x=-1$ 또는 $x=2$

$$\therefore S=\int_{-1}^2\{(-x^2+2x+3)-(x^2-1)\}dx$$

$$=\int_{-1}^2(-2x^2+2x+4)dx$$

$$=\left[-\frac{2}{3}x^3+x^2+4x\right]_{-1}^2=9$$

(2) $x^2-2x+3=-x^2+4x+11$에서

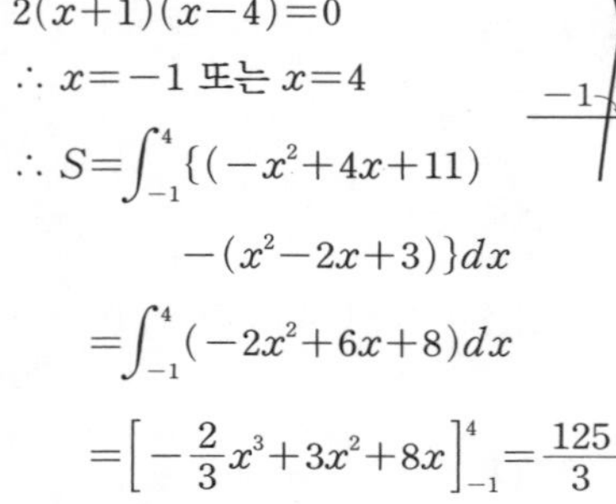

$2x^2-6x-8=0$

$2(x+1)(x-4)=0$

$\therefore x=-1$ 또는 $x=4$

$$\therefore S=\int_{-1}^4\{(-x^2+4x+11)-(x^2-2x+3)\}dx$$

$$=\int_{-1}^4(-2x^2+6x+8)dx$$

$$=\left[-\frac{2}{3}x^3+3x^2+8x\right]_{-1}^4=\frac{125}{3}$$

(3) $x^3-2x^2=x^2-2x$에서

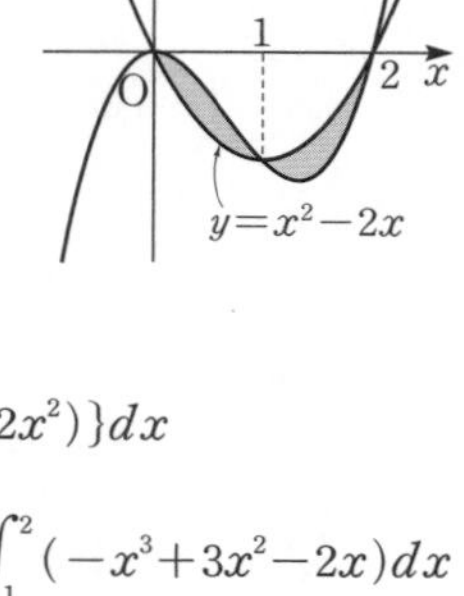

$x^3-3x^2+2x=0$

$x(x-1)(x-2)=0$

$\therefore x=0$ 또는 $x=1$ 또는 $x=2$

$$\therefore S=\int_0^1\{(x^3-2x^2)-(x^2-2x)\}dx+\int_1^2\{(x^2-2x)-(x^3-2x^2)\}dx$$

$$=\int_0^1(x^3-3x^2+2x)dx+\int_1^2(-x^3+3x^2-2x)dx$$

$$=\left[\frac{1}{4}x^4-x^3+x^2\right]_0^1+\left[-\frac{1}{4}x^4+x^3-x^2\right]_1^2$$

$$=\frac{1}{4}+\frac{1}{4}=\frac{1}{2}$$

13 답 (1) $\frac{32}{3}$ (2) 36 (3) $\frac{125}{6}$ (4) $\frac{32}{27}$

풀이 (1) 포물선과 x축의 교점의 x좌표는

$x^2-4x=0$에서

$x(x-4)=0$

$\therefore x=0$ 또는 $x=4$

$$\therefore S=\left|\frac{a}{6}(\beta-\alpha)^3\right|=\frac{1}{6}(4-0)^3=\frac{32}{3}$$

(2) $-x^2+9=0$에서

$-(x+3)(x-3)=0$

$\therefore x=-3$ 또는 $x=3$

$$\therefore S=\left|\frac{a}{6}(\beta-\alpha)^3\right|=\left|\frac{-1}{6}\{3-(-3)\}^3\right|=36$$

(3) $x^2-3x-4=0$에서

$(x+1)(x-4)=0$

$\therefore x=-1$ 또는 $x=4$

$$\therefore S=\left|\frac{a}{6}(\beta-\alpha)^3\right|=\frac{1}{6}\{4-(-1)\}^3=\frac{125}{6}$$

(4) $-3x^2+2x+1=0$에서

$-(3x+1)(x-1)=0$

$\therefore x=-\frac{1}{3}$ 또는 $x=1$

$$\therefore S=\left|\frac{a}{6}(\beta-\alpha)^3\right|=\left|-\frac{3}{6}\left\{1-\left(-\frac{1}{3}\right)\right\}^3\right|=\frac{32}{27}$$

14 답 (1) $\frac{1}{6}$ (2) $\frac{9}{2}$ (3) $\frac{125}{3}$

풀이 (1) 포물선과 직선의 교점의 x좌표는

$x^2+1=3x-1$에서

$x^2-3x+2=0$

$(x-1)(x-2)=0$

$\therefore x=1$ 또는 $x=2$

$$\therefore S=\left|\frac{a}{6}(\beta-\alpha)^3\right|=\frac{1}{6}(2-1)^3=\frac{1}{6}$$

(2) $-x^2+3x=-2x+4$에서

$x^2-5x+4=0$

$(x-1)(x-4)=0$

$\therefore x=1$ 또는 $x=4$

$$\therefore S=\left|\frac{a}{6}(\beta-\alpha)^3\right|=\left|\frac{-1}{6}(4-1)^3\right|=\frac{9}{2}$$

(3) $2x^2-x-10=-3x+2$에서

$2x^2+2x-12=0$

$2(x+3)(x-2)=0$

$\therefore x=-3$ 또는 $x=2$

$$\therefore S=\left|\frac{a}{6}(\beta-\alpha)^3\right|=\frac{2}{6}\{2-(-3)\}^3=\frac{125}{3}$$

15 답 (1) $\frac{8}{3}$ (2) $\frac{1}{3}$ (3) $\frac{1}{3}$ (4) 32

풀이 (1) 두 포물선의 교점의 x좌표는

$x^2-3x-2=-x^2+5x-8$에서

$2x^2-8x+6=0$

$2(x-1)(x-3)=0$

$\therefore x=1$ 또는 $x=3$

$\therefore S=\left|\dfrac{a-a'}{6}(\beta-\alpha)^3\right|=\dfrac{1-(-1)}{6}(3-1)^3=\underline{\dfrac{8}{3}}$

(2) $x^2+2x+5=-x^2-4x+1$에서

$2x^2+6x+4=0$

$2(x+2)(x+1)=0$

$\therefore x=-2$ 또는 $x=-1$

$\therefore S=\left|\dfrac{a-a'}{6}(\beta-\alpha)^3\right|$

$=\dfrac{1-(-1)}{6}\{-1-(-2)\}^3=\underline{\dfrac{1}{3}}$

(3) $3x^2+x=x^2-x$에서

$2x^2+2x=0$

$2x(x+1)=0$

$\therefore x=-1$ 또는 $x=0$

$\therefore S=\left|\dfrac{a-a'}{6}(\beta-\alpha)^3\right|$

$=\dfrac{3-1}{6}\{0-(-1)\}^3=\underline{\dfrac{1}{3}}$

(4) $2x^2-x=-x^2+5x+9$에서

$3x^2-6x-9=0$

$3(x+1)(x-3)=0$

$\therefore x=-1$ 또는 $x=3$

$\therefore S=\left|\dfrac{a-a'}{6}(\beta-\alpha)^3\right|$

$=\dfrac{2-(-1)}{6}\{3-(-1)\}^3=\underline{32}$

16 답 (1) 6 (2) 3 (3) 7

풀이 **(1)** 포물선과 x축의 교점의 x좌표는

$-x^2+kx=0$에서 $-x(x-k)=0$

$\therefore x=0$ 또는 $x=k$

포물선과 x축으로 둘러싸인 부분의 넓이는

$\left|\dfrac{a}{6}(\beta-\alpha)^3\right|=\left|\dfrac{-1}{6}(k-0)^3\right|=\underline{\dfrac{1}{6}k^3}$

이때 $\dfrac{1}{6}k^3=36$이므로

$k^3=216=6^3 \quad \therefore k=\underline{6}$

(2) 포물선과 직선의 교점의 x좌표는

$x^2-2x=kx$에서

$x^2-(k+2)x=0$

$x\{x-(k+2)\}=0$

$\therefore x=0$ 또는 $x=k+2$

포물선과 직선으로 둘러싸인 부분의 넓이는

$\left|\dfrac{a}{6}(\beta-\alpha)^3\right|=\dfrac{1}{6}(k+2)^3=\dfrac{125}{6}$

$(k+2)^3=125=5^3 \quad \therefore k=\underline{3}$

(3) 포물선과 직선의 교점의 x좌표는

$x^2-3x+3k=kx$에서

$x^2-(k+3)x+3k=0$

$(x-k)(x-3)=0$

$\therefore x=k$ 또는 $x=3$

포물선과 직선으로 둘러싸인 부분의 넓이는

$\left|\dfrac{a}{6}(\beta-\alpha)^3\right|=\dfrac{1}{6}(k-3)^3=\dfrac{32}{3}$

$(k-3)^3=64=4^3 \quad \therefore k=\underline{7}$

17 답 (1) 1 (2) 3

풀이 **(1)** 색칠한 두 부분의 넓이가 같으므로

$\displaystyle\int_{-2}^{k}(x^2+2x)dx=0,\ \left[\frac{1}{3}x^3+x^2\right]_{-2}^{k}=0$

$\dfrac{1}{3}k^3+k^2-\dfrac{4}{3}=0,\ k^3+3k^2-4=0$

$(k+2)^2(k-1)=0 \quad \therefore k=\underline{1}\ (\because k>0)$

(2) 색칠한 두 부분의 넓이가 같으므로

$\displaystyle\int_{0}^{k}(3x^2-6x)dx=0,\ \left[x^3-3x^2\right]_{0}^{k}=0$

$k^3-3k^2=0,\ k^2(k-3)=0$

$\therefore k=\underline{3}\ (\because k>2)$

18 답 (1) $\dfrac{1}{2}$ (2) 6

풀이 **(1)** 곡선과 x축의 교점의 x좌표는 $x(x-k)(x-1)=0$에서

$x=0$ 또는 $x=k$ 또는 $x=1$

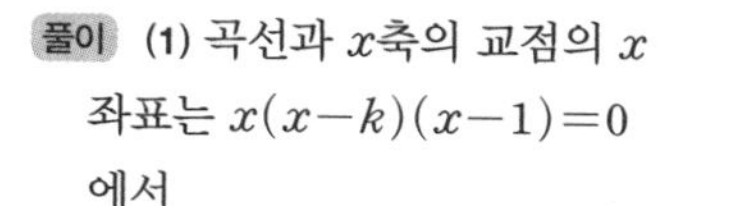

$\displaystyle\int_{0}^{1}x(x-k)(x-1)dx=0$

$\displaystyle\int_{0}^{1}\{x^3-(k+1)x^2+kx\}dx=0$

$\left[\dfrac{1}{4}x^4-\dfrac{k+1}{3}x^3+\dfrac{k}{2}x^2\right]_{0}^{1}=0$

$\dfrac{1}{4}-\dfrac{k+1}{3}+\dfrac{k}{2}=0,\ 2k-1=0$

$\therefore k=\underline{\dfrac{1}{2}}$

(2) 곡선과 x축의 교점의 x좌표는

$x(x-3)(x-k)=0$에서

$x=0$ 또는 $x=3$ 또는 $x=k$

$\displaystyle\int_{0}^{k}x(x-3)(x-k)dx=0$

$\displaystyle\int_{0}^{k}\{x^3-(3+k)x^2+3kx\}dx=0$

$\left[\dfrac{1}{4}x^4-\dfrac{3+k}{3}x^3+\dfrac{3k}{2}x^2\right]_{0}^{k}=0$

$\dfrac{k^4}{4}-\dfrac{3k^3+k^4}{3}+\dfrac{3k^3}{2}=0$

$k^4-6k^3=0,\ k^3(k-6)=0$

$\therefore k=\underline{6}\ (\because k>3)$

19 답 (1) $\dfrac{1}{3}$ (2) $\dfrac{4}{3}$

풀이 **(1)** $f(x)=x^2$으로 놓으면

$f'(x)=2x$

이 곡선 위의 점 (1, 1)에서의 접선의 기울기는

$f'(1)=2$이고 접선의 방정식은

$y-1=2(x-1)$ $\quad\therefore y=2x-1$

$\therefore S=\int_0^1 \{x^2-(2x-1)\}dx$

$=\int_0^1 (x^2-2x+1)dx$

$=\left[\frac{1}{3}x^3-x^2+x\right]_0^1=\frac{1}{3}$

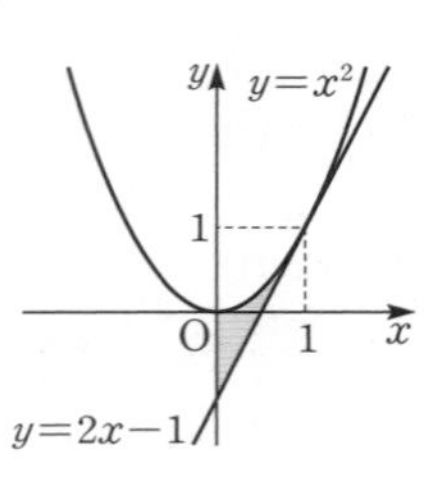

(2) $f(x)=\frac{1}{2}x^2+1$로 놓으면

$f'(x)=x$

이 곡선 위의 점 (−2, 3)에서의 접선의 기울기는

$f'(-2)=-2$이고 접선의 방정식은

$y-3=-2\{x-(-2)\}$ $\quad\therefore y=-2x-1$

$\therefore S=\int_{-2}^0 \left\{\left(\frac{1}{2}x^2+1\right)-(-2x-1)\right\}dx$

$=\int_{-2}^0 \left(\frac{1}{2}x^2+2x+2\right)dx$

$=\left[\frac{1}{6}x^3+x^2+2x\right]_{-2}^0$

$=\frac{4}{3}$

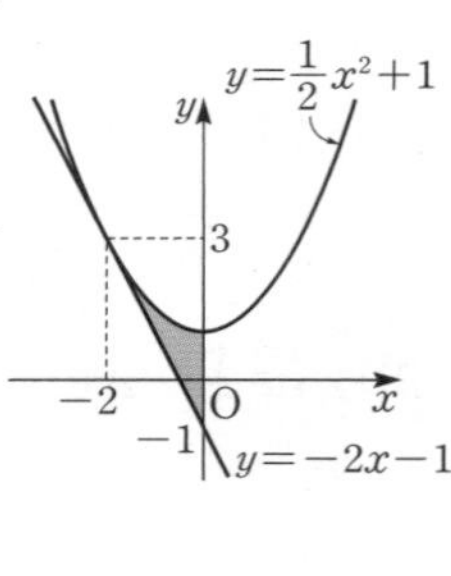

20 답 (1) $\frac{27}{4}$ (2) $\frac{27}{4}$

풀이 (1) $f(x)=x^3$으로 놓으면

$f'(x)=3x^2$

이 곡선 위의 점 (−1, −1)에서의 접선의 기울기는

$f'(-1)=3$이고 접선의 방정식은

$y-(-1)=3\{x-(-1)\}$

$\therefore y=3x+2$

곡선과 직선의 교점의 x좌표는

$x^3=3x+2$에서

$x^3-3x-2=0$

$(x+1)^2(x-2)=0$

$\therefore x=-1$ 또는 $x=2$

$\therefore S=\int_{-1}^2 \{(3x+2)-x^3\}dx$

$=\int_{-1}^2 (-x^3+3x+2)dx$

$=\left[-\frac{1}{4}x^4+\frac{3}{2}x^2+2x\right]_{-1}^2=\frac{27}{4}$

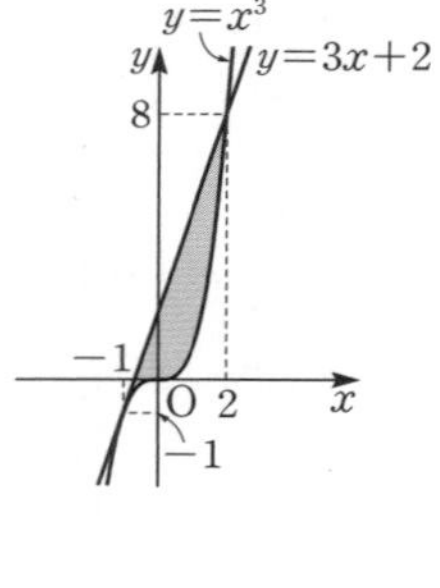

(2) $f(x)=x^3-3x^2+x+2$로 놓으면

$f'(x)=3x^2-6x+1$

이 곡선 위의 점 (0, 2)에서의 접선의 기울기는

$f'(0)=1$이고 접선의 방정식은

$y-2=x$

$\therefore y=x+2$

곡선과 직선의 교점의 x좌표는

$x^3-3x^2+x+2=x+2$에서

$x^3-3x^2=0$

$x^2(x-3)=0$

$\therefore x=0$ 또는 $x=3$

$\therefore S=\int_0^3 \{(x+2)-(x^3-3x^2+x+2)\}dx$

$=\int_0^3 (-x^3+3x^2)dx$

$=\left[-\frac{1}{4}x^4+x^3\right]_0^3=\frac{27}{4}$

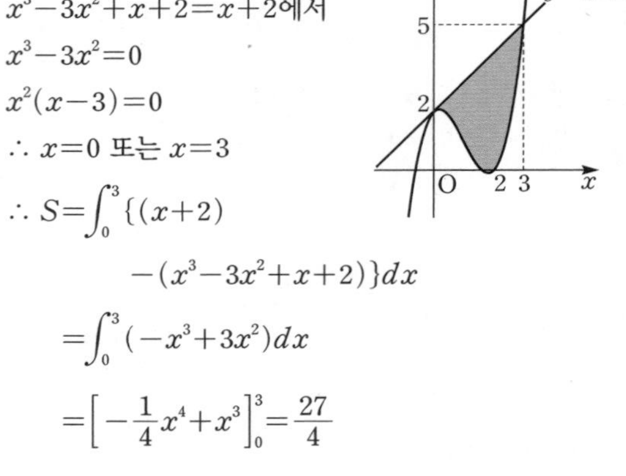

21 답 (1) $\frac{1}{3}$ (2) $\frac{4}{3}$ (3) $\frac{9}{2}$ (4) $\frac{1}{2}$

풀이 (1) 두 곡선 $y=f(x)$, $y=g(x)$는 직선 $y=x$에 대하여 대칭이므로 곡선 $y=f(x)$와 직선 $y=x$로 둘러싸인 부분의 넓이의 2배이다.

곡선 $y=f(x)$와 직선 $y=x$의 교점의 x좌표는

$x^2=x$에서

$x^2-x=0$

$x(x-1)=0$

$\therefore x=0$ 또는 $x=1$

$\therefore S=2\int_0^1 (x-x^2)dx$

$=2\left[\frac{1}{2}x^2-\frac{1}{3}x^3\right]_0^1$

$=2\times\frac{1}{6}=\frac{1}{3}$

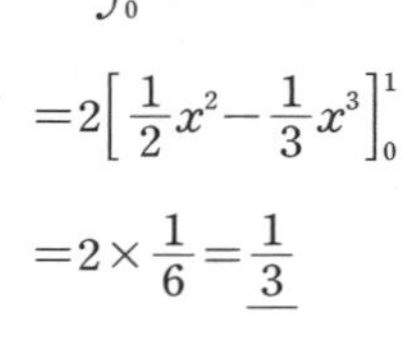

(2) 곡선 $y=f(x)$와 직선 $y=x$의 교점의 x좌표는

$\frac{1}{2}x^2=x$에서

$x^2-2x=0$

$x(x-2)=0$

$\therefore x=0$ 또는 $x=2$

$\therefore S=2\int_0^2 \left(x-\frac{1}{2}x^2\right)dx$

$=2\left[\frac{1}{2}x^2-\frac{1}{6}x^3\right]_0^2$

$=2\times\frac{2}{3}=\frac{4}{3}$

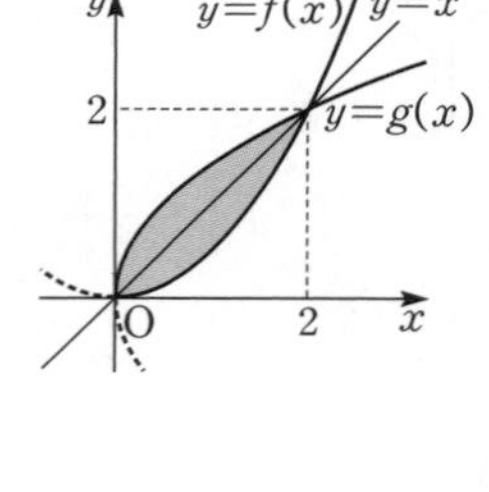

(3) 곡선 $y=f(x)$와 직선 $y=x$의 교점의 x좌표는

$\frac{1}{9}x^3=x$에서

$x^3-9x=0$

$x(x+3)(x-3)=0$

$\therefore x=-3$ 또는 $x=0$ 또는 $x=3$

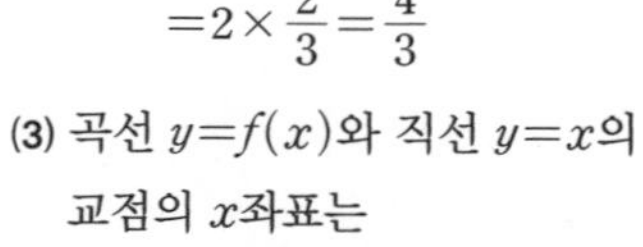

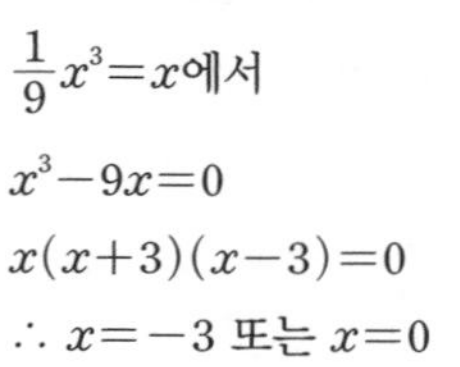

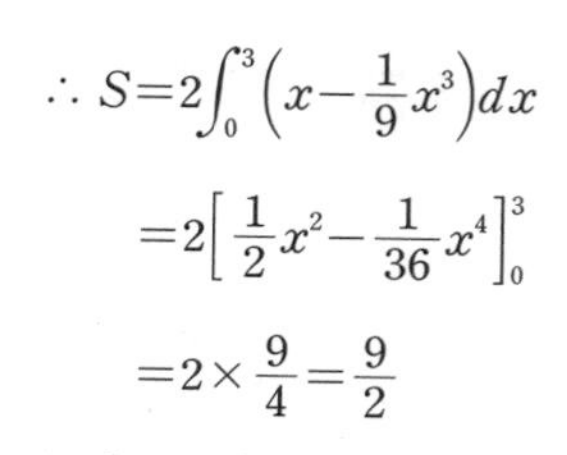

$$\therefore S=2\int_0^3\left(x-\frac{1}{9}x^3\right)dx$$

$$=2\left[\frac{1}{2}x^2-\frac{1}{36}x^4\right]_0^3$$

$$=2\times\frac{9}{4}=\frac{9}{2}$$

(4) 곡선 $y=f(x)$와 직선 $y=x$의 교점의 x좌표는

$x^3-3x^2+3x=x$에서

$x^3-3x^2+2x=0$

$x(x-1)(x-2)=0$

$\therefore x=0$ 또는 $x=1$ 또는 $x=2$

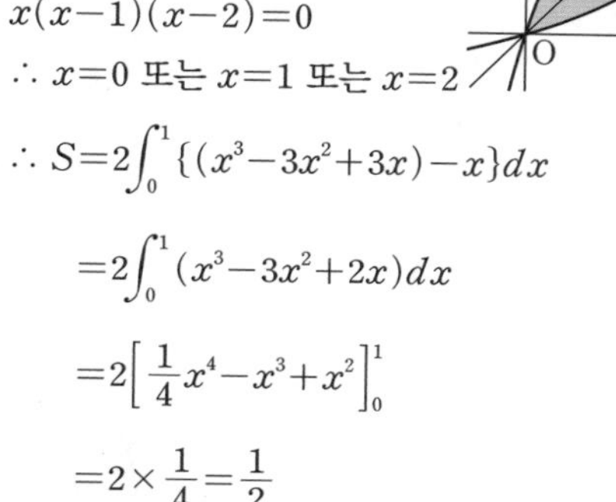

$$\therefore S=2\int_0^1\{(x^3-3x^2+3x)-x\}dx$$

$$=2\int_0^1(x^3-3x^2+2x)dx$$

$$=2\left[\frac{1}{4}x^4-x^3+x^2\right]_0^1$$

$$=2\times\frac{1}{4}=\frac{1}{2}$$

22 답 (1) 3 (2) 5 (3) -7

풀이 (1) $\int_2^5(2t-6)dt=\left[t^2-6t\right]_2^5=\underline{3}$

(2) $\int_2^5|2t-6|dt$

$$=\int_2^3(-2t+6)dt+\int_3^5(2t-6)dt$$

$$=\left[-t^2+6t\right]_2^3+\left[t^2-6t\right]_3^5$$

$$=1+4=\underline{5}$$

(3) 시각 $t=0$일 때의 점 P의 위치가 1이므로 $t=4$일 때의 점 P의 위치는

$$1+\int_0^4(2t-6)dt=1+\left[t^2-6t\right]_0^4=1+(-8)=\underline{-7}$$

23 답 (1) $\frac{3}{2}$ (2) $\frac{31}{6}$ (3) $\frac{10}{3}$

풀이 (1) $\int_1^4(3t-t^2)dt=\left[\frac{3}{2}t^2-\frac{1}{3}t^3\right]_1^4=\frac{3}{2}$

(2) $\int_1^4|3t-t^2|dt$

$$=\int_1^3(3t-t^2)dt+\int_3^4(-3t+t^2)dt$$

$$=\left[\frac{3}{2}t^2-\frac{1}{3}t^3\right]_1^3+\left[-\frac{3}{2}t^2+\frac{1}{3}t^3\right]_3^4$$

$$=\frac{10}{3}+\frac{11}{6}=\frac{31}{6}$$

(3) 시각 $t=0$일 때의 점 P의 위치가 0이므로 $t=2$일 때의 점 P의 위치는

$$\int_0^2(3t-t^2)dt=\left[\frac{3}{2}t^2-\frac{1}{3}t^3\right]_0^2=\frac{10}{3}$$

24 답 (1) 30 m (2) 152.5 m (3) 245 m

풀이 (1) 처음 높이는 30 m이므로 $t=10$(초)일 때의 높이는

$$30+\int_0^{10}(49-9.8t)dt=30+\left[49t-4.9t^2\right]_0^{10}$$

$$=30+0=\underline{30}(\text{m})$$

(2) 최고점에 도달했을 때는

$v(t)=49-9.8t=0$에서 $t=\underline{5}$(초)

따라서 $t=5$(초)일 때의 높이를 구하면 되므로

$$30+\int_0^5(49-9.8t)dt=30+\left[49t-4.9t^2\right]_0^5$$

$$=30+122.5=\underline{152.5}(\text{m})$$

(3) $\int_0^{10}|49-9.8t|dt$

$$=\int_0^5(49-9.8t)dt-\int_5^{10}(49-9.8t)dt$$

$$=\left[49t-4.9t^2\right]_0^5-\left[49t-4.9t^2\right]_5^{10}$$

$$=122.5-(-122.5)=\underline{245}(\text{m})$$

25 답 (1) 25 m (2) 30 m (3) 25 m

풀이 (1) 처음 높이는 10 m이므로 $t=3$(초)일 때의 높이는

$$10+\int_0^3(20-10t)dt=10+\left[20t-5t^2\right]_0^3$$

$$=10+15=25(\text{m})$$

(2) 최고점에 도달했을 때는

$v(t)=20-10t=0$에서 $t=2$(초)

따라서 $t=2$(초)일 때의 높이를 구하면 되므로

$$10+\int_0^2(20-10t)dt=10+\left[20t-5t^2\right]_0^2$$

$$=10+20=30(\text{m})$$

(3) $\int_0^3|20-10t|dt$

$$=\int_0^2(20-10t)dt-\int_2^3(20-10t)dt$$

$$=\left[20t-5t^2\right]_0^2-\left[20t-5t^2\right]_2^3$$

$$=20-(-5)=25(\text{m})$$

26 답 (1) 110 m (2) $\frac{225}{2}$ m (3) 65 m

풀이 (1) 처음 높이는 50 m이므로 $t=6$(초)일 때의 높이는

$$50+\int_0^6(25-5t)dt=50+\left[25t-\frac{5}{2}t^2\right]_0^6$$

$$=50+60=110(\text{m})$$

(2) 최고점에 도달했을 때는

$v(t)=25-5t=0$에서 $t=5$(초)

따라서 $t=5$(초)일 때의 높이를 구하면 되므로

$$50+\int_0^5 (25-5t)dt=50+\left[25t-\frac{5}{2}t^2\right]_0^5$$
$$=50+\frac{125}{2}=\frac{225}{2}(\text{m})$$

(3) $\int_0^6 |25-5t|dt=\int_0^5 (25-5t)dt-\int_5^6 (25-5t)dt$
$$=\left[25t-\frac{5}{2}t^2\right]_0^5-\left[25t-\frac{5}{2}t^2\right]_5^6$$
$$=\frac{125}{2}-\left(-\frac{5}{2}\right)=65(\text{m})$$

27 답 (1) 4 (2) $\frac{9}{2}$ (3) $\frac{7}{2}$

풀이 (1) 시각 $t=4$일 때 운동 방향을 바꾸므로 이때까지 움직인 거리는

$$\int_0^4 v(t)dt=\frac{1}{2}\times4\times2=\underline{4}$$

(2) 실제로 움직인 거리는 속도의 그래프와 t축 사이의 넓이와 같으므로

$$\int_0^5 |v(t)|dt=\int_0^4 |v(t)|dt+\int_4^5 |v(t)|dt$$
$$=\frac{1}{2}\times4\times2+\frac{1}{2}\times1\times1=\underline{\frac{9}{2}}$$

(3) 출발점의 위치가 0이므로 시각 $t=5$일 때의 점 P의 위치는

$$0+\int_0^5 v(t)dt=\int_0^4 v(t)dt+\int_4^5 v(t)dt$$
$$=\frac{1}{2}\times4\times2+\left(-\frac{1}{2}\times1\times1\right)=\underline{\frac{7}{2}}$$

28 답 (1) 4 (2) 5 (3) 3

풀이 (1) 시각 $t=3$일 때 운동 방향을 바꾸므로 이때까지 움직인 거리는

$$\int_0^3 v(t)dt=\frac{1}{2}\times(1+3)\times2=4$$

(2) 실제로 움직인 거리는 속도의 그래프와 t축 사이의 넓이와 같으므로

$$\int_0^4 |v(t)|dt$$
$$=\int_0^3 |v(t)|dt+\int_3^4 |v(t)|dt$$
$$=\frac{1}{2}\times(1+3)\times2+\frac{1}{2}\times1\times2=5$$

(3) 출발점의 위치가 0이므로 시각 $t=4$일 때의 점 P의 위치는

$$0+\int_0^4 v(t)dt$$
$$=\int_0^3 v(t)dt+\int_3^4 v(t)dt$$
$$=\frac{1}{2}\times(1+3)\times2+\left(-\frac{1}{2}\times1\times2\right)=3$$

중단원 점검문제 | Ⅲ-3. 정적분의 활용 127-128쪽

01 답 $\frac{9}{2}$

풀이 곡선과 x축의 교점의 x좌표는 $-x^2-x+2=0$에서
$-(x+2)(x-1)=0$
$\therefore x=-2$ 또는 $x=1$
구간 $[-2, 1]$에서 $y\geq0$이므로
구하는 넓이는

$$\int_{-2}^1 (-x^2-x+2)dx=\left[-\frac{1}{3}x^3-\frac{1}{2}x^2+2x\right]_{-2}^1=\frac{9}{2}$$

02 답 $\frac{37}{12}$

풀이 곡선과 x축의 교점의 x좌표는 $x(x+1)(x-2)=0$에서
$x=-1$ 또는 $x=0$
또는 $x=2$
구간 $[-1, 0]$에서 $y\geq0$,
구간 $[0, 2]$에서 $y\leq0$이므로
구하는 넓이는

$$\int_{-1}^0 x(x+1)(x-2)dx-\int_0^2 x(x+1)(x-2)dx$$
$$=\left[\frac{1}{4}x^4-\frac{1}{3}x^3-x^2\right]_{-1}^0-\left[\frac{1}{4}x^4-\frac{1}{3}x^3-x^2\right]_0^2$$
$$=\frac{5}{12}-\left(-\frac{8}{3}\right)=\frac{37}{12}$$

03 답 24

풀이 곡선과 y축의 교점의 y좌표는
$3y^2+6y=0$에서
$3y(y+2)=0$
$\therefore y=-2$ 또는 $y=0$
$-2\leq y\leq0$에서 $x\leq0$,
$0\leq y\leq2$에서 $x\geq0$이므로
구하는 넓이는

$$-\int_{-2}^0 (3y^2+6y)dy+\int_0^2 (3y^2+6y)dy$$
$$=-\left[y^3+3y^2\right]_{-2}^0+\left[y^3+3y^2\right]_0^2$$
$$=4+20=24$$

04 답 $\frac{32}{3}$

풀이 곡선과 직선의 교점의 x좌표는 $-x^2=-2x-3$에서
$-x^2+2x+3=0$
$-(x+1)(x-3)=0$
$\therefore x=-1$ 또는 $x=3$
따라서 구하는 넓이는

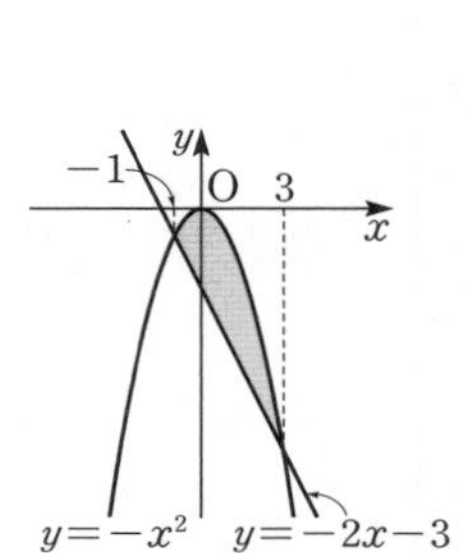

$$\int_{-1}^{3}\{-x^2-(-2x-3)\}dx$$

$$=\int_{-1}^{3}(-x^2+2x+3)dx$$

$$=\left[-\frac{1}{3}x^3+x^2+3x\right]_{-1}^{3}=\frac{32}{3}$$

05 답 13

풀이 곡선과 직선 $y=x$의 교점의 x좌표는 $x^2-3x=x$에서

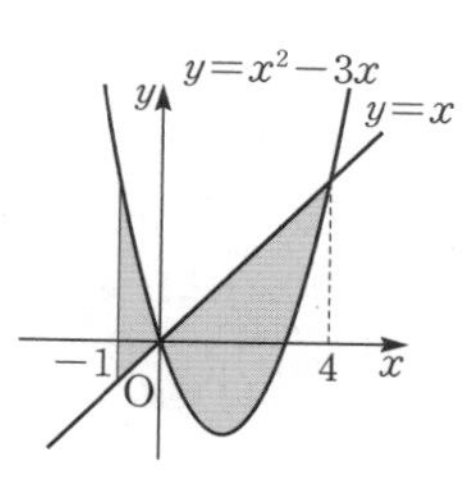

$x^2-4x=0$

$x(x-4)=0$

$\therefore x=0$ 또는 $x=4$

따라서 구하는 넓이는

$$\int_{-1}^{0}\{(x^2-3x)-x\}dx+\int_{0}^{4}\{x-(x^2-3x)\}dx$$

$$=\int_{-1}^{0}(x^2-4x)dx+\int_{0}^{4}(-x^2+4x)dx$$

$$=\left[\frac{1}{3}x^3-2x^2\right]_{-1}^{0}+\left[-\frac{1}{3}x^3+2x^2\right]_{0}^{4}$$

$$=\frac{7}{3}+\frac{32}{3}=13$$

06 답 8

풀이 곡선과 직선의 교점의 x좌표는

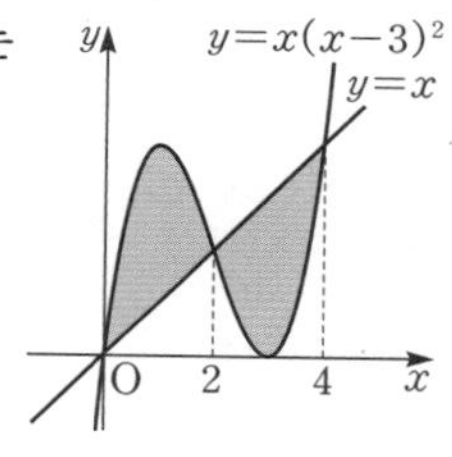

$x(x-3)^2=x$에서

$x^3-6x^2+9x=x$

$x^3-6x^2+8x=0$

$x(x-2)(x-4)=0$

$\therefore x=0$ 또는 $x=2$ 또는 $x=4$

따라서 구하는 넓이는

$$\int_{0}^{2}\{x(x-3)^2-x\}dx+\int_{2}^{4}\{x-x(x-3)^2\}dx$$

$$=\int_{0}^{2}(x^3-6x^2+8x)dx+\int_{2}^{4}(-x^3+6x^2-8x)dx$$

$$=\left[\frac{1}{4}x^4-2x^3+4x^2\right]_{0}^{2}+\left[-\frac{1}{4}x^4+2x^3-4x^2\right]_{2}^{4}$$

$$=4+4=8$$

07 답 8

풀이 두 곡선의 교점의 x좌표는

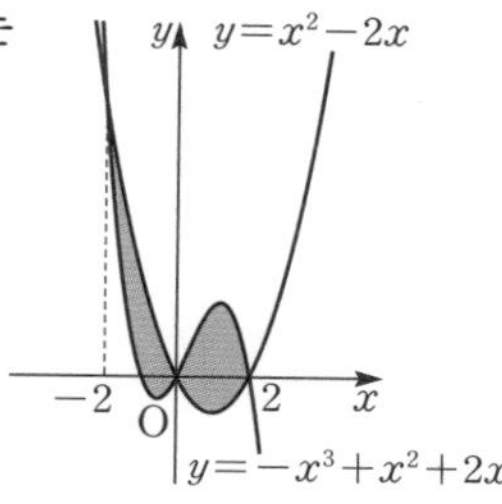

$-x^3+x^2+2x=x^2-2x$에서

$-x^3+4x=0$

$-x(x+2)(x-2)=0$

$\therefore x=-2$ 또는 $x=0$

또는 $x=2$

따라서 구하는 넓이는

$$\int_{-2}^{0}\{(x^2-2x)-(-x^3+x^2+2x)\}dx$$

$$+\int_{0}^{2}\{(-x^3+x^2+2x)-(x^2-2x)\}dx$$

$$=\int_{-2}^{0}(x^3-4x)dx+\int_{0}^{2}(-x^3+4x)dx$$

$$=\left[\frac{1}{4}x^4-2x^2\right]_{-2}^{0}+\left[-\frac{1}{4}x^4+2x^2\right]_{0}^{2}$$

$$=4+4=8$$

08 답 72

풀이 포물선과 직선의 교점의 x좌표는

$-2x^2+3x+6=-x-10$에서

$-2x^2+4x+16=0$

$-2(x+2)(x-4)=0$

$\therefore x=-2$ 또는 $x=4$

따라서 구하는 넓이는

$$\left|\frac{a}{6}(\beta-\alpha)^3\right|=\left|\frac{-2}{6}\{4-(-2)\}^3\right|=72$$

09 답 4

풀이 두 포물선의 교점의 x좌표는

$2x^2-3x=-x^2+9x-9$에서

$3x^2-12x+9=0$, $3(x-1)(x-3)=0$

$\therefore x=1$ 또는 $x=3$

따라서 구하는 넓이는

$$\left|\frac{a-a'}{6}(\beta-\alpha)^3\right|=\frac{2-(-1)}{6}(3-1)^3=4$$

10 답 2

풀이 포물선과 직선의 교점의 x좌표는

$x^2-4x=kx$에서 $x^2-(k+4)x=0$

$x\{x-(k+4)\}=0$

$\therefore x=0$ 또는 $x=k+4$

포물선과 x축으로 둘러싸인 부분의 넓이는

$$\left|\frac{a}{6}(\beta-\alpha)^3\right|=\frac{1}{6}(k+4)^3=36$$

$(k+4)^3=216=6^3 \qquad \therefore k=2$

11 답 4

풀이 곡선과 x축의 교점의 x좌표는 $x(x-2)(x-k)=0$에서

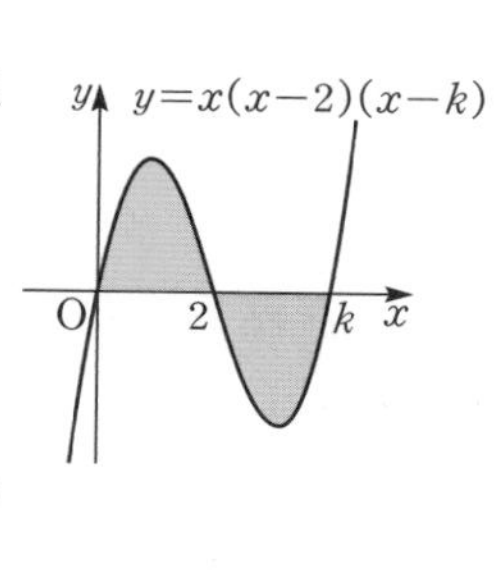

$x=0$ 또는 $x=2$ 또는 $x=k$

$$\int_{0}^{k}x(x-2)(x-k)dx=0$$

$$\int_{0}^{k}\{x^3-(2+k)x^2+2kx\}dx=0$$

$$\left[\frac{1}{4}x^4-\frac{2+k}{3}x^3+kx^2\right]_{0}^{k}=0$$

$$-\frac{1}{12}k^4+\frac{1}{3}k^3=0$$

$k^4-4k^3=0$

$k^3(k-4)=0$

$\therefore k=4$ ($\because k>2$)

12 답 $\frac{1}{3}$

풀이 $f(x)=x^2-x+2$로 놓으면

$f'(x)=2x-1$

이 곡선 위의 점 (1, 2)에서의 접선의 기울기는

$f'(1)=1$이고 접선의 방정식은

$y-2=x-1$

$\therefore y=x+1$

따라서 구하는 넓이는

$\int_0^1 \{(x^2-x+2)-(x+1)\}dx$

$=\int_0^1 (x^2-2x+1)dx$

$=\left[\frac{1}{3}x^3-x^2+x\right]_0^1=\frac{1}{3}$

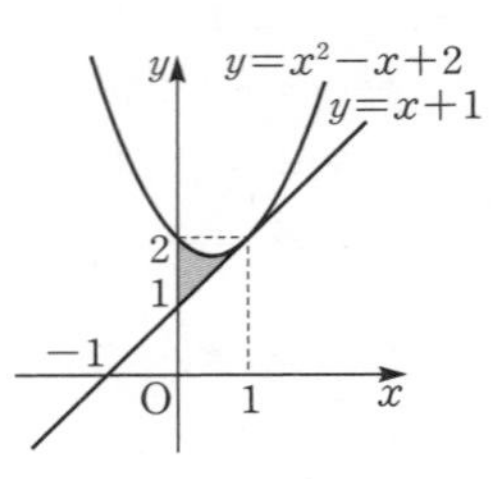

13 답 2

풀이 곡선 $y=f(x)$와 직선

$y=x$의 교점의 x좌표는

$\frac{1}{4}x^3=x$에서

$x^3-4x=0$

$x(x+2)(x-2)=0$

$\therefore x=-2$ 또는 $x=0$ 또는 $x=2$

따라서 구하는 넓이는

$2\int_0^2\left(x-\frac{1}{4}x^3\right)dx$

$=2\left[\frac{1}{2}x^2-\frac{1}{16}x^4\right]_0^2$

$=2\times1$

$=2$

14 답 $\frac{17}{2}$

풀이 $\int_0^5 |4-t|dt$

$=\int_0^4 (4-t)dt+\int_4^5 (-4+t)dt$

$=\left[4t-\frac{1}{2}t^2\right]_0^4+\left[-4t+\frac{1}{2}t^2\right]_4^5$

$=8+\frac{1}{2}$

$=\frac{17}{2}$

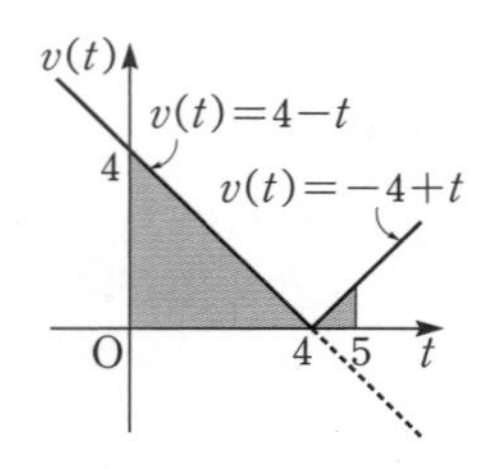

15 답 900 m

풀이 최고점에 도달했을 때는

$v(t)=-t^2+12t+45=0$에서

$-(t+3)(t-15)=0$

$\therefore t=15$(초)

따라서 $t=15$(초)일 때의 높이를 구하면 되므로

$\int_0^{15}(-t^2+12t+45)dt$

$=\left[-\frac{1}{3}t^3+6t^2+45t\right]_0^{15}$

$=900$(m)

16 답 8

풀이 실제로 움직인 거리는 속도의 그래프와 t축 사이의 넓이와 같으므로

$\int_0^7 |v(t)|dt$

$=\int_0^2 |v(t)|dt+\int_2^4 |v(t)|dt+\int_4^7 |v(t)|dt$

$=\frac{1}{2}\times2\times2+\frac{1}{2}\times2\times2+\frac{1}{2}\times(1+3)\times2$

$=8$